図解 11訂 危険物施設③基準の早わかり

東京消防庁/監修　危険物行政研究会/編著

第1章　　　　　　　給油取扱所の基準

第2章　　　　　　　　販売取扱所の基準

第3章　　　　　　　　　　　移送取扱所の基準

本書の構成・特徴

　本書は、消防法令上の「製造所等の位置、構造及び設備の基準」を主とし、危険物規制の概要や手続きなどに関連するものを含め、図表等を駆使してその内容を正しく理解できるよう工夫して編集されています。

　また、危険物の規制に関する政令を逐条ごとに体系的にまとめる方法としましたが、規則、告示、通達なども網羅し、更に関係する他の法令も掲載しました。

　正しく使用していただくために、凡例を一読してから本書を活用されますようお願いいたします。

凡　　例

　法文の体裁、配字、用字等については、おおむね原文のとおりとしたが、読者の利用の便のため、次のような措置をした。

1　法令は、縦書きで公布施行されているが、本書が横組み体裁のため、引用した法令等の条文も横書きにして登載した。

2　用字は新字体に、数字はアラビア数字に改めた。

3　条文の項目の細別は、次によった。

　　　条の番号　　　第1条、第2条、第3条 ……
　　　項の番号　　　2、3、4 ……
　　　号の番号　　　(1)、(2)、(3) ……
　　　号の細別　　　イ、ロ、ハ ……

4　条文見出しは、条文の前にゴシック体で示した。法文の原文に付いている見出しは（　　）で、原文にはなく編者が付けたもの（例. 消防法）は〔　　〕でくくり区別している。

5　2項以上ある条文には、2項以下項番号が付いているが、法文の原文にあるものは、2、3……、原文にはなく編者が付けたもの（例. 消防法）は、②、③……として区別してある。

6　引用条文中、解説項目と関係のない部分は、項、号の一部を省略した場合がある。その場合、条文中に（前略）、（中略）等の表示は付していないので了承されたい。

7　引用条文中、編集の都合上、条文の見出しを「第20条第1項第3号」として当該条文を登載したものがある。

8　法文中、下記に掲げる語句は、次のように表示した。

　　　左　→　左〔次〕　　　　上欄　→　上〔左〕欄　　　　下欄　→　下〔右〕欄

9　本書に使用した主な法令・通達名の略称は、次のとおりである。

　　　施行令　……　消防法施行令（昭和36年3月25日政令第37号）
　　　施行規則　……　消防法施行規則（昭和36年4月1日自治省令第6号）
　　　危政令　……　危険物の規制に関する政令（昭和34年9月26日政令第306号）
　　　危規則　……　危険物の規制に関する規則（昭和34年9月29日総理府令第55号）
　　　危告示　……　危険物の規制に関する技術上の基準の細目を定める告示（昭和49年5月1日自治省告示第99号）
　　　建基法　……　建築基準法（昭和25年5月24日法律第201号）
　　　建基令　……　建築基準法施行令（昭和25年11月16日政令第338号）

10　計量単位のSI化による改正が平成11年10月1日より施行されたため、従来の「10重量キログラム毎平方センチメートル」は「1メガパスカル」として表記してある。

第 1 章　給油取扱所の基準

◈ 第1章　給油取扱所の基準 ◈

第1節　給油取扱所の一般基準

■1■ 給油取扱所の区分

(根拠条文)(危政令)

> **第3条第1号**　専ら給油設備によつて自動車等の燃料タンクに直接給油するため
> 危険物を取り扱う取扱所及び給油設備によつて自動車等の燃料タンクに直接
> 給油するため危険物を取り扱うほか、次に掲げる作業を行う取扱所(以下こ
> れらの取扱所を「給油取扱所」という。)
> イ　給油設備からガソリンを容器に詰め替え、又は軽油を車両に固定された
> 　容量4,000リットル以下のタンク(容量2,000リットルを超えるタンクにあ
> 　つては、その内部を2,000リットル以下ごとに仕切つたものに限る。ロに
> 　おいて同じ。)に注入する作業
> ロ　固定した注油設備から灯油若しくは軽油を容器に詰め替え、又は車両に
> 　固定された容量4,000リットル以下のタンクに注入する作業

(留意事項)(1)　給油取扱所とは、専用のタンクから給油設備を使用して、自動車や航空機、船舶
等の燃料タンクへ給油する施設である。
　　したがって、燃料タンクに給油される危険物は自動車等が駆動するために消費す
る燃料であり、タンカーなどのタンクに給油する施設は含まれない。なお、詰替え
等に関しては、次のとおりとする。
ア　危政令第3条第1号イの作業は、顧客が自ら行うことは認められず、危険物取
　扱者である従業員又はその立会いを受けた従業員が行うこと。
イ　ガソリンを容器へ詰め替える作業は、容器を接地した状態で行うこと。
ウ　軽油を車両に固定したタンクへ注入する作業は、危規則第25条の2第2号ホの
　注入管の先端をタンクの底部に着けた状態で行うこと。

(2)　給油取扱所は、その用途、構造、設備等により、次のように区分される。

　ア　給油の対象となる自動車等による区分

　イ　給油取扱所の利用形態による区分

　ウ　給油取扱所の構造による区分

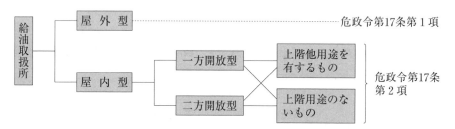

　エ　給油設備等による区分

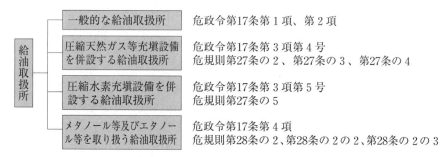

　　　注　一般的な給油取扱所には、自動車等の点検・整備を行うための附随設備として、電気
　　　自動車用の充電設備を設置する給油取扱所を含む。

オ　給油等の取扱いによる区分

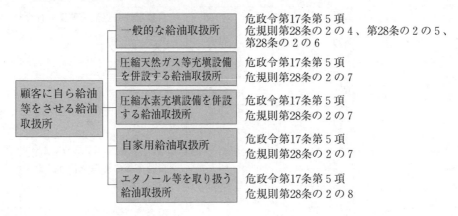

	一般的な給油取扱所	危政令第17条第5項 危規則第28条の2の4、第28条の2の5、第28条の2の6
顧客に自ら給油等をさせる給油取扱所	圧縮天然ガス等充填設備を併設する給油取扱所	危政令第17条第5項 危規則第28条の2の7
	圧縮水素充填設備を併設する給油取扱所	危政令第17条第5項 危規則第28条の2の7
	自家用給油取扱所	危政令第17条第5項 危規則第28条の2の7
	エタノール等を取り扱う給油取扱所	危政令第17条第5項 危規則第28条の2の8

2 取扱最大数量

留意事項 (1)　給油取扱所における危険物の最大取扱数量は、一般的には危政令第17条第1項第7号に定める専用タンク、廃油タンク等及び簡易タンクの容量の合計により算定する。ただし、専用タンクを有しない航空機用給油取扱所などでは、1日の最大取扱量とする。

なお、廃油タンク等とは、廃油タンクのほか、ボイラー等（給湯用ボイラー、冷暖房用ボイラー、自家発電設備等）に直接接続するタンクをいう（以下同じ。）。

(2)　危規則第25条の5に規定する附随設備並びに附随設備以外の危険物を収納する容器で取り扱う危険物の量は、最大取扱数量の算定には含まれないが、その合計数量はそれぞれ指定数量未満とする必要がある。

表2-1　**許可数量として規制するもの**

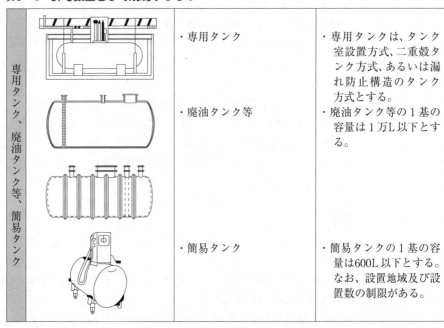

専用タンク、廃油タンク等、簡易タンク	・専用タンク	・専用タンクは、タンク室設置方式、二重殻タンク方式、あるいは漏れ防止構造のタンク方式とする。
	・廃油タンク等	・廃油タンク等の1基の容量は1万L以下とする。
	・簡易タンク	・簡易タンクの1基の容量は600L以下とする。なお、設置地域及び設置数の制限がある。

表2-2　許可数量に含まないもの（貯蔵取扱量を指定数量未満に限定する。）

（ア）附随設備	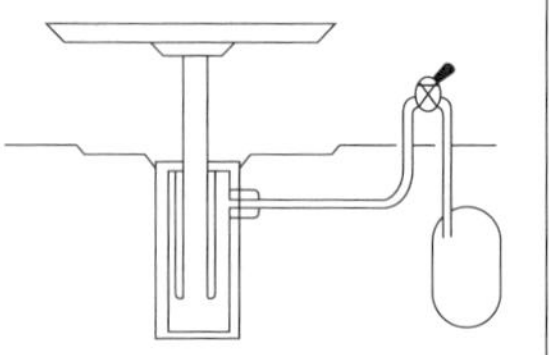 ○ 自動車等の点検・整備を行う設備 ・オートリフト ・ブレーキテスター ・オイルチェンジャー ・ウォールタンク ・タイヤチェンジャー ・ホイルバランサー ・エアーコンプレッサー ・バッテリーチャージャー等 ○ 自動車等の洗浄を行う設備 ・蒸気洗浄機 ・洗車機 ○ 混合燃料油調合器	・指定数量未満
（イ）容器等	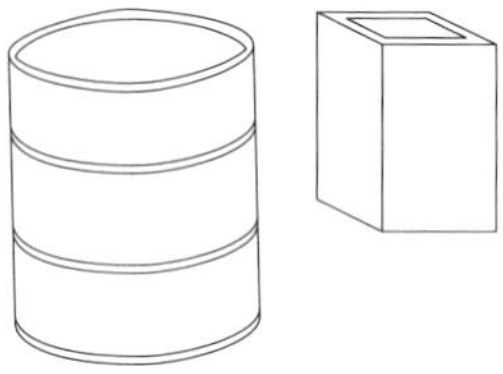 ・ドラム、オイル缶	・指定数量未満

3 給油空地

根拠条文　危政令

（給油取扱所の基準）

第17条第1項　給油取扱所（次項に定めるものを除く。）の位置、構造及び設備の技術上の基準は、次のとおりとする。

(1)　給油取扱所の給油設備は、ポンプ機器及びホース機器からなる固定された給油設備（以下この条及び第27条において「固定給油設備」という。）とすること。

(2)　固定給油設備のうちホース機器の周囲（懸垂式の固定給油設備にあつては、ホース機器の下方）に、自動車等に直接給油し、及び給油を受ける自動車等が出入りするための、間口10メートル以上、奥行6メートル以上の空地で総務省令で定めるもの（以下この条及び第27条において「給油空地」という。）を保有すること。

危規則

（定義）

第1条　この規則において、次の各号に掲げる用語の意義は、それぞれ当該各号に定めるところによる。

(1)　「道路」とは、次のイからニまでの一に該当するものをいう。

イ　道路法（昭和27年法律第180号）による道路

　　ロ　土地区画整理法（昭和29年法律第119号）、旧住宅地造成事業に関する法
　　　律（昭和39年法律第160号）、都市計画法（昭和43年法律第100号）、都市再
　　　開発法（昭和44年法律第38号）又は新都市基盤整備法（昭和47年法律第86
　　　号）による道路
　　ハ　港湾法（昭和25年法律第218号）第 2 条第 5 項第 4 号に規定する臨港交通
　　　施設である道路
　　ニ　イからハまでに定めるもののほか、一般交通の用に供する幅員 4 メート
　　　ル以上の道で自動車（道路運送車両法（昭和26年法律第185号）第 2 条第 2
　　　項に規定するものをいう。以下同じ。）の通行が可能なもの
（給油空地）
第24条の14　令第17条第 1 項第 2 号（同条第 2 項においてその例による場合を含
　む。）の総務省令で定める空地は、次に掲げる要件に適合する空地とする。
（1）　自動車等が安全かつ円滑に出入りすることができる幅で道路に面してい
　　ること。
（2）　自動車等が当該空地からはみ出さずに安全かつ円滑に通行することがで
　　きる広さを有すること。
（3）　自動車等が当該空地からはみ出さずに安全かつ円滑に給油を受けること
　　ができる広さを有すること。

留意事項　（1）　危政令第17条第 1 項は、屋外給油取扱所の位置、構造、設備の基準であり、一般
　　　　　的な営業用の自動車用給油取扱所は本項の屋外給油取扱所又は第 2 項の屋内給油取
　　　　　扱所のいずれかに該当する。

図 3 - 1　**屋外給油取扱所の例**

（2）　給油空地は、次の要件に適合する空地とする。
　　ア　自動車等が安全かつ円滑に出入りできる幅で道路に面していること。
　　イ　自動車等が当該空地からはみ出さずに安全かつ円滑に通行できる広さを有する
　　　こと。
　　ウ　自動車等が当該空地からはみ出さずに安全かつ円滑に給油を受けることができ
　　　る広さを有すること。

(3) 給油空地の設定は次による。

　ア　給油取扱所の給油空地の間口とは、一般的に主要道路に面した方の幅を指すものとされている。

　イ　給油空地は、最低、間口10m、奥行6mの矩形が道路に接して内在するように設定しなければならない（図3-2参照）。図3-3から図3-6は、基準に適合しないものの例である。

図3-2　**給油空地の例**

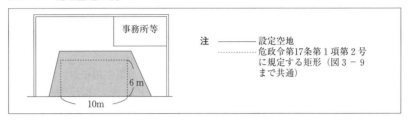

図3-3　**奥行の不足**

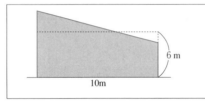

図3-4　**間口の不足**

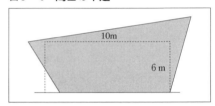

図3-5　**危政令第17条第1項第2号に規定する矩形が内在しない**

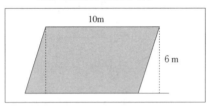

図3-6　**間口、奥行の不足**

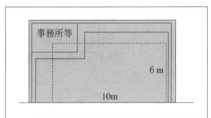

　ウ　給油空地は、固定給油設備の配置、給油を受ける自動車等の大きさ、車両の動線等を考慮して判断することが必要である。

図3-7　**固定給油設備を設置する場所**（設定空地内）

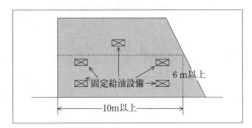

　エ　すれ違う車両間に十分な間隔が確保できる広さであること。

　オ　自動車等を包含し、自動車等の周囲に給油作業に必要と考えられる十分な空間が確保されていること。

(4) 前面に河川等がある場合は、道路から給油空地へ至る車両導入路を確保する（図3-8参照）。

ア　導入路に橋等を設ける場合は自動車等の通行に際し十分な強度を有すること。

イ　導入路の幅は道路から給油取扱所に至る道路の長さの2分の1以上で、かつ、5m以上であること。

ウ　前イの導入路を、道路の同じ側に2箇所以上設けること。

図3-8

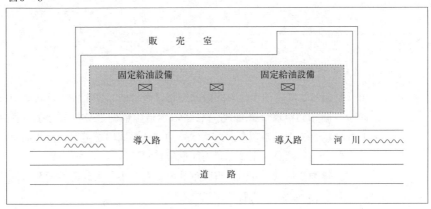

(5)　自動車等の出入りする側に、ガードレール等が設けられている場合は、幅5m以上の進入口を2箇所以上必要とし、当該幅5m以上の進入口2箇所以上は、給油取扱所の空地のうち、間口10m以上、奥行6m以上の矩形部分の間口の前面にとらなければならない（図3-9参照）。

図3-9

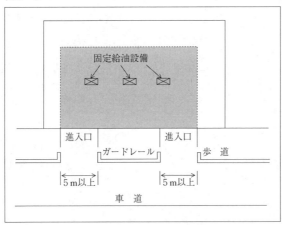

なお、歩道を切り下げ、進入口を確保する場合は、原則として当該幅は車両の通行に有効な幅とし、この有効幅員は縁石終端部で確保される必要がある（図3-10参照）。

図3－10

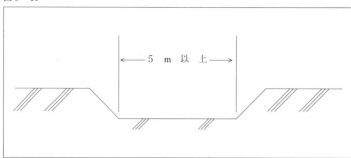

(6) 原則として給油空地の間口は道路に直接面して確保する必要があるが、道路構造令（昭和45年政令第320号）による歩道の整備等やむを得ない事由により確保できない場合、次の事項を満たせば給油空地の間口を道路に直接面しないことができる（図3－11参照）（平成13年消防危第127号）。

ア　給油空地は、間口（自動車等の主たる乗り入れ部へ通じる給油空地の一辺の長さ）10m以上、奥行6m以上とする。

イ　自動車等の乗り入れ部は、自動車等の出入りが円滑にできる幅を確保する。

ウ　自動車の主たる乗り入れ部と給油空地とが相互に十分見通せる位置関係とする。

図3-11 **給油空地の例示**

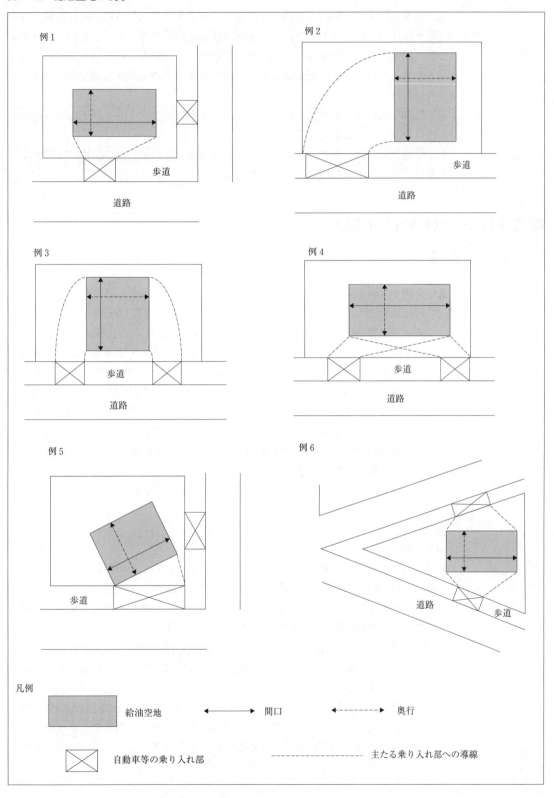

(7)　その他

　　ア　給油空地及び車両の導入路の中ではクイックサービス以外の点検、整備、洗浄
　　　　等を行うことはできず、また、固定注油設備を設置することはできないものであ
　　　　る（固定注油設備が給油に必要な空地に抵触しない位置とは、地上式にあっては
　　　　アイランドが、また、懸垂式にあっては本体ケースの水平投影部分が、当該空地
　　　　内にないことをいう。）。

　　イ　給油空地には、必要最小限の範囲においてPOS用カードリーダー、現金自動釣
　　　　銭機を設けることができる。

　　ウ　給油空地には、花壇、フラワーポット等自動車等の通行及び給油に支障がない
　　　　と認められるものに限って、設けてもよいものとされている。

4 灯油若しくは軽油用注油空地

(根拠条文) 危政令

> **第17条第1項第3号**　給油取扱所に灯油若しくは軽油を容器に詰め替え、又は車
> 両に固定された容量4,000リットル以下のタンク（容量2,000リットルを超え
> るタンクにあつては、その内部を2,000リットル以下ごとに仕切つたものに
> 限る。）に注入するための固定された注油設備（ポンプ機器及びホース機器
> からなるものをいう。以下この条及び第27条において「固定注油設備」とい
> う。）を設ける場合は、固定注油設備のうちホース機器の周囲（懸垂式の固
> 定注油設備にあつては、ホース機器の下方）に、灯油若しくは軽油を容器に
> 詰め替え、又は車両に固定されたタンクに注入するための空地で総務省令で
> 定めるもの（以下この条及び第27条において「注油空地」という。）を給油空
> 地以外の場所に保有すること。

危規則

> （注油空地）
> **第24条の15**　令第17条第1項第3号（同条第2項においてその例による場合を含
> む。）の総務省令で定める空地は、給油取扱所に設置する固定注油設備（令第17
> 条第1項第3号の固定注油設備をいう。以下同じ。）に係る次の各号に掲げる区
> 分に応じ、当該各号に定める広さを有する空地とする。
> (1)　灯油又は軽油を容器に詰め替えるための固定注油設備　容器を安全に置く
> 　　ことができ、かつ、当該容器に灯油又は軽油を安全かつ円滑に詰め替えるこ
> 　　とができる広さ
> (2)　灯油又は軽油を車両に固定されたタンクに注入するための固定注油設備　タ
> 　　ンクを固定した車両が当該空地からはみ出さず、かつ、当該タンクに灯油又
> 　　は軽油を安全かつ円滑に注入することができる広さ

留意事項 (1)　注油空地は、次の要件に適合する空地とする。

　　ア　灯油又は軽油を容器に詰め替えるための空地は、容器を安全に置くことができ、かつ、容器へ安全かつ円滑に詰め替えることができる広さを有すること。

　　イ　灯油又は軽油を4,000L以下の移動タンク貯蔵所に注油するための空地は、車両が当該空地からはみ出さず、かつ、当該車両のタンクに安全かつ円滑に注油することができる広さを有すること。

(2)　注油空地は、固定注油設備の周囲に設定するもので、固定注油設備の配置、容器の置き場所、注油を受ける4,000L以下の移動タンク貯蔵所の停車位置を考慮して判断することが必要である。

(3)　注油空地の広さは、施設の形態や規模によって異なるが次の空地以上とする。

　　ア　容器への小分けのみを行う場合はおおむね4㎡以上で、容器を置くための台等を設ける場合は、当該台等を空地に包含すること。

　　イ　4,000L以下の移動タンク貯蔵所へ注油する場合は、その車両を包含し、車両周囲に注油作業等に必要な空間が確保できていること。

(4)　注油空地の出入口は、直接道路に接する必要はない。

図4-1　**容器小分けに必要な注油**
　　　　空地の例

図4-2　**4,000L以下の移動タンク貯**
　　　　蔵所への注油に必要な空地の例

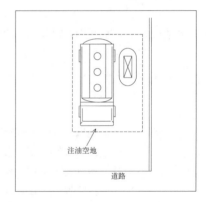

(5)　注油できる移動タンク貯蔵所は、タンク容量を4,000L以下とし、2,000L以下ごとに仕切った移動タンク貯蔵所でなければならない。

(6)　移動タンク貯蔵所は、給油取扱所の敷地内を常置場所とすることはできない。ただし、少量危険物の移動タンクは給油取扱所の敷地内（駐車スペースのあるもの）を常置場所とすることができる。

図4-3　**灯油用移動タンク貯蔵所の例**

5 給油空地及び注油空地の舗装

根拠条文　危政令

> **第17条第1項第4号**　給油空地及び注油空地は、漏れた危険物が浸透しないための総務省令で定める舗装をすること。

危規則

> （給油空地及び注油空地の舗装）
> **第24条の16**　令第17条第1項第4号（同条第2項においてその例による場合を含む。）の総務省令で定める舗装は、次に掲げる要件に適合する舗装とする。
> ⑴　漏れた危険物が浸透し、又は当該危険物によつて劣化し、若しくは変形するおそれがないものであること。
> ⑵　当該給油取扱所において想定される自動車等の荷重により損傷するおそれがないものであること。
> ⑶　耐火性を有するものであること。

留意事項　⑴　危規則第24条の16に規定する性能を有する舗装としては、鉄筋コンクリートによるものがあること。
　　　なお、コンクリート内の鉄筋は、埋設配管に接触させないこと。
⑵　上記の舗装に加え、地盤面舗装材料を用いる場合は、次の性能を考慮する必要がある。
　ア　強度………圧縮強度、曲げ強度、付着強度（JISに準拠）
　イ　防火性能…JIS　A 1321等による難燃性1級又は2級以上
　ウ　耐油性……JIS　K 5600等に示す浸漬による劣化試験
　エ　排水性……JIS　A 1404等に示す透水試験及び強度試験
　オ　導電性……JIS　K 6911に示す体積固有抵抗率$10^8\Omega\cdot$cm以下又はNFPA等に示す表面固有抵抗率$10^9\Omega\cdot$cm以下

　　注　地盤面舗装材は、一般的にコンクリート表装部に仕上げ材として使用するもので、経年的な表面割れの防止、耐すべり性のほかカラー仕上げ等が可能となる。材質は、アクリル系、エポキシ系、ビニロン系などの樹脂に、セメント、骨材を混入させたものが多い。

⑶　可燃性蒸気の滞留防止等のため、給油空地等の地盤面は、周囲の地盤面より高くするとともに、その表面に適当な傾斜をつける方法があるが、地盤面の傾斜は当該給油空地等に近い道路側に可燃性蒸気が排出されるよう措置すること。
⑷　固定給油設備又は固定注油設備から危険物が漏れた場合において、危険物が空地内に滞留しないよう空地の地盤面を周囲の地盤面より高くするとともにその表面に適当な傾斜をつけること。

図5-1　**給油取扱所の空地と周囲の地盤の関係**

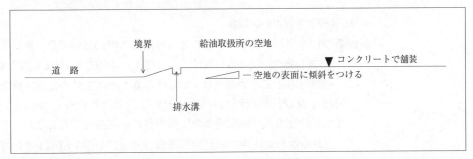

(5) 給油取扱所の周囲の地盤面が、道路の改修等（かさ上げ）のため、危政令第17条第1項第2号に定める空地よりも高くなり、同項第4号の規定に適合しなくなる場合は、次に掲げる措置を講ずることにより、適合しているものとみなされる（図5-2参照）。

ア　かさ上げ道路と給油取扱所の境界との差が60cm以下であること。

イ　当該境界部分の高低差を埋める盛り上げ部分が、固定給油設備の基礎（通称「アイランド」という。）の道路に面する側から2m以上離れていること。

ウ　盛り上げの勾配は5分の2以下であること。

図5-2

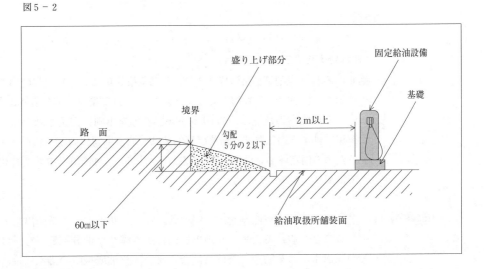

6 危険物の滞留及び流出防止措置

根拠条文　危政令

> **第17条第1項第5号**　給油空地及び注油空地には、漏れた危険物及び可燃性の蒸気が滞留せず、かつ、当該危険物その他の液体が当該給油空地及び注油空地以外の部分に流出しないように総務省令で定める措置を講ずること。

危規則

(滞留及び流出を防止する措置)

第24条の17　令第17条第 1 項第 5 号（同条第 2 項においてその例による場合を含む。）の総務省令で定める措置は、次に掲げる要件に適合する措置とする。

(1)　可燃性の蒸気が給油空地（令第17条第 1 項第 2 号の給油空地をいう。以下同じ。）及び注油空地（同項第三号の注油空地をいう。以下同じ。）内に滞留せず、給油取扱所外に速やかに排出される構造とすること。

(2)　当該給油取扱所内の固定給油設備（令第17条第 1 項第 1 号の固定給油設備をいう。以下同じ。）（ホース機器と分離して設置されるポンプ機器を除く。）又は固定注油設備（ホース機器と分離して設置されるポンプ機器を除く。）の一つから告示で定める数量の危険物が漏えいするものとした場合において、当該危険物が給油空地及び注油空地内に滞留せず、火災予防上安全な場所に設置された貯留設備に収容されること。

(3)　貯留設備に収容された危険物が外部に流出しないこと。この場合において、水に溶けない危険物を収容する貯留設備にあつては、当該危険物と雨水等が分離され、雨水等のみが給油取扱所外に排出されること。

危告示

(漏えいを想定する危険物の数量)

第 4 条の51　規則第24条の17第 2 号、第26条第 3 項第 3 号ロ（規則第26条の 2 第 3 項第 3 号においてその例による場合を含む。）及び第27条第 3 項第 3 号ロの告示で定める危険物の数量は、500リットル（軽油を車両に固定されたタンクに注入する用に供する固定給油設備及び灯油又は軽油を車両に固定されたタンクに注入するための固定注油設備にあつては900リットル、船舶給油取扱所の給油設備にあつては50リットル）とする。

留意事項　(1)　空地に漏れた油や洗浄水が、空地外、特に公共下水に直接流出して火災危険等が生じることを避けるため、空地の周囲に排水溝及び油分離装置を設けて空地外に油等の流出するのを防止しなければならない。給油取扱所の排水には、相当量の土砂が含まれるので図 6 - 1 の例に示すように 4 槽以上の油分離槽とすることが望ましい。材質は一般に、コンクリート製であるが、耐油性を有し、かつ、自動車等の荷重に耐えるように設置される場合は、FRP（ガラス繊維強化プラスチック）製でもよい。

　　　図 6 - 1 は、油分離装置の各部の寸法等について参考例として記載したものである。

(2)　油分離装置を複数設置する場合は原則として個々の油分離装置すべてが、危告示第 4 条の51に示す収容能力を確保すること。ただし、固定給油設備等から漏えいした危険物が、複数の油分離装置に収容されるよう措置を講じた場合はこの限りではない。

図6-1　**油分離装置の例**

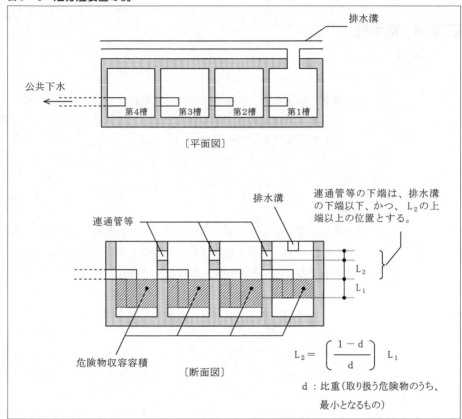

〔平面図〕

排水溝

公共下水

第4槽　第3槽　第2槽　第1槽

連通管等の下端は、排水溝の下端以下、かつ、L_2の上端以上の位置とする。

排水溝

連通管等

L_2

L_1

危険物収容容積

〔断面図〕

$$L_2 = \left(\frac{1-d}{d} \right) L_1$$

d：比重（取り扱う危険物のうち、最小となるもの）

(3) 排水溝は、塀又は建築物等のない側にはすべて設け、油や洗浄水等が給油空地以外に流出しないようにしなければならない。

　排水溝は、空地地盤の傾斜を考慮して設置し、土砂等の清掃ができるような大きさとする。また、車両等の出入側は特に溝の縁を補強しておくことが望ましい（図6-2参照）。

図6-2　**排水溝の例**

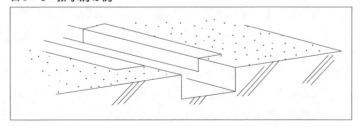

(4) 灯油若しくは軽油用注油空地の排水溝及び油分離装置は、給油空地のものと兼用することができる。

7 標識・掲示板

根拠条文　危政令

> **第17条第1項第6号**　給油取扱所には、総務省令で定めるところにより、見やすい箇所に給油取扱所である旨を表示した標識及び防火に関し必要な事項を掲示した掲示板を設けること。

危規則

> （標識）
> **第17条第1項**　令第9条第1項第3号（令第19条第1項において準用する場合を含む。）、令第10条第1項第3号（同条第2項及び第3項においてその例による場合を含む。）、令第11条第1項第3号（同条第2項においてその例による場合を含む。）、令第12条第1項第3号（同条第2項においてその例による場合を含む。）、令第13条第1項第5号（同条第2項及び第3項においてその例による場合を含む。）、令第14条第3号、令第16条第1項第5号（同条第2項においてその例による場合を含む。）、令第17条第1項第6号（同条第2項においてその例による場合を含む。）又は令第18条第1項第2号（同条第2項においてその例による場合を含む。）の規定による標識は、次のとおりとする。
> ⑴　標識は、幅0.3メートル以上、長さ0.6メートル以上の板であること。
> ⑵　標識の色は、地を白色、文字を黒色とすること。
>
> （掲示板）
> **第18条第1項**　令第9条第1項第3号（令第19条第1項において準用する場合を含む。）、令第10条第1項第3号（同条第2項及び第3項においてその例による場合を含む。）、令第11条第1項第3号（同条第2項においてその例による場合を含む。）、令第12条第1項第3号（同条第2項においてその例による場合を含む。）、令第13条第1項第5号（同条第2項及び第3項においてその例による場合を含む。）、令第14条第3号、令第16条第1項第5号（同条第2項においてその例による場合を含む。）、令第17条第1項第6号（同条第2項においてその例による場合を含む。）又は令第18条第1項第2号（同条第2項においてその例による場合を含む。）の規定による掲示板は、次のとおりとする。
> ⑴　掲示板は、幅0.3メートル以上、長さ0.6メートル以上の板であること。
> ⑵　掲示板には、貯蔵し、又は取り扱う危険物の類、品名及び貯蔵最大数量又は取扱最大数量、指定数量の倍数並びに令第31条の2の製造所等にあつては危険物保安監督者の氏名又は職名を表示すること。
> ⑶　前号の掲示板の色は、地を白色、文字を黒色とすること。
> ⑷　第2号の掲示板のほか、貯蔵し、又は取り扱う危険物に応じ、次に掲げる注意事項を表示した掲示板を設けること。
> 　イ　第1類の危険物のうちアルカリ金属の過酸化物若しくはこれを含有する

　　もの又は禁水性物品（令第10条第1項第10号の禁水性物品をいう。以下同じ。）にあつては「禁水」

　ロ　第2類の危険物（引火性固体を除く。）にあつては「火気注意」

　ハ　第2類の危険物のうち引火性固体、自然発火性物品（令第25条第1項第3号の自然発火性物品をいう。以下同じ。）、第4類の危険物又は第5類の危険物にあつては「火気厳禁」

（5）　前号の掲示板の色は、「禁水」を表示するものにあつては地を青色、文字を白色とし、「火気注意」又は「火気厳禁」を表示するものにあつては地を赤色、文字を白色とすること。

（6）　第2号及び第4号の掲示板のほか、給油取扱所にあつては地を黄赤色、文字を黒色として「給油中エンジン停止」と表示した掲示板を設けること。

（留意事項）（1）　標識は、危険物を貯蔵し、又は取り扱う施設を区分し、その所在を周知させることにより防災上の注意を喚起するために設けるものである（図7-1参照）。

図7-1　**標識**

30cm以上
60cm以上
危険物給油取扱所
地（白　色）
文字（黒　色）

（2）　掲示板は、危険物施設の防火に関し必要な事項を掲示することによりその徹底を図るために設けるものであり、当該施設で取り扱う危険物の種類、品名及び取扱最大数量並びに保安の監督をする者の氏名を表示するもの、危険物に対する注意事項を表示するもの及び「給油中エンジン停止」の3種類が必要である（図7-2参照）。

図7−2　**掲示板**

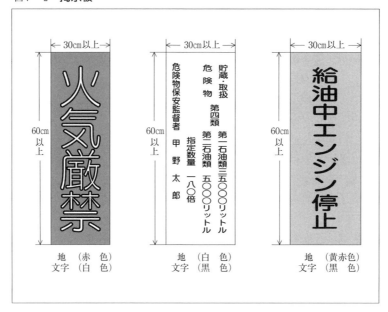

地　（赤　色）
文字（白　色）

地　（白　色）
文字（黒　色）

地　（黄赤色）
文字（黒　色）

(3)　材質は、耐候性、耐久性があるものとし、また、その文字は、雨水等により容易に汚損したり消えることがないものとしなければならない。

8 タンクの設置制限

根拠条文　危政令

> **第17条第1項第7号**　給油取扱所には、固定給油設備若しくは固定注油設備に接続する専用タンク又は容量1万リットル以下の廃油タンクその他の総務省令で定めるタンク（以下この条及び第27条において「廃油タンク等」という。）を地盤面下に埋没して設ける場合を除き、危険物を取り扱うタンクを設けないこと。ただし、都市計画法（昭和43年法律第100号）第8条第1項第5号の防火地域及び準防火地域以外の地域においては、地盤面上に固定給油設備に接続する容量600リットル以下の簡易タンクを、その取り扱う同一品質の危険物ごとに1個ずつ3個まで設けることができる。

危規則

> （給油取扱所のタンク）
> **第25条**　令第17条第1項第7号（同条第2項においてその例による場合を含む。）の総務省令で定めるタンクは、次のとおりとする。
> (1)　廃油タンク
> (2)　ボイラー等に直接接続するタンク

都市計画法　（昭和43年 6 月15日　法律第100号　最終改正　令和 6 年 5 月29日法律第40号）

（地域地区）

第 8 条第 1 項　都市計画区域については、都市計画に、次に掲げる地域、地区又は街区を定めることができる。

　⑴　第 1 種低層住居専用地域、第 2 種低層住居専用地域、第 1 種中高層住居専用地域、第 2 種中高層住居専用地域、第 1 種住居地域、第 2 種住居地域、準住居地域、田園住居地域、近隣商業地域、商業地域、準工業地域、工業地域又は工業専用地域（以下「用途地域」と総称する。）

　⑵　特別用途地区

　（2 の 2 ）特定用途制限地域

　（2 の 3 ）特例容積率適用地区

　（2 の 4 ）高層住居誘導地区

　⑶　高度地区又は高度利用地区

　⑷　特定街区

　（4 の 2 ）都市再生特別措置法（平成14年法律第22号）第36条第 1 項の規定による都市再生特別地区、同法第89条の規定による居住調整地域、同法第94条の 2 第 1 項の規定による居住環境向上用途誘導地区又は同法第109条第 1 項の規定による特定用途誘導地区

　⑸　防火地域又は準防火地域

　（5 の 2 ）〜⒃　省略

留意事項　⑴　給油取扱所に設けることのできるタンクは、次に掲げるものである。

　　ア　専用タンク

　　　　固定給油設備又は固定注油設備に接続する地下貯蔵タンク

　　イ　廃油タンク等

　　　　廃油タンク又はボイラー等に直接接続する容量 1 万 L 以下の地下貯蔵タンク

　　　　なお、ボイラー等へ供給するタンクは、灯油用専用タンクと兼用することはできるが、給油取扱所以外へ供給することはできない。

　　ウ　簡易タンク

　　　　固定給油設備に接続する容量600 L 以下の簡易タンク（同一品質の危険物ごとに 1 個ずつ 3 個まで）

　⑵　簡易タンクは、営業用給油取扱所については防火地域、準防火地域以外の地域においてのみ設けることができるものである。また、固定給油設備用であることから、灯油用のタンクとしては認められない。

　　　なお、「同一品質の危険物」とは、全く同じ品質を有するものをいい、消防法別表第 1 に掲げてある品名が同一であっても品質が異なるもの（例えばオクタン価の異なるガソリン等）は同一品質の危険物には該当しない（図 8 - 1 参照）。

図8－1

認められる例　　　　　　　　　認められない例

(3) 自家用給油取扱所に設置する簡易タンクについては、危政令第17条第1項第7号
ただし書の規定のうち、簡易タンクを設けることができる地域に関する制限規定は
適用されない（危規則第28条参照）。

(4) タンクの中仕切りについて

ア　専用タンクを中仕切りし、ガソリンと軽油、軽油と灯油等に使用することがで
きる。

イ　図8－2のように専用タンクを中仕切りした場合は、A室及びB室の合計が1基
あたりのタンク容量となる。

タンク容量の計算方法については、「第2集　第2章　**2**　危険物の貯蔵数量」
を参照。

図8－2

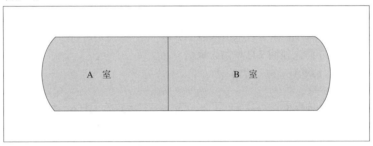

A 室　　　　　　　　B 室

9 専用タンク、廃油タンク等及び簡易タンクの位置、構造及び設備

根拠条文　危政令

第17条第1項第8号　前号の専用タンク、廃油タンク等又は簡易タンクを設け
る場合には、当該専用タンク、廃油タンク等又は簡易タンクの位置、構造及
び設備は、次によること。

イ　専用タンク又は廃油タンク等の位置、構造及び設備は、第13条第1項（第
5号、第9号(掲示板に係る部分に限る。)、第9号の2及び第12号を除く。)、
同条第2項（同項においてその例によるものとされる同条第1項第5号、
第9号（掲示板に係る部分に限る。)、第9号の2及び第12号を除く。）又
は同条第3項(同項においてその例によるものとされる同条第1項第5号、
第9号（掲示板に係る部分に限る。)、第9号の2及び第12号を除く。）に
掲げる地下タンク貯蔵所の地下貯蔵タンクの位置、構造及び設備の例によ
るものであること。

ロ　簡易タンクの構造及び設備は、第14条第4号及び第6号から第8号まで
に掲げる簡易タンク貯蔵所の簡易貯蔵タンクの構造及び設備の例によるも

のであること。

留意事項　専用タンク（廃油等を貯蔵するための地下タンクを含む。）及び簡易タンクの位置、構造及び設備については、地下タンク貯蔵所の基準及び簡易タンク貯蔵所の基準の規定の一部が準用される。適用規定等については次のとおりである。

(1)　専用タンク及び廃油タンク等の位置、構造、設備に係る準用規定の概要は、次のとおりである。

地下タンク貯蔵所（危政令第13条）

第1項第1号　タンクの設置方法

　　　　　　第2号　タンクとタンク室との間隔及び乾燥砂の充填

　　　　　　第3号　タンクの埋設深さ

　　　　　　第4号　タンク相互の間隔

　　　　　　第6号　タンクの材質、板厚、強度

　　　　　　第7号　タンク外面の保護

　　　　　　第8号　通気管又は安全装置の設置

　　　　　　第8号の2　危険物量表示装置（液面計）

　　　　　　第9号　注入口の位置、構造、設備（掲示板に係る部分を除く。）

　　　　　　第10号　配管の位置、構造、設備

　　　　　　第11号　配管の取付位置

　　　　　　第13号　漏れ検知設備の設置

　　　　　　第14号　タンク室の構造

第2項　二重殻タンクの位置、構造、設備

第3項　漏れ防止構造のタンクの基準

図9-1　**タンク室設置の地下貯蔵タンクの例**

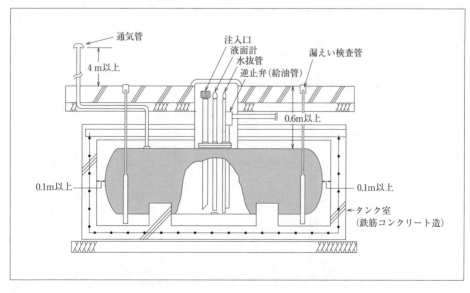

図9-2 **タンク室省略設置の地下貯蔵タンクの例**

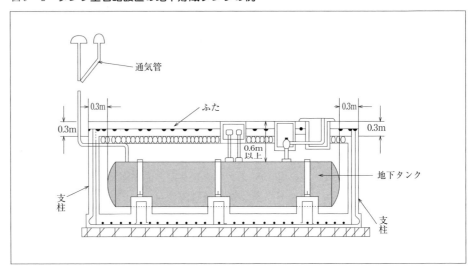

図9-3 **SS二重殻タンクの例**

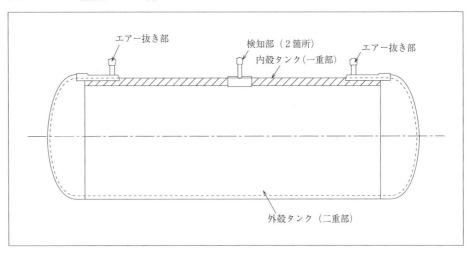

図9-4 **SF二重殻タンクの例**

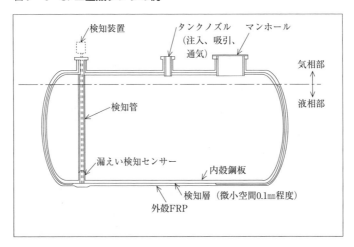

図9-5 **FF二重殻タンクの例**

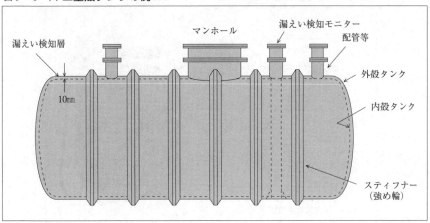

図9-6 **漏れ防止構造としたタンクの例**

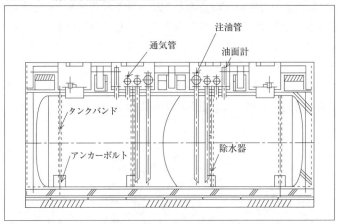

(2) 簡易タンクの構造、設備に係る準用規定の概要は、次のとおりである。

簡易タンク貯蔵所（危政令第14条）

第4号 空地及び固定方法

第6号 タンクの材質、板厚、強度

第7号 タンク外面のさびどめ塗装

第8号 通気管の設置

図9-7　**給油設備を有する簡易タンクの構造例**

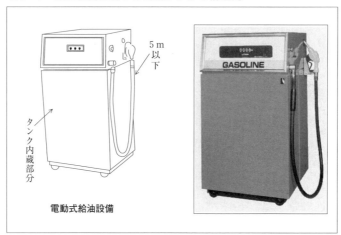

5m以下

タンク内蔵部分

電動式給油設備

(3)　危政令第13条の規定の例によるとされる地下貯蔵タンクの基準については「第2
集　第4章　地下タンク貯蔵所の基準」を、危政令第14条の規定の例によるとされ
る簡易貯蔵タンクの基準については「第2集　第5章　簡易タンク貯蔵所の基準」
を、それぞれ参照のこと。
　　　なお、参考までに屋外給油取扱所における基準の具体的な運用例を以下に示す。
　ア　注入口付近に設置する静電気除去用接地電極の設置例

図9-8

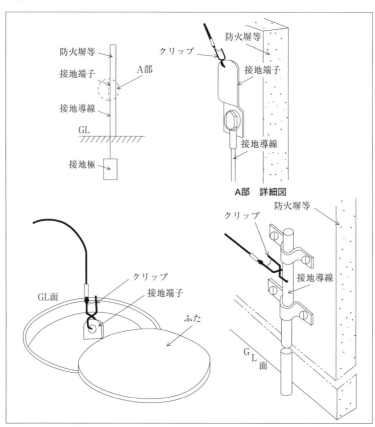

イ　通気管の設置例

図 9 − 9

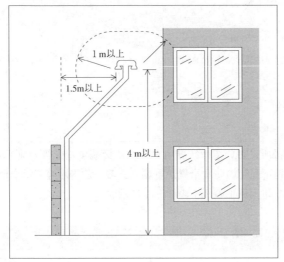

注　使用する通気管の径は、危険物の注入速度に応じたものとする。

ウ　配管の基準については「第１集　第２章　**24** 配管」の例によるが、特に次の事項に留意する。

① 危険物を取り扱う配管で、地盤面以上に設けるものは、衝撃により容易に損傷を受けることのないよう防護措置を講じ、かつ、その配管の接合は、危険物の漏れるおそれのない接合とする。

② 地上に設ける配管であって、点検困難な場所又は屋上に設ける配管の接合部は、溶接継手とする。また、上屋内部に設ける場合は、有効に目視点検できる点検口を設ける。

③ 危険物配管が上屋の上部若しくは内部に設けられ、又は給油空地に面しない外壁に沿って敷設されているものは、危規則第13条の５第２号に規定する「ただし、火災によつて当該支持物が変形するおそれのない場合」に該当するものとして差し支えないものである。

④ 上屋上部等の配管は、直射日光により配管内の圧力が著しく上昇するおそれがあるため、断熱被覆を行う。なお、この場合は、雨水が断熱材にしみ込み、配管を腐食させるため、配管に高濃度亜鉛塗料、エポキシ塗料等により防食を行い、被覆外面に耐候性防水テープ等による防水措置を行う必要がある。また、直射日光を遮る方法として配管上部に遮へい板（鉄板等）を設けて直射日光が当たらない措置を講じる例もある（図 9 − 10参照）。

図9-10　**上屋上部配管の直射日光の遮へい例**

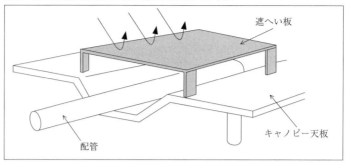

遮へい板

配管

キャノピー天板

⑤　給油取扱所においては、専用タンクに接続する配管の地下埋設部が多く、これらの地下配管の防食措置が重要である。危告示等で示す地下配管の塗覆装等による防食施工の例を表9-1に示す。

表9-1

施 工 方 法	備 考
アスファルト塗覆装 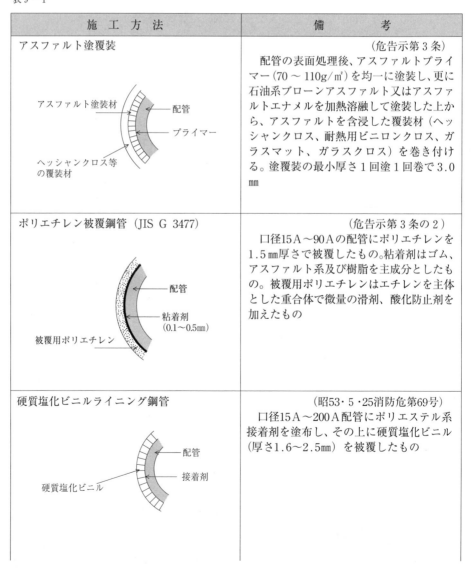 アスファルト塗装材 配管 プライマー ヘッシャンクロス等 の覆装材	（危告示第3条） 　配管の表面処理後、アスファルトプライマー（70～110g/㎡）を均一に塗装し、更に石油系ブローンアスファルト又はアスファルトエナメルを加熱溶融して塗装した上から、アスファルトを含浸した覆装材（ヘッシャンクロス、耐熱用ビニロンクロス、ガラスマット、ガラスクロス）を巻き付ける。塗覆装の最小厚さ1回塗1回巻で3.0mm
ポリエチレン被覆鋼管（JIS G 3477） 配管 粘着剤 （0.1～0.5mm） 被覆用ポリエチレン	（危告示第3条の2） 　口径15A～90Aの配管にポリエチレンを1.5mm厚さで被覆したもの。粘着剤はゴム、アスファルト系及び樹脂を主成分としたもの。被覆用ポリエチレンはエチレンを主体とした重合体で微量の滑剤、酸化防止剤を加えたもの
硬質塩化ビニルライニング鋼管 配管 接着剤 硬質塩化ビニル	（昭53・5・25消防危第69号） 　口径15A～200A配管にポリエステル系接着剤を塗布し、その上に硬質塩化ビニル（厚さ1.6～2.5mm）を被覆したもの

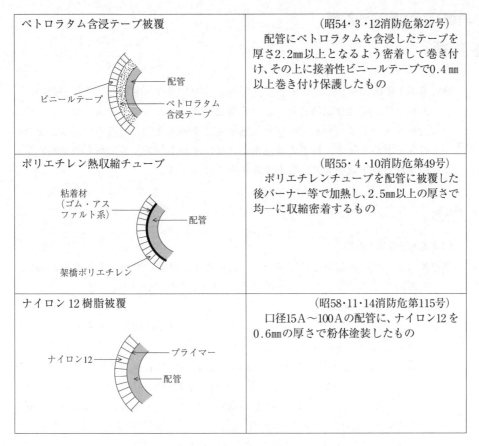

ペトロラタム含浸テープ被覆	（昭54・3・12消防危第27号） 　配管にペトロラタムを含浸したテープを厚さ2.2mm以上となるよう密着して巻き付け、その上に接着性ビニールテープで0.4mm以上巻き付け保護したもの
ポリエチレン熱収縮チューブ	（昭55・4・10消防危第49号） 　ポリエチレンチューブを配管に被覆した後バーナー等で加熱し、2.5mm以上の厚さで均一に収縮密着するもの
ナイロン12樹脂被覆	（昭58・11・14消防危第115号） 　口径15A〜100Aの配管に、ナイロン12を0.6mmの厚さで粉体塗装したもの

注1　鉄筋コンクリート造等の建物、構造物の床、基礎等を貫通する場合には、当該部分にさや管（合成樹脂管又は鋼管）を用い、さや管と配管の間にはモルタル等を充塡すること。ただし、配管が被覆鋼管である場合には、この限りではない。

注2　配管の地上立上り部分には、配管支持金具と地表面又は床面との間に絶縁継手を設けること。

注3　地下水位より高い位置に敷設することが望ましいこと。

注4　配管の埋戻しは、粒度が均一で、土壌比抵抗の高い山砂等を用いること。

🔟 専用タンク等と配管

(根拠条文) 危政令

第17条第1項第9号　固定給油設備又は固定注油設備に危険物を注入するための配管は、当該固定給油設備又は固定注油設備に接続する第7号の専用タンク又は簡易タンクからの配管のみとすること。

(留意事項) (1) 本規定は、固定給油設備又は固定注油設備に供給する専用タンク又は簡易タンクを給油取扱所専用とするもので、他の用途との兼用を禁止したものである。

(2) 専用タンクの設置場所は、特段法令の定めはないが、規制の趣旨から給油取扱所の申請敷地内に設置するべきである。

11 固定給油設備及び固定注油設備

（根拠条文）　危政令）

> **第17条第1項第10号**　固定給油設備及び固定注油設備は、漏れるおそれがない等火災予防上安全な総務省令で定める構造とするとともに、先端に弁を設けた全長5メートル（懸垂式の固定給油設備及び固定注油設備にあつては、総務省令で定める長さ）以下の給油ホース又は注油ホース及びこれらの先端に蓄積される静電気を有効に除去する装置を設けること。

危規則）

> （固定給油設備等の構造）
> **第25条の2**　令第17条第1項第10号（令第14条第9号及び令第17条第2項においてその例による場合を含む。）の総務省令で定める構造は、次のとおりとする。
> (1)　ポンプ機器の構造は、次のとおりとすること。
>   イ　固定給油設備のポンプ機器は、当該ポンプ機器に接続される給油ホースの先端における最大吐出量がガソリン、第4類の危険物のうちメタノール若しくはこれを含有するもの（第27条の3第8項、第28条の2から第28条の2の3まで、第28条の2の7第4項及び第40条の14において「メタノール等」という。）又は第4類の危険物のうちエタノール若しくはこれを含有するもの（第27条の3第8項、第28条の2から第28条の2の3まで、第28条の2の7第4項、第28条の2の8及び第40条の14において「エタノール等」という。）にあつては毎分50リットル以下、軽油にあつては毎分180リットル以下となるものとすること。
>   ロ　固定注油設備のポンプ機器は、当該ポンプ機器に接続される注油ホースの先端における最大吐出量が毎分60リットル以下となるものとすること。ただし、車両に固定されたタンクにその上部から注入する用に供する固定注油設備のポンプ機器にあつては、当該ポンプ機器に接続される注油ホースの先端における最大吐出量が毎分180リットル以下となるものとすることができる。
>   ハ　懸垂式の固定給油設備及び固定注油設備のポンプ機器には、ポンプ吐出側の圧力が最大常用圧力を超えて上昇した場合に、危険物を自動的に専用タンクに戻すことができる装置をポンプ吐出管部に設けること。
>   ニ　ポンプ又は電動機を専用タンク内に設けるポンプ機器（以下この条、第25条の3の2、第25条の5第2項、第28条の59第2項第8号及び第40条の3の4第1号において「油中ポンプ機器」という。）は、第24条の2に掲げるポンプ設備の例によるものであること。
>   ホ　油中ポンプ機器には、当該ポンプ機器に接続されているホース機器が転倒した場合において当該ポンプ機器の運転を停止する措置が講じられていること。

(2)　ホース機器の構造は、次のとおりとすること。

　イ　給油ホース又は注油ホース（以下「給油ホース等」という。）は、危険物に侵されないものとするほか、日本産業規格K6343「送油用ゴムホース」に定める1種の性能を有するものとすること。

　ロ　給油ホース等の先端に設ける弁及び給油ホース等の継手は、危険物の漏れを防止することができる構造とすること。

　ハ　給油ホース等は、著しい引張力が加わつたときに当該給油ホース等の破断による危険物の漏れを防止する措置が講じられたものであること。

　ニ　ホース機器は、当該ホース機器に接続される給油ホース等が地盤面に接触しない構造とすること。

　ホ　車両に固定されたタンクにその上部から注入する用に供する固定給油設備及び固定注油設備のホース機器には、当該タンクの底部に達する注入管が設けられていること。

　ヘ　車両に固定されたタンクにその上部から注入する用に供する固定給油設備及び固定注油設備のホース機器の給油ホース等のうち、その先端における吐出量が毎分60リットルを超えるものにあつては、危険物の過剰な注入を自動的に防止できる構造のものとするとともに、注油ホースにあつては当該タンクに専用に注入するものとすること。

　ト　油中ポンプ機器に接続するホース機器には、当該ホース機器が転倒した場合において当該ホース機器への危険物の供給を停止する装置が設けられていること。

　チ　固定給油設備の給油ノズルで、容器への詰替えの用に供するものは、容器が満量となつたときにガソリンの注入を自動的に停止する構造のものとすること。

(3)　配管は、金属製のものとし、かつ、0.5メガパスカルの圧力で10分間水圧試験を行つたとき漏えいその他の異常がないものであること。

(4)　難燃性を有する材料で造られた外装を設けること。ただし、ポンプ室に設けるポンプ機器又は油中ポンプ機器にあつては、この限りでない。

(5)　火花を発するおそれのある機械器具を設ける部分は、可燃性蒸気が流入しない構造とすること。

（懸垂式の固定給油設備等の給油ホース等の長さ）

第25条の2の2　令第17条第1項第10号（同条第2項においてその例による場合を含む。）総務省令で定める長さは、ホース機器の引出口から地盤面上0.5メートルの水平面に垂線を下ろし、その交点を中心として当該水平面において給油ホース等の先端で円を描いた場合において、半径3メートルを超える円を描くことができない長さとする。

図11-1　固定給油設備の構造例

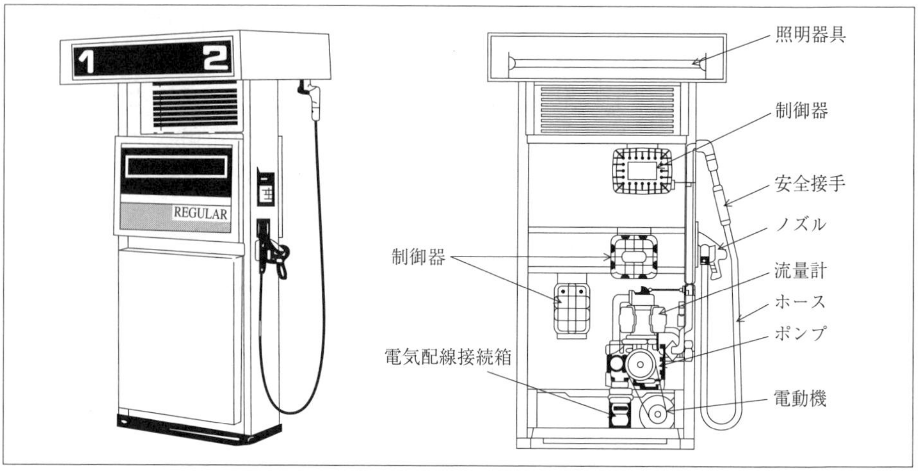

照明器具
制御器
安全接手
ノズル
流量計
ホース
ポンプ
電動機

制御器
電気配線接続箱

図11-2　固定給油設備の例

図11-3　可燃性蒸気流入防止構造を有する
　　　　固定給油設備の例

(留意事項)　(1)　固定給油設備及び固定注油設備（以下「固定給油設備等」という。）は、専用タンクから危険物を吸出するためのポンプ機器類（以下「ポンプ機器」という。）と、自動車等の燃料タンクや容器などに危険物を給油又は注油するためのホース機器類（以下「ホース機器」という。）、並びに給油又は注油した危険物の量を表示するための表示設備類（以下「油量等の表示設備」という。）が一の設備として組み立てられたものが一般的である。

　　　　　なお、固定給油設備等に内蔵するこれらの機器を分離し、ホース機器を懸垂式とした固定給油設備もある（「**14** 懸垂式固定給油設備等」参照）。

　　(2)　固定給油設備等の電気設備は、電動機、照明器具、スイッチ等を防爆構造とすることはもとより、配線の接続についても、防爆工事とする必要がある。また、電動機等の接地も確実に行い、火災予防上安全な構造でなければならない。

　　(3)　ポンプ機器

　　　　ア　一のポンプに複数の給油ホース等が接続されている場合には、各給油ホース等から吐出される最大の量をもって当該ポンプの最大吐出量とする。

　　　　イ　固定注油設備が複数のポンプを有する場合においては、最大吐出量を180L/min以下とすることができるポンプは、車両に固定されたタンクにその上部か

ら注入する用にのみ供する注油ホースに接続されているポンプ機器に限られる。

ウ　懸垂式固定給油設備等のポンプ機器の吐出配管部には、ポンプ吐出側の圧力が最大常用圧力を超えて上昇した場合に、危険物を専用タンクに戻し、配管内の圧力を自動的に降下させる装置が必要である。ただし、ポンプ機器の外部の配管部に配管内の圧力上昇時に危険物を自動的に専用タンク等に戻すことができる装置を設けてもよい。

エ　固定給油設備等のポンプ機器として油中ポンプ機器を用いる場合は、ホース機器に取り付けられた姿勢検知装置がホース機器の傾きを検知した場合に、ポンプ機器の回路を遮断する方法等によりポンプ機器の運転を停止する措置が講じられていなければならない。ただし、ホース機器が給油取扱所の建築物の屋根に固定されている等、転倒するおそれのないものである場合には、当該措置を要しない。

(4)　ホース機器

ア　給油ホース又は注油ホース(以下「給油ホース等」という。)の先端のノズルには、停止弁を設けなければならない。ノズルは一般に図11-4に示すものが用いられる。

図11-4　ノズルの例

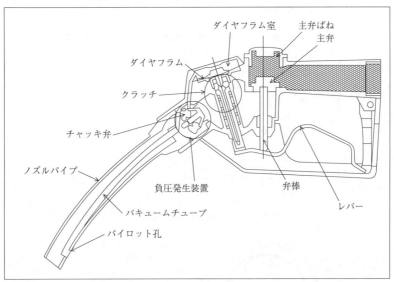

イ　給油ホース等及び給油ホース等の先端ノズル部に蓄積される静電気を有効に除去するため、先端に設ける弁から固定給油設備等の本体の外部工事設置端子までの抵抗値は1,000Ω未満とする。

ウ　給油ホース等は、過度の引張力が加わったときに離脱する安全継手又は給油(注油)を自動的に停止する装置を設けるなど、危険物の漏えいを防止する機能を有していなければならない。この場合の安全継手は、2,000N以下の荷重によって離脱するものとされている。

エ　給油ホース等が地盤面に接触しない構造としては、給油ホース等を地盤面に接触させない機能がホース機器本体に講じられているもの、給油ホース等が地盤面に接触しないようにゴム製、プラスチック製等のリング、カバーが取り付けられているもの、又はプラスチックで被覆された給油ホース等が設けられているものなどがある(図11-5から図11-7参照)。

図11-5　**給油ホース等を接触させない機能**

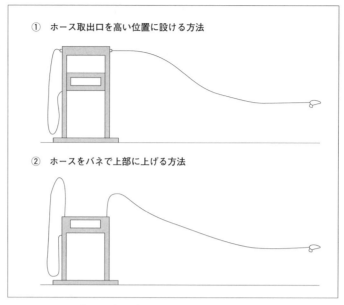

① ホース取出口を高い位置に設ける方法

② ホースをバネで上部に上げる方法

図11-6　**リング、カバーが取り付けられた給油ホース等**

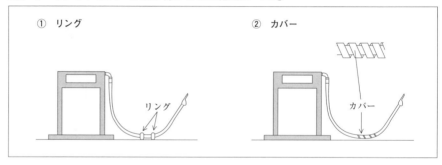

① リング

② カバー

図11-7　**プラスチックで被覆された給油ホース等の構造（断面）**

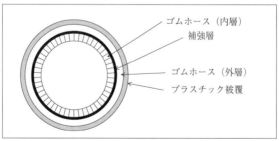

ゴムホース（内層）
補強層
ゴムホース（外層）
プラスチック被覆

　オ　危険物の過剰な注入を自動的に防止する構造は、固定注油設備のホース機器の
　　うち、最大吐出量が60Lを超え180L以下のポンプに接続されているものに必要で
　　ある。また、ホース機器に複数の注油ホースが設けられる場合には、最大吐出量
　　が60Lを超え180L以下のポンプに接続されているもののみが対象となる。
　(ｱ)　危険物の過剰な注入を自動的に防止できる構造としては、タンク容量に相当
　　する液面以上の危険物の過剰な注入を自動的に停止できる構造や、1回の連続
　　した注入量が設定量（タンク容量から注入開始時における危険物の残量を減じ
　　た量以下の量であって2,000Lを超えない量）以下に制限される構造などがある。

(イ) 車両に固定されたタンクにその上部から注入する用に供する注油ホースの直
近には、容器に小分けする注油ホースと区別するために、もっぱら車両に固定
されたタンクに注入する用に供するものである旨の表示がなされていることが
望ましい。

カ　油中ポンプ機器に接続するホース機器には、ホース機器に取り付けられた姿勢
検知装置がホース機器の傾きを検知した場合に、ホース機器の配管に設けられた
弁を閉鎖する方法等により危険物の供給を停止する装置が設けられていなければ
ならない。ただし、ホース機器が給油取扱所の建築物の屋根に固定されている等
転倒するおそれのないものである場合には、当該措置を要しない。

キ　地上式の固定給油設備等に設ける給油ホース等の長さは、固定給油設備等の給
油ホース等取出口の外装面から弁を設けたノズルの最先端までの距離をいうもの
であり、その測定方法は、図11-8に示す例によるものである。

図11-8　**固定給油設備等の給油ホースの長さ**

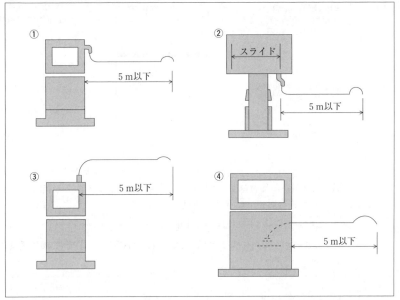

(5) 内部配管

ア　危規則第25条の2第3号に規定する配管とは、固定給油設備等本体の内部配管
であって、ポンプ吐出部から給油管等の接続口までの送油管のうち弁及び計量器
等を除く固定された送油管部をいうものである。

イ　ポンプ機器とホース機器が分離して設けられている場合、当該機器間を接続す
る配管は、固定給油設備等本体の内部配管ではなく、専用タンクの配管に該当す
るものである。

ウ　漏えいその他異常の有無を確認する水圧試験には、水以外の不燃性の液体又は
不燃性の気体を用いて行う試験も含まれるものである。

(6) 外装材料

難燃性を有する外装材料は、不燃材料及び準不燃材料のほか、JIS K 7201-2「プ
ラスチック―酸素指数による燃焼性の試験方法―第2部：室温における試験」によ
り試験を行い、酸素指数が26以上となる高分子材料をいう。ただし、油量表示部等

機能上透視性を必要とする必要最小限のものについてはこれによらないことができる。

(7)　可燃性蒸気流入防止構造

　　固定給油設備等において、一定の性能を有する可燃性蒸気流入防止構造をベーパーバリアという。このベーパーバリアは、気密性を有する間仕切りにより可燃性蒸気の流入を防止するソリッドベーパーバリア及び一定の構造を有する間仕切りと通気を有する空間(エアーギャップ)により可燃性蒸気の流入を防止するエアーベーパーバリアに分類される。

ア　ソリッドベーパーバリアの基準

　　ソリッドベーパーバリアは、気密に造るとともに、150kPaの圧力で、5分間行う気密試験において、漏れがないものとする。

図11-9

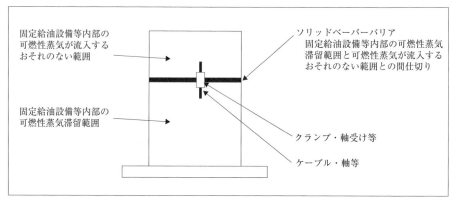

　　注　可燃性蒸気滞留範囲：可燃性蒸気が滞留するおそれのある範囲をいう。以下当該基準において同じ。

イ　エアーベーパーバリアの基準

　　エアーベーパーバリアは、次の (ア) から (エ) までに掲げる基準による。

図11-10

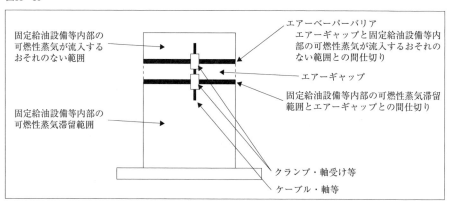

　(ア)　エアーベーパーバリアを構成するエアーギャップの間仕切りの離隔距離は、50mm以上とする (図11-11)。

図11-11

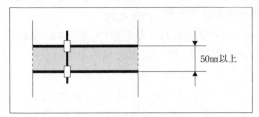

（イ）エアーギャップの構造は、次のaからdまでに掲げる基準による（図11-12）。

　　a　固定給油設備等のエアーギャップには、当該部分の通気を確保するとともに、エアーギャップ内部を保護するために通気穴を設けた外装部材（エアーギャップカバー）を設けることができる。

　　b　エアーギャップカバーに設ける通気穴は、固定給油設備等内部の可燃性蒸気滞留範囲とエアーギャップとの間仕切りから25㎜以内の部分で、固定給油設備等の対面（最低2面）に均等に配置する。

　　c　エアーギャップカバーに設ける通気穴の総面積は、エアーギャップの間仕切りの離隔距離（50㎜を超える場合は50㎜）とエアーギャップの長辺の長さ（L：㎜）の積の25％以上を確保する。

　　d　一の通気穴は、直径6㎜の円が包含される大きさとする。

図11-12

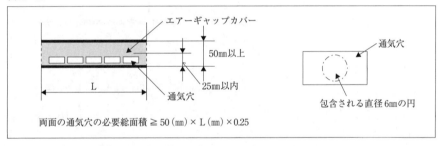

（ウ）固定給油設備等内部の可燃性蒸気滞留範囲とエアーギャップとの間仕切り、及びエアーギャップと固定給油設備等内部の可燃性蒸気が流入するおそれのない範囲との間仕切りに使用される部材は、ケーブル・軸等の貫通部以外の開口部のない構造とし、当該貫通部の隙寸法は0.1㎜～0.15㎜以下程度とする。

（エ）固定給油設備等内部の可燃性蒸気滞留範囲内に可燃性蒸気を滞留させ、当該範囲内を10kPaの圧力で15分間加圧し、固定給油設備等内部の可燃性蒸気が流入するおそれのない範囲内で、可燃性蒸気が検出されない場合は、（ア）から（ウ）までの基準は適用しない。

ウ　その他

（ア）固定給油設備等内において、可燃性蒸気の流入するおそれのない範囲を形成する目的で設けるベーパーバリアは、固定給油設備等設置面底部より600㎜以上の高さに設ける。

（イ）固定給油設備等の外部には、ベーパーバリアの位置を見やすい箇所に容易に消えないように表示する。

（ウ）ベーパーバリアの補修・点検等に伴い、ケーブル・軸等の貫通部を分解した

　　　　　　　場合には、当該部分に使用していた部品の再利用は行わない。

(8) 固定給油設備等に係る可燃性蒸気滞留範囲

　　　固定給油設備等及びその周辺における可燃性蒸気滞留範囲は、次のア及びイによる。

ア　固定給油設備等の内部及び固定給油設備等の端面から、水平方向に600mmの範囲とする。ただし、ソリッドベーパーバリアを用いた場合、固定給油設備等の内部にあっては、ソリッドベーパーバリアにより可燃性蒸気が流入するおそれのない部分を除いた部分、固定給油設備等の周囲にあっては、ソリッドベーパーバリアより下の部分とする（図11-13）。エアーベーパーバリアを用いた場合、固定給油設備等の内部にあっては、エアーベーパーバリアにより可燃性蒸気が流入するおそれのない部分を除いた部分及びエアーギャップ部分、固定給油設備等の周囲にあっては、エアーギャップ下部の間仕切りより25mm高い位置から下の部分とする（図11-14）。これらの場合、ノズルブーツ（固定給油設備等に設けられたノズル収納部分）及びエアーセパレーター（液体に含まれる空気又はガスを分離し、これを除去する装置）の排出部は、ベーパーバリアを設けた位置よりも低い部分に設ける（図11-15）。

図11-13

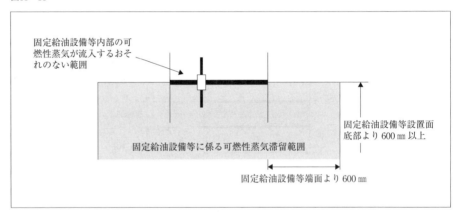

図11-14

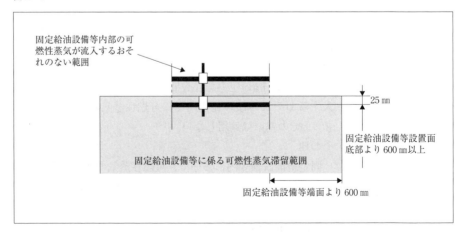

イ　固定給油設備等の設置地上面より高さ600mmまでの範囲で、設備の端面から水平方向に6mまでの範囲とする（図11-15）。

図11-15

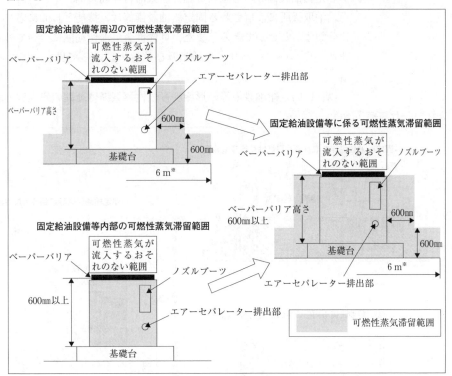

※　給油ホース全長＋1mを可燃性蒸気滞留範囲とする場合もある。

(9)　固定給油設備等の周辺における管理区域

　　　ベーパーバリアの高さより上方の固定給油設備等周辺600㎜の範囲は、安全を確保するための措置を講ずる必要がある区域（以下「管理区域」という。）とする（「⑽　固定給油設備等の形態別可燃性蒸気滞留範囲の例」参照）。

　ア　管理区域と固定給油設備等内部の可燃性蒸気滞留範囲との境界に用いる外装材は、開口部のないものとする。ただし、構造上等でやむを得ず開口部が存する場合には、次の(ア)から(エ)までに掲げる措置を講ずることにより、開口部のない外装材と同等の扱いとすることができる。

　　(ア)　隙部には、パッキンなどのシール部材により隙をふさぐ処置を施す。

　　(イ)　パッキン等のシール部材による処理を施さない場合には、隙寸法が3㎜を超えないものとする。

　　(ウ)　水抜き穴等が存する場合には、直径3㎜以下の円形とする。

　　(エ)　その他パネル等は、くぼみ等を作らない構造とする。

　イ　管理区域に設置する設備は、次の(ア)から(エ)までに掲げる措置を講ずる。

　　(ア)　管理区域に配管及びホース機器等が存する場合、危険物の漏れがない構造とする（ねじ込み接続、溶接構造等）。

　　(イ)　給油ホースは、著しい引張力が加わったときに安全に分離するとともに、分離した部分からの危険物の漏えいを防止することができる構造のものとする。

　　(ウ)　管理区域には、給油作業に係る機器以外は設置しない。

　　(エ)　裸火等の存する可能性がある機器及び高電圧機器等は設置しない。

⑽　固定給油設備等の形態別可燃性蒸気滞留範囲の例

　　給油取扱所に設置される固定給油設備等は、機能と目的に応じていくつかの形態に分類することができる。また、可燃性蒸気滞留範囲についての考え方も、その形態並びにベーパーバリアの種類及び位置等によって異なってくることが考えられる。

　　以下に固定給油設備等の形態別可燃性蒸気滞留範囲の代表例を示す。

図11-16　**代表例**（その1）

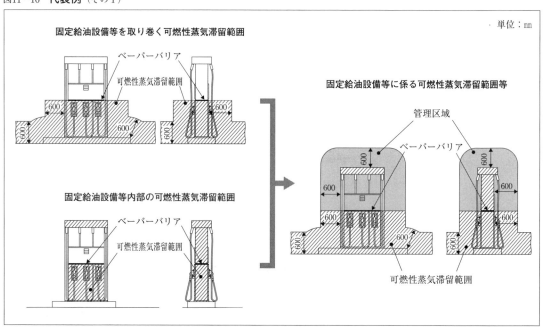

図11-17　**代表例**（その2）

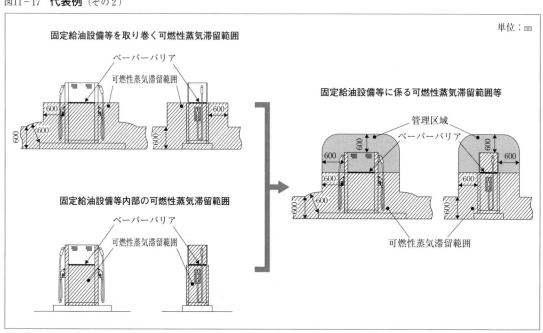

図11-18　**代表例**（その3）

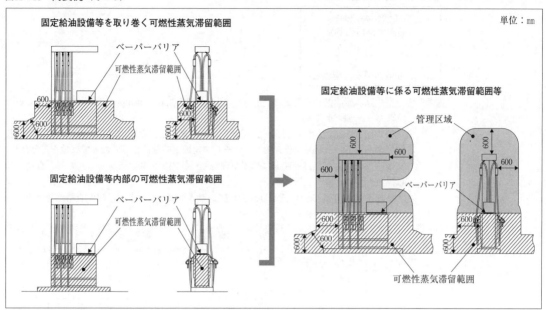

図11-19　**代表例**（その4）

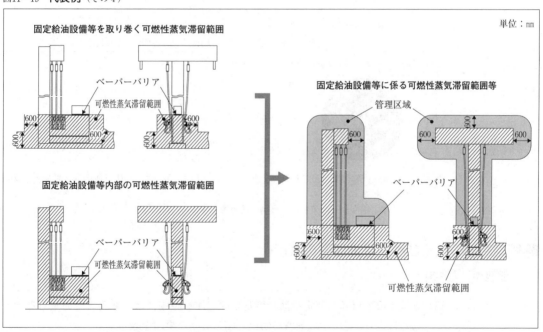

(11)　危険物保安技術協会の型式試験確認制度

　　　危険物保安技術協会では、固定給油設備等の構造、機能に係る試験を行い、一定の安全性を有するものに対し、型式試験確認済証を交付する業務を行っている。これにより型式試験確認済証（図11-20参照）の貼付されたものは、構造・設備・機能に関する技術上の基準に適合していると判断できる。また同協会では、固定給油設備を構成する設備（給油ノズル、給油ホース等）に対しても構造、機能に係る試験を行い、型式試験確認済証を交付している。

図11-20 **型式試験確認済証**

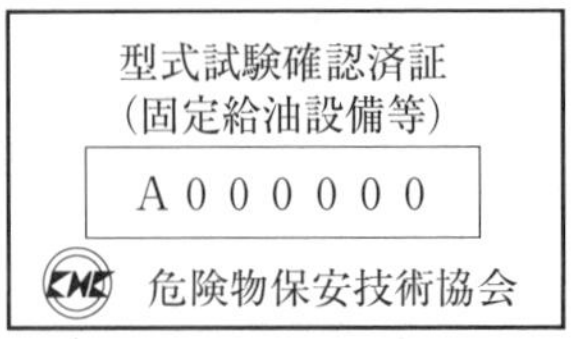

```
型式試験確認済証
（固定給油設備等）
　A 0 0 0 0 0 0
危険物保安技術協会
```

備考 1 型式試験確認済証の材質はテトロンとし、厚さ0.025㎜、縦24㎜、横45㎜の大きさで表面
ラミネート加工とする。
2 型式試験確認済証は、型式区分がセルフサービス用固定給油設備等以外の固定給油設
備等にあっては、地を黒色、セルフサービス用固定給油設備等にあっては地を赤色とし、
文字、マーク、及び試験確認に係る整理番号用枠内は消銀色とする。ただし、整理番号
は黒色とする。
3 整理番号の前のA、B、C、D、E及びFのアルファベット記号は固定給油設備等の最
大吐出量による区分を示す。

区分	内　　　　　容
A	最大吐出量が50L／分以下の固定給油設備等（最大吐出量の同じものを2以上組み込んだ固定給油設備等を含む。）
B	最大吐出量が50L／分を超え60L／分以下の固定給油設備等（最大吐出量の同じものを2以上組み込んだ固定給油設備等を含む。）
C	最大吐出量が60L／分を超え180L／分以下の固定給油設備等（最大吐出量の同じものを2以上組み込んだ固定給油設備等を含む。）
D	最大吐出量の異なるA及びBを2以上組み込んだ固定給油設備等
E	最大吐出量の異なるA及びCを2以上組み込んだ固定給油設備等
F	最大吐出量の異なるB及びCを2以上組み込んだ固定給油設備等

図11-21 **ベーパーバリアの表示**

備考 1 型式試験確認済証の材質はテトロンとし、厚さ0.025㎜、直径24㎜の大きさで表面ラミ
ネート加工とする。
2 地を青色とし、文字、マークは消銀色とする。

12 固定給油設備及び固定注油設備の表示

根拠条文 危政令

> **第17条第1項第11号** 固定給油設備及び固定注油設備には、総務省令で定めると
> ころにより、見やすい箇所に防火に関し必要な事項を表示すること。

危規則

> （固定給油設備等の表示）
> **第25条の3** 令第17条第1項第11号（同条第2項においてその例による場合を含
> む。）の規定による表示は、次のとおりとする。
> ⑴ 給油ホース等の直近の位置に表示すること。
> ⑵ 取り扱う危険物の品目を表示すること。

留意事項　(1)　固定給油設備等のホース機器には、取り扱う危険物の品目について表示しなければならない。これは危険物の取扱いに際し、誤販売等を防止することを目的とするものである。

(2)　固定給油設備等のうち、地上式のものにあっては固定給油設備自体とし、懸垂式のものは、昇降給油ホースの格納箱（デリバリーボックス）に表示するものとする。

(3)　危険物の品目は、ガソリン、軽油、灯油等の油種名をいうが、レギュラー、ハイオク等の通称名によるものでも差し支えない。

図12-1　**固定給油設備に設ける表示場所の例**

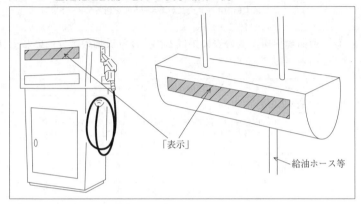

「表示」

給油ホース等

⓭ 固定給油設備及び固定注油設備の位置

根拠条文　危政令

第17条第1項

⑿　固定給油設備は、次に掲げる道路境界線等からそれぞれ当該道路境界線等について定める間隔を保つこと。ただし、総務省令で定めるところによりホース機器と分離して設置されるポンプ機器については、この限りでない。

イ　道路境界線　次の表に掲げる固定給油設備の区分に応じそれぞれ同表に定める間隔

固定給油設備の区分		間　　隔
懸垂式の固定給油設備		4メートル以上
その他の固定給油設備	固定給油設備に接続される給油ホースのうちその全長が最大であるものの全長（以下このイ及び次号イにおいて「最大給油ホース全長」という。）が3メートル以下のもの	4メートル以上
	最大給油ホース全長が3メートルを超え4メートル以下のもの	5メートル以上
	最大給油ホース全長が4メートルを超え5メートル以下のもの	6メートル以上

ロ　敷地境界線　2メートル以上

ハ　建築物の壁　2メートル（給油取扱所の建築物の壁に開口部がない場合には、1メートル）以上

⒀　固定注油設備は、次に掲げる固定給油設備等からそれぞれ当該固定給油設備等について定める間隔を保つこと。ただし、総務省令で定めるところによ

りホース機器と分離して設置されるポンプ機器については、この限りでない。
イ　固定給油設備（総務省令で定めるところによりホース機器と分離して設置されるポンプ機器を除く。）　次の表に掲げる固定給油設備の区分に応じそれぞれ同表に定める間隔

固定給油設備の区分		間　隔
懸垂式の固定給油設備		4メートル以上
その他の固定給油設備	最大給油ホース全長が3メートル以下のもの	4メートル以上
	最大給油ホース全長が3メートルを超え4メートル以下のもの	5メートル以上
	最大給油ホース全長が4メートルを超え5メートル以下のもの	6メートル以上

ロ　道路境界線　次の表に掲げる固定注油設備の区分に応じそれぞれ同表に定める間隔

固定注油設備の区分		間　隔
懸垂式の固定注油設備		4メートル以上
その他の固定注油設備	固定注油設備に接続される注油ホースのうちその全長が最大であるものの全長(以下このロにおいて「最大注油ホース全長」という。)が3メートル以下のもの	4メートル以上
	最大注油ホース全長が3メートルを超え4メートル以下のもの	5メートル以上
	最大注油ホース全長が4メートルを超え5メートル以下のもの	6メートル以上

ハ　敷地境界線　1メートル以上
ニ　建築物の壁　2メートル（給油取扱所の建築物の壁に開口部がない場合には、1メートル）以上

図13-1　**固定給油設備及び固定注油設備の位置**

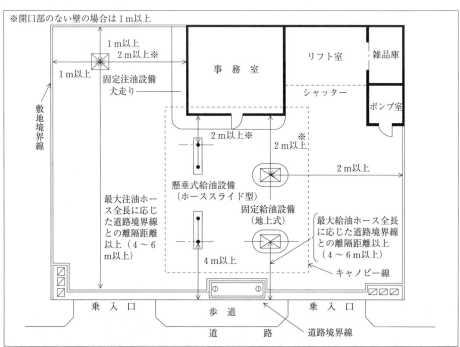

(留意事項) (1)　固定給油設備の位置

　　ア　道路境界線から最大給油ホース全長に応じた離隔距離以上（4～6m以上）

　　イ　敷地境界線及び建築物の壁から2m以上

　　ウ　給油取扱所の建築物の開口部のない壁から1m以上

　　それぞれの間隔を保つこととされている。

(2)　固定注油設備の位置

　　ア　固定給油設備から最大給油ホース全長に応じた離隔距離以上（4～6m以上）

　　イ　道路境界線から最大注油ホース全長に応じた離隔距離以上（4～6m以上）

　　ウ　建築物の壁から2m以上

　　エ　給油取扱所の開口部のない建築物の壁から1m以上

　　オ　敷地境界線から1m以上

(3)　建築物の壁に開口部がない場合とは、図13-2に示す例によるものである。

図13-2　**建築物の壁に開口部がない場合の例**

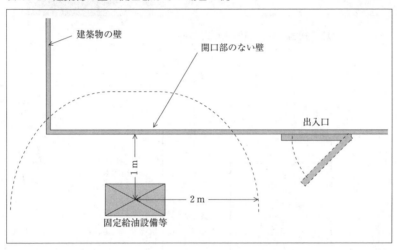

🔢 懸垂式固定給油設備等

(根拠条文) 危政令

第17条第1項

　⑭　懸垂式の固定給油設備及び固定注油設備にあつては、ホース機器の引出口
　　の高さを地盤面から4.5メートル以下とすること。

　⑮　懸垂式の固定給油設備又は固定注油設備を設ける給油取扱所には、当該
　　固定給油設備又は固定注油設備のポンプ機器を停止する等により専用タンク
　　からの危険物の移送を緊急に止めることができる装置を設けること。

(留意事項)　懸垂式固定給油設備等は、地上式固定給油設備等と異なり、ポンプ機器、給油配管
及びホース機器、油量等の表示設備が分離設置され、一連の設備として機能するもの
である。

図14-1 懸垂式固定給油設備を設けた例

図14-2 懸垂式固定給油設備系統図の例

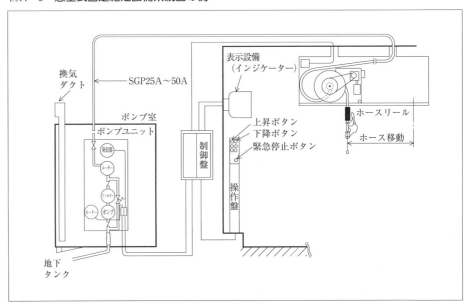

(1) ホース機器

　ア 懸垂式のホース機器の位置は、危政令第17条第1項第12号の例によるほか、引出口の高さを地盤舗装面から4.5m以下に保たなければならない。

　イ 給油ホース等（ノズルを含む。）の全長は、給油ホース等の引出口から地盤舗装面上0.5mの水平面に垂線を下し、その交点を中心として半径3m以下の円しか描くことができない長さとする（図14-3参照）。

図14- 3　**懸垂式給油ホースの長さの例**

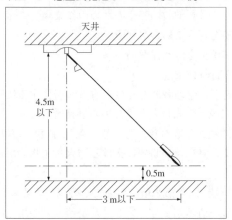

　　ウ　ホース機器は、換気の良好な場所に設ける必要がある。
(2)　ポンプ機器
　　ア　ポンプ吐出管には、配管内の圧力が急上昇した場合に、その配管内に滞留している危険物を自動的に専用タンクに戻すことができる装置を設けること。
　　イ　ポンプ機器は、道路境界線から最大給油ホース全長及び最大注油ホース全長との離隔距離以上（4～6ｍ以上）、敷地境界線から固定給油設備にあっては2ｍ以上、固定注油設備にあっては1ｍ以上離すこと（ただし、距離がとれない場合は、「**⒆** ポンプ室等の構造」(3)（道路境界線等からの間隔を保つことを要しないポンプ室の項）を参照のこと。）。
(3)　懸垂式の固定給油設備等には、その設備の故障その他の事故により危険物が流出した場合に、地上から容易に操作できる位置に、ポンプ機器を停止する等により危険物の移送を止めることができる緊急停止装置を設けること。
(4)　油量等の表示設備
　　油量等の表示設備（インジケーター）は、給油に支障のない場所に設けること。

⒂ 建築物の規制

根拠条文　危政令

第17条第1項第16号　給油取扱所には、給油その他の業務のための建築物（避難又は防火上支障がないと認められる総務省令で定める用途に供するものに限る。）以外の建築物その他の工作物を設けないこと。この場合において、給油取扱所の係員以外の者が出入する建築物の部分で総務省令で定めるものの床面積の合計は、避難又は防火上支障がないと認められる総務省令で定める面積を超えてはならない。

危規則

（給油取扱所の建築物）
第25条の4　令第17条第1項第16号（同条第2項においてその例による場合を含

　　　　　　　　　む。）の総務省令で定める用途は、次のとおりとする。

　　　　⑴　給油又は灯油若しくは軽油の詰替えのための作業場

　　　　⑵　給油取扱所の業務を行うための事務所

　　　　⑶　自動車等の点検・整備を行う作業場

　　　　⑷　自動車等の洗浄を行う作業場

　　　　⑸　給油取扱所の所有者、管理者若しくは占有者が居住する住居又はこれらの
　　　　　者に係る他の給油取扱所の業務を行うための事務所

　　　　⑹　消防法施行令（昭和36年政令第37号）別表第1⑴項、⑶項、⑷項、⑻項、
　　　　　⑾項から⒀項イまで、⒁項及び⒂項に掲げる防火対象物の用途（前各号に掲
　　　　　げるものを除く。）

　　2　令第17条第1項第16号（同条第2項においてその例による場合を含む。）の総
　　　　務省令で定める部分は、前項第2号、第3号及び第6号の用途に供する床又は
　　　　壁で区画された部分（給油取扱所の係員のみが出入りするものを除く。）とし、
　　　　令第17条第1項第16号（同条第2項においてその例による場合を含む。）の総
　　　　務省令で定める面積は、300平方メートルとする。

(留意事項)　(1)　給油取扱所に設ける建築物の規制は、昭和62年3月の危政令改正により、大幅な
　　　　　改正が行われた。この改正で、給油取扱所に設けることができる建物の用途として
　　　　　給油業務に附帯する業務が加えられ、その用途は危規則第25条の4で示されている。
　　　　　　したがって、間口10m以上、奥行6m以上の空地を確保し、固定給油設備及び固
　　　　　定注油設備から2m（開口部のない壁からは1m）以上離れている限り、①建築物
　　　　　を道路に接して設けること、②事務所と店舗とを別棟として設けること、③建築物
　　　　　を道路に接して中央に設けること等は可能であるが、給油業務に支障のないレイア
　　　　　ウトが必要である。
　　　　　　なお、給油取扱所に設ける建築物については、廊下、階段、避難口その他の避難
　　　　　上必要な施設の管理等を徹底する必要がある。また、当該建築物が施行令第1条の
　　　　　2第3項に規定する防火対象物に該当するときは、防火管理者の選任等が必要であ
　　　　　る。

給油取扱所に設けることができる建築物等

(1)

| 給油又は灯油若しくは軽油の詰替えのための作業場（上屋、キャノピー） | ○ 壁又は柱と上屋等を有し、固定給油設備等により、給油又は注油を行う作業場
○ 屋外型は耐火又は不燃材料、屋内型は耐火構造。ただし、上部に上階がない場合は屋根を不燃材料でできる。 |

(ｱ)

| ポ　ン　プ　室 | ○ 建築構造：出入口は「事務所」と同じ。換気、照明、採光、排出設備（機械式）の設置、窓の設置は可 |

　　　　　　　　　　　　　　道路境界線から間隔を保つことを要しない場合

　　　　　　　　　　　　　　○ 建築物は屋根を含めて耐火構造
　　　　　　　　　　　　　　○ 出入口は、自閉式の特定防火設備で、給油空地に面した場所
　　　　　　　　　　　　　　○ 窓は禁止
　　　　　　　　　　　　　　○ 換気、照明、排出設備は設置

(ｲ)

油　　　　庫

　建築構造はポンプ室と同様（ただし、道路境界線、排出設備に対する規制はない。）。出入口は、防火設備以上

(ｳ)

コンプレッサー室

　建築構造はポンプ室同様（ただし、道路境界線、排出設備に対する規制はない。）。出入口は、防火設備以上。コンプレッサー室のコンプレッサーが「自動車等の点検の整備を行う作業場」で用いられる場合は「自動車等の点検・整備を行う作業場」に含まれる。

(2)

給油取扱所の業務を行うための事務所

○給油や注油、整備、洗車等の代金の受渡しや経理事務等を行うための事務所である。なお、これには、これらの事務を行うために機能上必要な会議室、応接室、更衣室、休憩室、宿直室、倉庫、便所等も含まれている。
○屋外型は耐火又は不燃材料、屋内型は耐火構造、出入口は防火設備以上、出入口の窓ガラスは網入り
○事務所その他火気を使用する場所（整備室、洗車室を除く。）は自閉式の出入口とし、高さ15㎝以上の犬走り等を設ける。
○建築物の壁が防火塀を兼ねる部分に開口部を設ける場合は、窓でははめごろしの防火設備（ガラスの場合は網入りガラスに限る。）、換気口、ダクト等では防火ダンパーを設けること。ただし、敷地外へ通じる連絡用（避難用）出入口を設置する場合は、必要最小限の自閉式の特定防火設備を設ける。

(3)

自動車等の点検・整備を行う作業場

　壁等で区画された室で、自動車の点検・整備を行うもの。この場合、軽整備に限らず6か月点検、塗装、板金業務なども可能である。しかし、危険物施設内で点検・整備を行うものであり、火気を使用して整備等を行う場合は、当該場所に可燃性蒸気が流入しないよう対策を講ずる必要がある。
○建築構造はポンプ室と同様（ただし、道路境界線、出入口に対する規制はない。）。
○可燃性蒸気が滞留するおそれのある場合には、床面から60㎝以下は危険場所として電気設備を防爆構造とする。

整　備　室

　自動車等の点検・整備を行う作業場であって、三面が壁で囲まれた部分は整備室である。また、一面がシャッターで区画されたもの及び二面がシャッターで区画されたものも含まれる。

(4)

| 自動車等の洗浄を行う作業場 |

　壁等で区画された室内で自動車の洗浄を行うもので、移動式、固定式、コンベアー式（洗車から仕上げまでの工程のものを含む。）等による洗車機器によるほか、人的な洗浄による場合も含まれる。
　建築構造はポンプ室と同様（ただし、道路境界線、出入口に換気、照明、排出設備の設置に対する規制はない。）

(5)

| 給油取扱所の所有者、管理者若しくは占有者が居住する住居又はこれらの者に係る他の給油取扱所の業務を行うための事務所（本店事務所等） |

　所有者、管理者、占有者が居住する住居は、専用住居であり、従業員等の寄宿舎、共同住宅は含まれない。
　また、他の給油取扱所の業務を行うための事務所とは、支店、営業所などを統括して管理運営を行う機能を有する事務所であり、いわゆる「本店事務所」として扱われるものである。
○屋外型、屋内型に設けることは可能。給油取扱所とは開口部のない耐火構造の床又は壁で区画、出入口は専用とする。
○規制区分としては、給油取扱所の申請範囲内に含めるか、あるいは他用途とするかについては、申請者において選択することができる。

(6)

| 施行令別表第1(1)項、(3)項、(4)項、(8)項、(11)項から(13)項イまで、(14)項及び(15)項に掲げる防火対象物の用途 |

○(1)項　イ　劇場、映画館、演芸場、観覧場
　　　　　ロ　公会堂、集会場
○(3)項　イ　待合、料理店等
　　　　　ロ　飲食店、喫茶店
○(4)項　　　百貨店、マーケット、展示場、コンビニエンスストア、スーパーマーケット、家庭用の塗料・カセットボンベの販売、ドライブスルー形式等
○(8)項　　　図書館、博物館、美術館等
○(11)項　　　神社、寺院、教会等
○(12)項　イ　工場、作業場
　　　　　ロ　映画スタジオ、テレビスタジオ
○(13)項　イ　自動車車庫、駐車場
○(14)項　　　倉庫
○(15)項　　　事務所、コインランドリー、簡易郵便局、理容室、美容室、LPガスの取次ぎ、レンタカー取次ぎ等
○　危規則第25条の4第1項第6号に掲げる用途については、施行令第1条の2第2項後段の規定により同号に掲げるいずれかの用途に機能的に従属すると認められるものを含むものである。なお、施行令第1条の2第2項後段の規定による機能的な従属に係る運用については、「令別表第1に掲げる防火対象物の取り扱いにつ

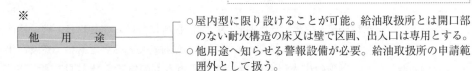

　なお、前記用途のうち、給油取扱所の係員以外の者が出入りする建築物の床面積の算定は次による。

図15-1　**給油取扱所の建築物の用途例**

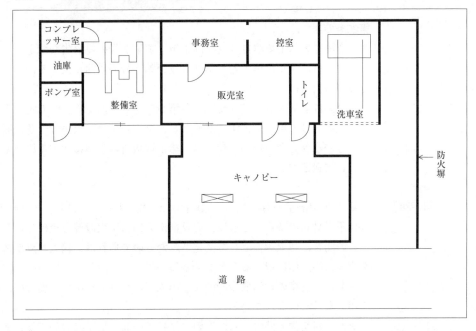

(2)　一の給油取扱所内に、危規則第25条の4第1項第2号に定める用途に供する建築物（給油取扱所の業務を行うための事務所）のほかに、同項各号の用途に供される建築物を設けることができる。この場合、全ての建築物の床面積の合計は、同条第2項の規定に従い、300㎡を超えないものとする（平成31年消防危第81号）。

(3)　危規則第25条の4第2項の面積制限を受ける部分に「自動車等の点検・整備を行う作業場」は含まれるが、通常業務において顧客の作業場の出入りが係員の監督下に常時置かれ、かつ、顧客に対し安全上必要な注意事項が作業場に掲示されている場合、当該作業場を「面積制限を受ける部分以外の部分」とみなすことができる（平成13年消防危第127号）。

🔟 建築物の構造等

根拠条文　危政令

> **第17条第1項第17号**　前号の給油取扱所に設ける建築物は、壁、柱、床、はり及び屋根を耐火構造とし、又は不燃材料で造るとともに、窓及び出入口（自動車等の出入口で総務省令で定めるものを除く。）に防火設備を設けること。この場合において、当該建築物の総務省令で定める部分は、開口部のない耐火構造の床又は壁で当該建築物の他の部分と区画され、かつ、防火上必要な総務省令で定める構造としなければならない。

危規則

> **第25条の4**
> 3　令第17条第1項第17号及び同条第2項第7号の総務省令で定める自動車等の出入口は、第1項第1号、第3号及び第4号の用途に供する部分に設ける自動車等の出入口とする。
> 4　令第17条第1項第17号及び同条第2項第6号の総務省令で定める部分は、第1項第5号の用途に供する部分とし、令第17条第1項第17号及び同条第2項第6号の総務省令で定める構造は、給油取扱所の敷地に面する側の壁に出入口がない構造とする。

留意事項　(1)　屋外型の給油取扱所に設ける建築物は、壁、柱、床、はり、及び屋根を耐火構造、又は不燃材料で造るとともに、窓及び出入口に防火設備を設けることとしている。

　　　この場合、防火設備として認定されたものであれば、網入りガラス以外のガラスを窓又は出入口に用いることができる。

　　　なお、屋内型の給油取扱所の窓や出入口にガラスを用いる場合は、網入りガラスを用いなければならない。

　　　また、建築物の壁のうち、次のア又はイの間仕切壁については、準不燃材料又は難燃材料を使用することができる。

　ア　危険物を取り扱う部分と耐火構造若しくは不燃材料の壁又は随時開けることのできる自動閉鎖の防火設備により区画された危険物を取り扱わない部分に設ける間仕切壁

　イ　危険物を取り扱わない建築物に設ける間仕切壁

図16-1　屋外給油取扱所の例

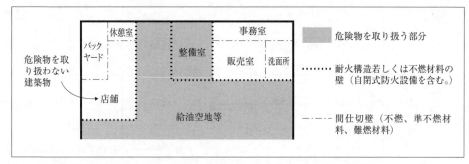

(2)　「自動車等の出入口で総務省令で定めるもの」とは、危規則第25条の4第3項で規定された次の用途部分であり、防火戸の設置は除外されている。

ア　給油又は灯油若しくは軽油の詰替えのための作業場

イ　自動車等の点検・整備を行う作業場

ウ　自動車等の洗浄を行う作業場

　　したがって、これら用途以外の建築物の部分は不燃材料以上で区画し、防火設備を設けなければならない。

(3)　開口部のない耐火構造の床又は壁で区画する当該総務省令で定める部分は、「所有者等の居住する住居、又は本店事務所等」とされ、かつ、防火上必要な総務省令で定める構造とは、給油取扱所の敷地に面する側以外に出入口を設けることとされている。

図16-2　給油取扱所と本店事務所との区画と出入口の例

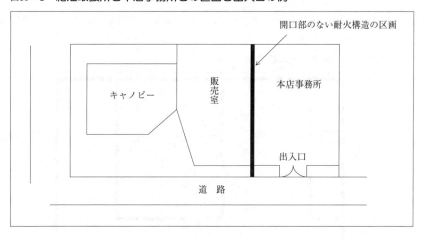

図16- 3　**給油取扱所と本店事務所等との水平、垂直区画例**

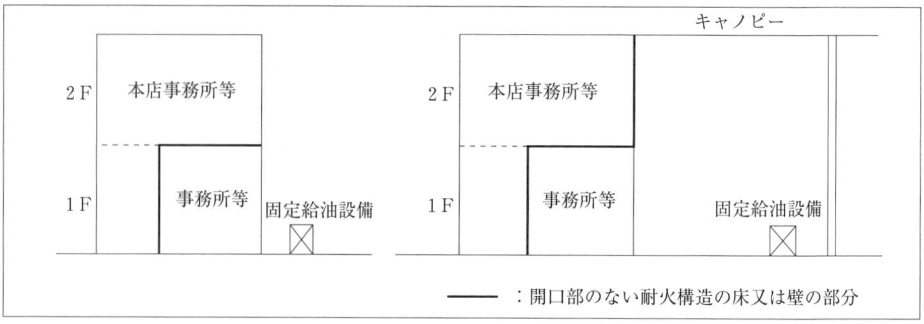

(4) 建築物内の構造

ア　自動車等の点検・整備を行う作業場及び自動車等の洗浄を行う作業場で自動車等の出入口（図16-4の①部分）に戸を設ける場合は、不燃材料で造られていればよい。

イ　1階販売室等の建築物の壁体に敷地外へ通じる連絡用（避難用）出入口を設置する場合は、自動閉鎖式の特定防火設備を設ける必要がある。

ウ　危政令第17条第1項第18号の事務所その他火気を使用するものには、自動車等の点検・整備を行う作業場及び自動車等の洗浄を行う作業場は除かれているが、事務所等火気を使用する場所と当該作業場の出入口（②部分）については、危規則第25条の4第5項の可燃性蒸気の流入しない構造の適用を受けるものである。

エ　事務所の壁体の一部に採光のためガラスブロックを用いる場合には、防火性能を有すること。

オ　販売室等にカーテンやじゅうたん等を使用する場合は、防炎性能を有するものとすること。

図16- 4　**建築物内の構造例**

🔟 可燃性蒸気流入防止構造

根拠条文　危政令

> **第17条第1項第18号**　前号の建築物のうち、事務所その他火気を使用するもの
> （総務省令で定める部分を除く。）は、漏れた可燃性の蒸気がその内部に流入
> しない総務省令で定める構造とすること。

危規則

> **第25条の4第5項**　令第17条第1項第18号及び同条第2項第8号の総務省令で定
> める部分は、第1項第3号及び第4号の用途に供する部分とし、令第17条第1
> 項第18号及び同条第2項第8号の総務省令で定める構造は、次のとおりとする。
> (1)　出入口は、随時開けることができる自動閉鎖のものとすること。
> (2)　犬走り又は出入口の敷居の高さは、15センチメートル以上であること。

留意事項　(1)　給油取扱所の建築物は、給油場所その他で漏れた可燃性蒸気が内部に流入しない
よう、出入口は随時開けることができる自動閉鎖装置を有するものとするとともに、
犬走り、又は出入口の敷居の高さは、15cm以上とすることが必要である。また、犬
走り等にスロープを設ける場合は、次によること。
　　ア　スロープの最下部から最上部までの高さが15cm以上であること。なお、スロー
プが明確でない場合にあっては、最上部からの高さの差が15cm以上となるところ
までをスロープとみなす。
　　イ　スロープは給油又は注油に支障のない位置に設ける。
　　ウ　スロープ上において給油又は注油を行わない。

図17-1　**コンクリート製スロープの設置例**

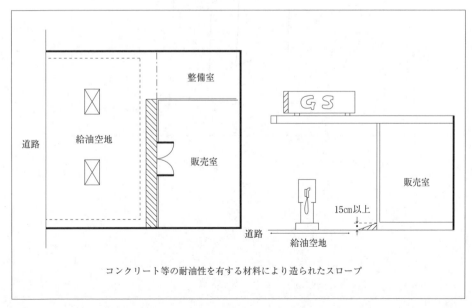

図17-2 グレーチング等の設置例

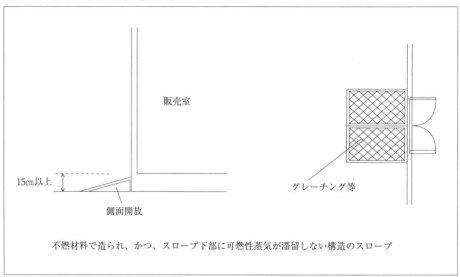

販売室

15cm以上

側面開放

グレーチング等

不燃材料で造られ、かつ、スロープ下部に可燃性蒸気が滞留しない構造のスロープ

(2) 自動閉鎖装置は、電気式のものでも支障ないが、停電時等を考慮し、手動式の出入口と併用することが望ましい。

(3) 火気を使用する場所のうち、総務省令で定める部分とは、自動車等の点検・整備を行う作業場及び自動車等の洗浄を行う作業場である。これは、作業場内に自動車が出入りするところから、出入口等の敷居の適用は除外されているものである。

図17-3 販売室の出入口に高さ15cm以上の犬走りを設けた例

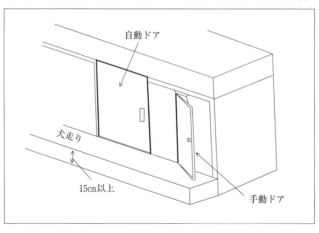

自動ドア

犬走り

15cm以上

手動ドア

18 塀又は壁

根拠条文　危政令

> **第17条第1項第19号**　給油取扱所の周囲には、自動車等の出入りする側を除き、火災による被害の拡大を防止するための高さ2メートル以上の塀又は壁であつて、耐火構造のもの又は不燃材料で造られたもので総務省令で定めるものを設けること。

危規則

> **（給油取扱所の塀又は壁）**
> **第25条の4の2**　令第17条第1項第19号（同条第2項においてその例による場合を含む。）の総務省令で定める塀又は壁は、次に掲げる要件に適合する塀又は壁とする。
> ⑴　開口部（防火設備ではめごろし戸であるもの（ガラスを用いるものである場合には、網入りガラスを用いたものに限る。）が設けられたものを除く。）を有しないものであること。
> ⑵　給油取扱所において告示で定める火災が発生するものとした場合において、当該火災により当該給油取扱所に隣接する敷地に存する建築物の外壁その他の告示で定める箇所における輻射熱が告示で定める式を満たすこと。

危告示

> **（給油取扱所の塀又は壁に考慮すべき火災等）**
> **第4条の52**　規則第25条の4の2第2号の告示で定める火災は、次に掲げる火災とする。
> ⑴　固定給油設備（ホース機器と分離して設置されるポンプ機器を除く。）から自動車等の燃料タンクに給油中又は容器若しくは車両に固定されたタンクに注油中に漏えいした危険物が燃焼する火災
> ⑵　固定注油設備（ホース機器と分離して設置されるポンプ機器を除く。）から容器又は車両に固定されたタンクに注油中に漏えいした危険物が燃焼する火災
> ⑶　専用タンク（令第17条第1項第7号の専用タンクをいう。）に危険物を注入中に漏えいした危険物が燃焼する火災
> 2　規則第25条の4の2第2号の告示で定める箇所は、次の各号に掲げる箇所とする。
> ⑴　給油取扱所に隣接し、又は近接して存する建築物の外壁及び軒裏（耐火構造、準耐火構造又は防火構造のものを除く。第68条の2第2項において同じ。）で当該給油取扱所に面する部分の表面
> ⑵　給油取扱所の塀又は壁に設けられた防火設備（令第9条第1項第7号の防火設備をいい、ガラスを用いたものに限る。第68条の2第2項において同

じ。）の給油取扱所に面しない側の表面

3　規則第25条の4の2第2号の告示で定める式は、次のとおりとする。

$$\int_0^{te} q^2 dt \leqq 2,000$$

　　　　teは、燃焼時間（単位　分）

　　　　qは、輻射熱（単位　kW／m²）

　　　　tは、燃焼開始からの経過時間（単位　分）

〔留意事項〕（1）　給油取扱所周囲には、自動車等の出入りする側を除き、火災による被害の拡大を防止するための高さ2m以上の塀又は壁であって、耐火構造のもの又は不燃材料で造られたもので総務省令で定めるものを設けなければならない。

（2）　「自動車等の出入りする側」とは、幅員が4m以上の危規則第1条第1号に規定する道路に接し、かつ、給油を受けるための自動車等が出入りできる側をいうものである。当該道路は危規則第1条第1号ニの規定に適合する場合、当該道路が縁石やさく等で区画されていなくてもよい（平成31年消防危第81号）。

　　図18-1に示すように、イ、ロ、ハが幅員4m以上の危規則第1条第1号に規定する道路に接している場合においてイ、ニ及びハで結んだ側は、給油を受けるための自動車が出入りできる側とは認められない。したがって、イ、ニ及びハで結んだ側には塀を必要とする。

図18-1　**塀又は壁**

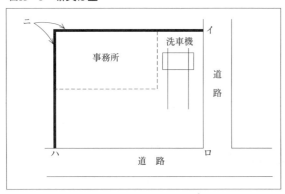

注　ニは、建物の外壁で塀を兼ねる部分

　　また、図18-2のabc-efgで囲まれる部分、図18-3のabcd-efghで囲まれる部分、図18-4のabg-ef又は図18-5のbc-fgで囲まれる部分が、現に道路としての形態を有し、一般交通の用に供されており、自動車等の通行が可能な場合は、自動車等の出入りする側として防火塀を設けないことができる。

図18-2

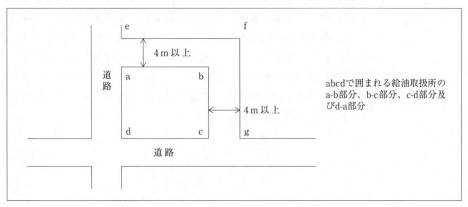

abcdで囲まれる給油取扱所の
a-b部分、b-c部分、c-d部分及
びd-a部分

図18-3

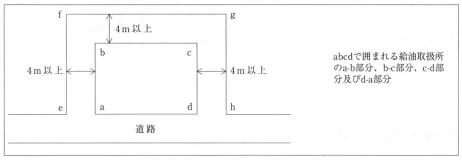

abcdで囲まれる給油取扱所
のa-b部分、b-c部分、c-d部
分及びd-a部分

図18-4

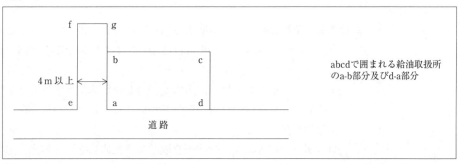

abcdで囲まれる給油取扱所
のa-b部分及びd-a部分

図18-5

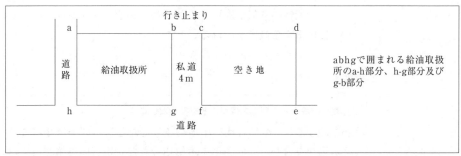

abhgで囲まれる給油取扱
所のa-h部分、h-g部分及び
g-b部分

(3)　塀に隣接する自動車の車庫の出入口は、自家用の車庫等を給油取扱所の塀で遮断
　　した場合、塀の一部に出入口を設けて自動車を通すことができる。この場合におい
　　て、車両等が通過する部分は、給油空地及び注油空地外とするほか出入口は必要最
　　小限とし、使用時以外は常時閉鎖の特定防火設備とする。

(4)　防火塀の一部にガラスを用いる場合は、はめごろしの防火設備である網入りガラスに限る。この際、輻射熱が危告示第4条の52第3項に規定する式を満たすこと。

(5)　給油取扱所から自動車等が出る際に交通事故が発生するおそれがあるもの等については、視認性確保のため、周囲の状況等から判断して延焼危険性が低い場合、塀又は壁に道路境界線から1m以内に限り、切欠きを設けることができる。その際、切欠きを設けた塀又は壁は、危規則第25条の4の2第2号を満たさなければならない（平成30年消防危第42号）。

図18-6

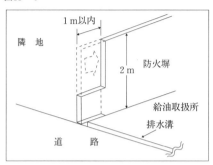

🔟 ポンプ室等の構造

根拠条文 　危政令

第17条第1項第20号　ポンプ室その他危険物を取り扱う室（以下この号において「ポンプ室等」という。）を設ける場合にあつては、ポンプ室等は、次によること。
　　イ　ポンプ室等の床は、危険物が浸透しない構造とするとともに、漏れた危険物及び可燃性の蒸気が滞留しないように適当な傾斜を付け、かつ、貯留設備を設けること。
　　ロ　ポンプ室等には、危険物を取り扱うために必要な採光、照明及び換気の設備を設けること。
　　ハ　可燃性の蒸気が滞留するおそれのあるポンプ室等には、その蒸気を屋外に排出する設備を設けること。

危規則

（道路境界線等からの間隔を保つことを要しない場合）

第25条の3の2　令第17条第1項第12号ただし書（同条第2項においてその例による場合を含む。）、同条第1項第13号ただし書（同条第2項においてその例による場合を含む。）及び同条第1項第13号イ（同条第2項においてその例による場合を含む。）の規定により、同条第1項第12号、同条第1項第13号及び同号イに定める間隔を保つことを要しない場合は、次に掲げる要件に適合するポンプ

　　　　室にポンプ機器を設ける場合又は油中ポンプ機器を設ける場合とする。
　　　(1)　ポンプ室は、壁、柱、床、はり及び屋根（上階がある場合は、上階の床）を
　　　　耐火構造とすること。
　　　(2)　ポンプ室の出入口は、給油空地に面するとともに、当該出入口には、随時
　　　　開けることができる自動閉鎖の特定防火設備を設けること。
　　　(3)　ポンプ室には、窓を設けないこと。

留意事項 (1)　共通事項
　　　ア　危政令第17条第1項第20号に規定するポンプ室等には、油庫のほか危険物を取
　　　　り扱う整備室等が含まれるものである。
　　　イ　同号ロに規定する「危険物を取り扱うために必要な採光、照明」とは、採光、
　　　　照明のいずれかが設置されていれば足りるものであるが、日没後における営業も
　　　　考慮し、照明設備を設けることが望ましい。
　　　ウ　同号ロに規定する「換気の設備」は、同号ハに規定する排出設備を設けた場合、
　　　　当該設備と兼用できるものである。
　　　エ　同号ハに規定する「可燃性の蒸気が滞留するおそれのあるポンプ室等」とは、
　　　　引火点が40℃未満の危険物を取り扱うポンプ室、整備室とされ、また「屋外に排
　　　　出する設備」の屋外は、給油空地に面する部分も含むものである。
　(2)　ポンプ室の構造
　　　(1)によるほか、次により運用している。
　　　ア　ポンプ室は1階に設けること。
　　　イ　ポンプ室は天井を設けないこと。
　　　ウ　ポンプ室に設けるポンプ設備は、点検が容易に行えるよう、ポンプ設備と壁と
　　　　の間におおむね50㎝以上の間隔を、ポンプ設備相互間にはおおむね30㎝以上の間
　　　　隔を確保すること。
　　　エ　ポンプ室に設ける排出設備は、ポンプ設備に通電中、これに連動して作動する
　　　　自動強制排出設備とするとともに、その先端は、建物の開口部、敷地境界線及び
　　　　電気機械器具から1.5m以上離れた敷地内とすること。
　(3)　道路境界線等からの間隔を保つことを要しないポンプ室
　　　危政令第17条第1項第12号ただし書のポンプ機器を設けるポンプ室は、前(2)ア～
　　エによるほか、次により運用している。
　　　ア　当該ポンプ室の建物構造等については、危規則第25条の3の2の適用のほか、
　　　　その他の設備等については、危政令第17条第1項第20号が適用となるものである。
　　　イ　危規則第25条の3の2に規定する「ポンプ室の出入口は、給油空地に面する」
　　　　とは、従業員等が業務中において常時監視等できる位置であり、かつ、事務所へ
　　　　の可燃性の蒸気の流入を防止し、火災等の影響を排除することを目的としたもの
　　　　であり、給油空地に直接面する必要はないものである。

図19- 1

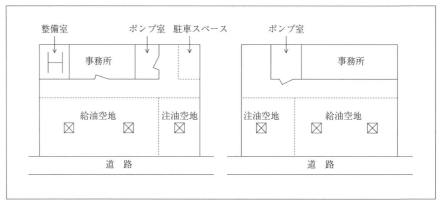

(4)　油庫
　　ア　給油取扱所の業務に自動車等の整備を行い、潤滑油等の保有、小分け等を行う
　　　　場合は、油庫を設けることが望ましい。
　　イ　貯蔵する危険物のうち引火点40℃未満のものを貯蔵する場合は、排出設備を設
　　　　けることが必要である。
　　ウ　換気設備は、屋内貯蔵所の例による。
(5)　整備室
　　ア　整備室に設ける可燃性蒸気を排出する設備のうち、整備室の使用に際し前面側
　　　　（自動車等の出入口側）を開放して使用する形態のものにあっては、壁体等に設
　　　　ける室内換気用の換気扇をもって排出設備とすることができる。
　　イ　整備室前面側を開放して、有効な換気が得られる場合は、換気設備を兼ねるこ
　　　　とができる。
　　ウ　前ア及びイにより、換気が行われる場合は、整備室内の床面から60cm以内の場
　　　　所を除き、電気設備は非防爆構造で足りる。

20 電気設備

根拠条文　危政令

> **第17条第1項第21号**　電気設備は、第9条第1項第17号に掲げる製造所の電気設
> 　備の例によるものであること。

留意事項　電気設備の基準については、「第1集　第2章　製造所の基準」「第2集　第4章
　　　　地下タンク貯蔵所の基準」参照のこと。
　　　　なお、給油取扱所においては、上記によるほか次によることとしている。
　　　　図20- 1から図20- 8までの図の斜線部分又は懸垂式固定給油設備のポンプ室内に
　　　　設ける電気機械器具は、耐圧防爆構造、内圧防爆構造、油入防爆構造、本質安全防爆
　　　　構造、安全増防爆構造、樹脂充塡防爆構造、非点火防爆構造又は特殊防爆構造のもの
　　　　を設置する。

図20-1　地上式固定給油設備（可燃性蒸気流入防止構造以外）

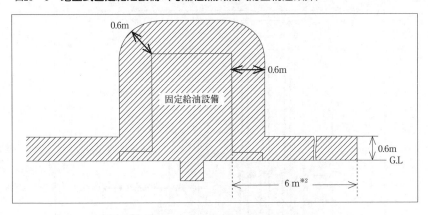

図20-2　**地上式固定給油設備等（可燃性蒸気流入防止構造）**

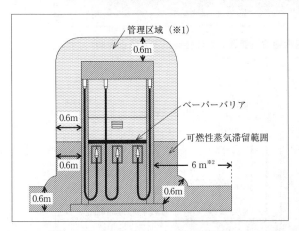

図20-3　**地上式固定給油設備等（可燃性蒸気流入防止構造）**

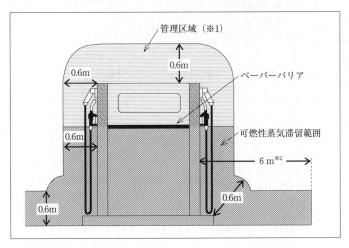

図20-4　**地上式固定給油設備等（可燃性蒸気流入防止構造）**

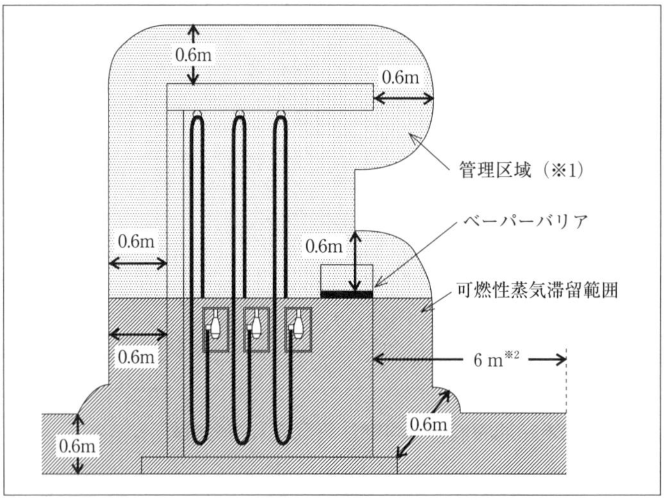

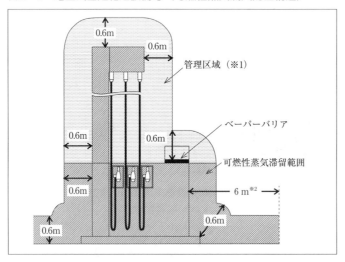

図20-5　**地上式固定給油設備等（可燃性蒸気流入防止構造）**

図20-6　**懸垂式固定給油設備（可燃性蒸気流入防止構造以外）**

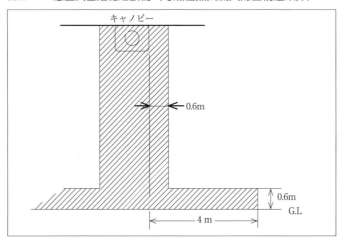

図20－7　**混合燃料調合器**

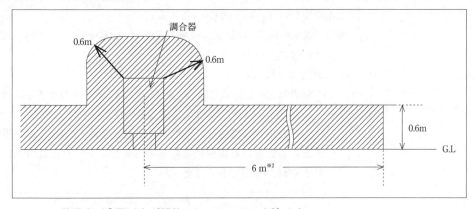

図20－8　**整備室（2面以上が開放されているものを除く。）**

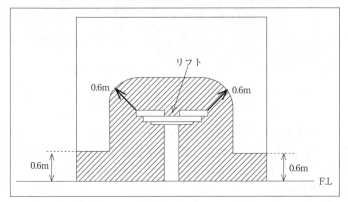

※1 | 管理区域には、給油作業に係る機器以外は設置しないこと。
　　 | 裸火等の存する可能性がある機器及び高電圧機器等は設置しないこと。

※2　給油ホース全長＋1mを可燃性蒸気滞留範囲とする場合もある。

21 附随設備

根拠条文　危政令

第17条第1項

㉒　自動車等の洗浄を行う設備その他給油取扱所の業務を行うについて必要な設備は、総務省令で定めるところにより設けること。

㉓　給油取扱所には、給油に支障があると認められる設備を設けないこと。

危規則

（給油取扱所の附随設備）

第25条の5　令第17条第1項第22号（同条第2項においてその例による場合を含む。）の規定により給油取扱所の業務を行うについて必要な設備は、自動車等の洗浄を行う設備、自動車等の点検・整備を行う設備、混合燃料油調合器、尿素水溶液供給機及び急速充電設備（対象火気設備等の位置、構造及び管理並びに対象火気器具等の取扱いに関する条例の制定に関する基準を定める省令（平成14

年総務省令第24号。以下「対象火気省令」という。）第3条第20号に規定する急速充電設備をいう。以下同じ。）とする。

2　前項の設備の位置、構造又は設備の基準は、それぞれ次の各号のとおりとする。

(1)　自動車等の洗浄を行う設備

　イ　蒸気洗浄機

　　(1)　位置は、固定給油設備（ポンプ室（第25条の3の2各号に適合するポンプ室に限る。以下この項及び第40条の3の4第1号において同じ。）に設けられたポンプ機器及び油中ポンプ機器を除く。）から(2)に規定する囲いが次の表に掲げる固定給油設備の区分に応じそれぞれ同表に定める距離以上離れた場所であること。

固定給油設備の区分		距離
懸垂式の固定給油設備		4メートル
その他の固定給油設備	固定給油設備に接続される給油ホースのうちその全長が最大であるものの全長（以下この(1)、ロ、次号イ及び第40条の3の4第1号において「最大給油ホース全長」という。）が3メートル以下のもの	4メートル
	最大給油ホース全長が3メートルを超え4メートル以下のもの	5メートル
	最大給油ホース全長が4メートルを超え5メートル以下のもの	6メートル

　　(2)　周囲には、不燃材料で造つた高さ1メートル以上の囲いを設けるとともに、その囲いの出入口は、固定給油設備に面しないものとすること。

　　(3)　排気筒には、高さ1メートル以上の煙突を設けること。

　ロ　洗車機

　　位置は、固定給油設備（ポンプ室に設けられたポンプ機器及び油中ポンプ機器を除く。）から次の表に掲げる固定給油設備の区分に応じそれぞれ同表に定める距離以上離れた場所であること。ただし、建築物の第25条の4第1項第4号の用途に供する部分で、床又は壁で区画されたものの内部に設ける場合は、この限りでない。

固定給油設備の区分		距離
懸垂式の固定給油設備		4メートル
その他の固定給油設備	最大給油ホース全長が3メートル以下のもの	4メートル
	最大給油ホース全長が3メートルを超え4メートル以下のもの	5メートル
	最大給油ホース全長が4メートルを超え5メートル以下のもの	6メートル

(2)　自動車等の点検・整備を行う設備

　イ　位置は、固定給油設備（ポンプ室に設けられたポンプ機器及び油中ポンプ機器を除く。）から次の表に掲げる固定給油設備の区分に応じそれぞれ同表に定める距離以上、かつ、道路境界線から2メートル以上離れた場所であること。ただし、建築物の第25条の4第1項第3号の用途に供する部分で、床又は壁で区画されたものの内部に設ける場合は、この限りでない。

固 定 給 油 設 備 の 区 分		距　　離
懸垂式の固定給油設備		4メートル
その他の固定給油設備	最大給油ホース全長が3メートル以下のもの	4メートル
	最大給油ホース全長が3メートルを超え4メートル以下のもの	5メートル
	最大給油ホース全長が4メートルを超え5メートル以下のもの	6メートル

　　　ロ　危険物を取り扱う設備は、危険物の漏れ、あふれ又は飛散を防止することができる構造とすること。
　　(3)　混合燃料油調合器
　　　イ　位置は、給油に支障がない場所であつて、建築物（第25条の4第1項第1号の用途に供する部分を除く。）から1メートル以上、かつ、道路境界線から4メートル以上離れた場所であること。
　　　ロ　蓄圧圧送式のものは、常用圧力に堪える構造とし、かつ、適当な安全装置を設けること。
　　(4)　尿素水溶液供給機
　　　イ　位置は、給油に支障がない場所であること。
　　　ロ　給油空地内に設置する場合は、自動車等の衝突を防止するための措置を講ずるとともに、堅固な基礎の上に固定すること。
　　(5)　急速充電設備
　　　イ　位置は、給油に支障がない場所であつて、次に掲げる場所であること。
　　　　(1)　可燃性の蒸気が滞留するおそれのない場所であること。
　　　　(2)　第28条の2の4に規定する給油取扱所にあつては、制御卓から全ての急速充電設備における使用状況を直接視認できる場所であること。ただし、第28条の2の5第6号イただし書の規定により制御卓を設けた場合にあつては、この限りでない。
　　　ロ　自動車等の衝突を防止するための措置を講ずること。
　　　ハ　急速充電設備の電気回路を電源から遮断する装置を、危険物の流出その他の事故が発生した場合に容易に操作できる場所に設けること。ただし、危険物の流出その他の事故により発生した可燃性の蒸気が滞留するおそれのない場所に設けた急速充電設備については、当該装置を設けないことができる。
　　　ニ　対象火気省令第10条第13号、第12条第10号、第14条第7号並びに第16条第9号（チを除く。）及び第11号の規定の例によること。
　3　給油取扱所に設ける附随設備に収納する危険物の数量の総和は、指定数量未満としなければならない。

留意事項　給油取扱所に設置することができる附随設備は、
　　ア　自動車等の洗浄を行う設備
　　イ　自動車等の点検・整備を行う設備
　　ウ　混合燃料油調合器
　　エ　尿素水溶液供給機

　　　　オ　急速充電設備

である。附随設備は、給油業務に密接な関連性を有し、給油空地及び注油空地以外の
場所に設置することができる。

　　給油取扱所に設置する附随設備として認められるものの例としては、表21－1に掲
げるものがある。

表21－1

オートリフト	バッテリーチャージャー
ブレーキテスター	ヘッドライトテスター
スピードメーターテスター	スパークプラグテスター
サイドスリップテスター	タイヤボックス
オイルチェンジャー	揮発油分析装置
タイヤチェンジャー	オートアナライザー
ホイルバランサー	一酸化炭素・炭化水素測定装置
洗車機	ルプリケーター
排水処理装置	蒸気洗浄機
マット洗浄機	混合燃料油調合器
エアーコンプレッサー	ウォールタンク
オイルキャビネット	オイルサービスユニット
オイルホースリール	部品洗浄台
エアースタンド	尿素水溶液供給機
エアークリーナーテスター	急速充電設備

（1）　附随設備の位置、構造、設備
　　ア　附随設備は、給油空地及び注油空地に設けないこと。また、注入口から3m以
　　　内の部分及び通気管の先端から水平距離1.5m以内の部分に設けないことが、安
　　　全上望ましい。
　　イ　洗車機を建築物内に設ける場合において、固定給油設備との間隔については、
　　　洗車機の可動範囲全体が壁等で覆われている場合は壁から2m以上、洗車機の可
　　　動範囲の一部がはみ出している場合は、可動先端部まで固定給油設備の最大給油
　　　ホース全長に応じ危規則第25条の5第2項第1号ロで定める距離以上をそれぞれ
　　　確保する（図21－1参照）。

図21－1

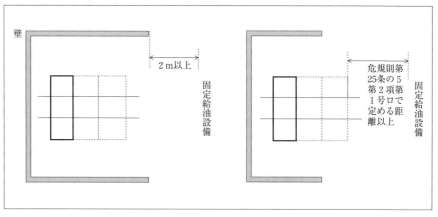

　　ウ　「自動車等の点検・整備を行う設備」とは、オートリフト、オイルチェンジャー、
　　　ウォールタンク、タイヤチェンジャー、ホイルバランサー、エアーコンプレッサー、

バッテリーチャージャー等をいう。

エ　油圧式オートリフト、オイルチェンジャー、ウォールタンク等、危険物を取り扱う設備のうち危険物を収納する部分は、次表に定める厚さの鋼板又はこれと同等以上の強度を有する金属板で気密に造るとともに、原則として屋内又は地盤面下に設けるよう運用している。

表21-2

危険物を収納する部分の容量	板　厚
40L 以下	1.0mm以上
40L を超え100L以下	1.2mm以上
100Lを超え250L以下	1.6mm以上
250Lを超え500L以下	2.0mm以上
500Lを超え1200L以下	2.3mm以上
1200Lを超え2000L以下	2.6mm以上
2000Lを超えるもの	3.2mm以上

オ　危険物を取り扱う設備は、地震動により容易に転倒又は落下しないように設けること。

カ　ウォールタンクの位置、構造及び設備は、前エ、オによるほか次により運用している。

(ア)　設置位置は、油庫又はリフト室等の屋内の1階とする。

(イ)　タンクは気密性を有するものとする。

(ウ)　タンクの空間容積は、タンク内容積の10%とする。

(エ)　タンクの外面には、さび止めのための措置をする。

(オ)　注入口には、弁又はふたを設ける。

(カ)　内径20mm以上の通気管を設ける。

(キ)　液面計等を設ける。なお、ガラスゲージの計量装置には、危険物の流出を自動的に停止できる装置（ボール入り自動停止弁等）又は金属保護管を設ける。

図21-2　**ウォールタンクの例**

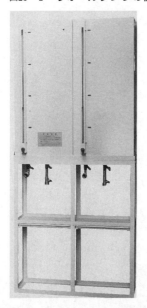

キ　油圧式オートリフト設備等の地下に埋設された油だめ及び配管の外面防食措置
は、危政令第13条に掲げる地下タンク貯蔵所の地下貯蔵タンク及び配管の例によ
る。

ク　大型トラックの排出ガス処理に用いられる尿素水溶液供給機は、固定給油設備
を設けたアイランド上に設置することができるが、次により設置する必要がある。

(ｱ)　ディスペンサー型（電動ポンプにより払い出すタイプ）のものについては、
内蔵されている電動ポンプ等の電気設備（防爆構造のものを除く。）を、可燃
性の蒸気が滞留するおそれのない場所に設置する（図21-3参照）。

(ｲ)　プラスチック容器型（重力により払い出すタイプ）のものについては、隣
接する固定給油設備等に対して衝突しないよう固定する措置を講じる（図21
-4参照）。

図21-3　**尿素水溶液供給機（電動ポンプにより払い出すタイプ）の設置例**

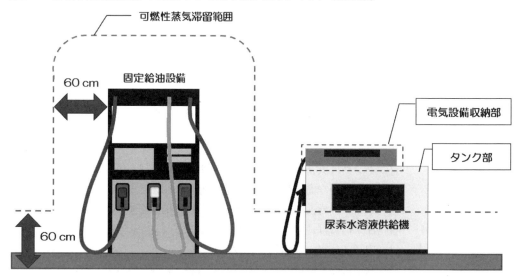

図21- 4　尿素水溶液供給機（重力により払い出すタイプ）の設置例

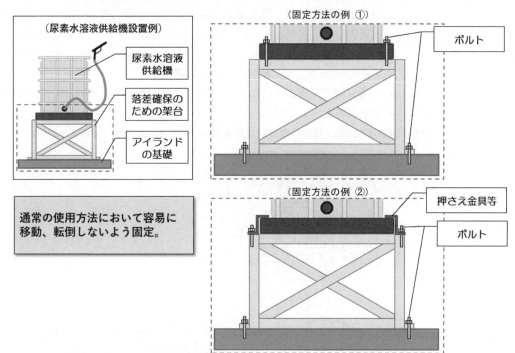

通常の使用方法において容易に
移動、転倒しないよう固定。

図21- 5　尿素水溶液供給機の例

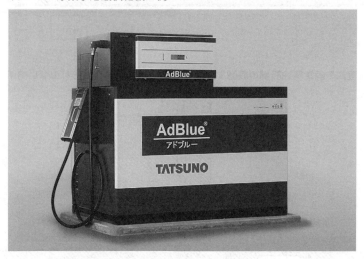

ケ　急速充電設備

　　急速充電設備を設置するときの措置については、次による。

（ア）次のaからc以外の場所は、危規則第25条の5第2項第5号イ(1)の「可燃
　　性の蒸気が滞留するおそれのない場所」として取り扱って差し支えないこと
　　（図21- 6から図21- 9参照）。

　　a　懸垂式以外の固定給油設備にあっては、固定給油設備の端面から水平方
　　　向6mまでで、基礎又は地盤面からの高さ60cmまでの範囲、かつ固定給油
　　　設備の周囲60cmまでの範囲

　　　b　懸垂式の固定給油設備にあっては、固定給油設備のホース機器の引出口
　　　　から地盤面に下ろした垂線（当該引出口が可動式のものにあっては、可動
　　　　範囲の全ての部分から地盤面に下ろした垂線とする。）から水平方向6mま
　　　　でで、地盤面からの高さ60cmまでの範囲、かつ固定給油設備の端面から水
　　　　平方向60cmまでで、地盤面までの範囲
　　　c　通気管の先端の中心から地盤面に下ろした垂線の水平方向及び周囲1.5m
　　　　までの範囲

図21－6　**固定給油設備の周囲で可燃性の蒸気が滞留するおそれのない場所（斜線部分以外）**

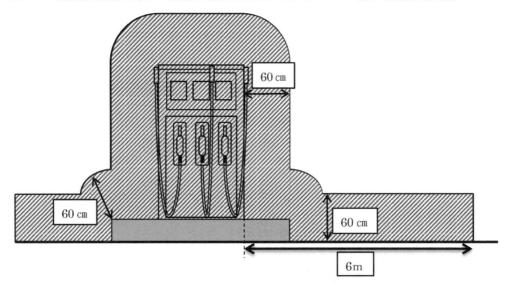

図21－7　**懸垂式の固定給油設備の周囲で可燃性の蒸気が滞留するおそれのない場所（斜線部分以外）**

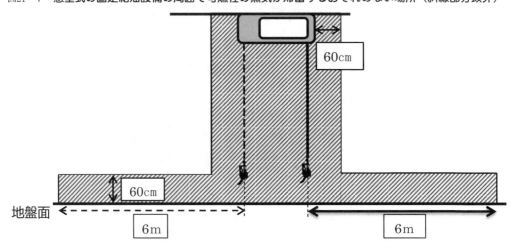

図21-8　**通気管の周囲で可燃性の蒸気が滞留するおそれのない場所（斜線部分以外）**

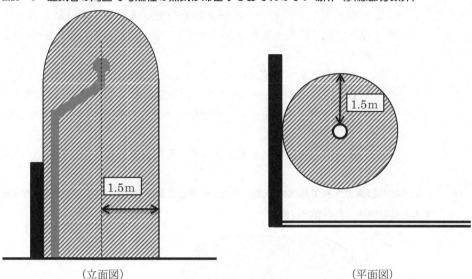

（立面図）　　　　　　　　　（平面図）

図21-9　**給油取扱所（平面図）で可燃性の蒸気が滞留するおそれのない場所（斜線部分以外）**

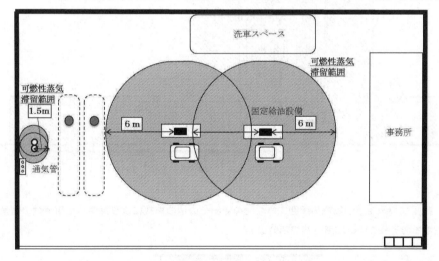

(ｲ)　次のaからf以外の場所は、危規則第25条の5第2項第5号ハただし書き
の「危険物の流出その他の事故により発生した可燃性の蒸気が滞留するおそ
れのない場所」として取り扱って差し支えないこと（図21-10から図21-13
参照）。

a　懸垂式以外の固定給油設備にあっては、周囲60cmまでの範囲、かつ固定
給油設備の中心から排水溝までの最大の下り勾配となっている直線から水
平方向11mまでで、基礎又は地盤面からの高さ60cmまでの範囲

b　懸垂式の固定給油設備にあっては、固定給油設備の端面から水平方向
60cmまでで、地盤面までの範囲、かつ固定給油設備のホース機器の中心か
ら地盤面に垂線を下ろし、その交点から排水溝までの最大の下り勾配となっ

ている直線から水平方向11mまでで、地盤面からの高さ60cmまでの範囲

　　c　専用タンク等のマンホールの中心から排水溝までの最大の下り勾配と
　　　なっている直線から水平方向14mまでで、地盤面からの高さ60cmまでの範
　　　囲

　　d　専用タンクへの注入口の中心から排水溝までの最大の下り勾配となって
　　　いる直線から水平方向16mまでで、地盤面からの高さ60cmまでの範囲

　　e　通気管の先端の中心から地盤面に下ろした垂線の水平方向及び周囲1.5m
　　　までの範囲

　　f　屋内給油取扱所（一方又は二方のみ開放されたものに限る。）の敷地の範
　　　囲

図21−10　固定給油設備の周囲で危険物の流出その他の事故により発生した可燃性の蒸気が滞留するお
それのない場所（斜線部分以外）

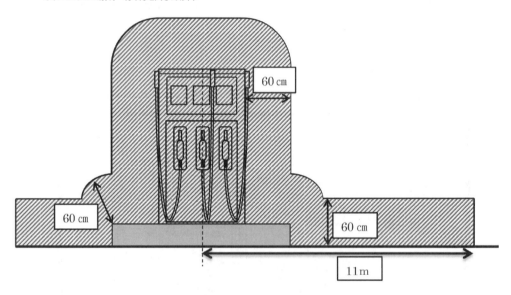

図21−11　懸垂式の固定給油設備の周囲で危険物の流出その他の事故により発生した可燃性の蒸気が滞
留するおそれのない場所（斜線部分以外）

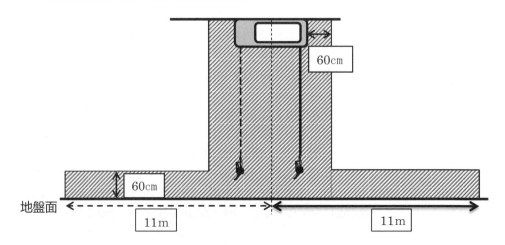

図21-12　通気管の周囲で危険物の流出その他の事故により発生した可燃性の蒸気が滞留するおそれの
ない場所（斜線部分以外）

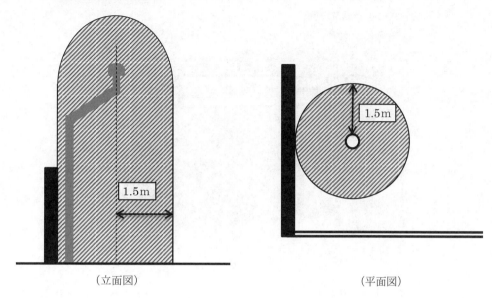

（立面図）　　　　　　　　　　　　　　　　（平面図）

図21-13　給油取扱所（平面図）で危険物の流出その他の事故により発生した可燃性の蒸気が滞留する
おそれのない場所（斜線部分以外）

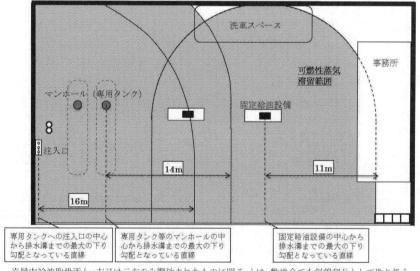

※屋内給油取扱所（一方又は二方のみ開放されたものに限る。）は、敷地全てを斜線部分として取り扱う。

（ウ）急速充電設備の適切な監視、緊急遮断装置の操作方法等について、従業員
　　への教育を徹底すること。

(2) 附随設備の構造例

ア 蒸気洗浄機

図21-14 **蒸気洗浄機**

イ オートリフト

図21-15 **オートリフト配管系統図の例**

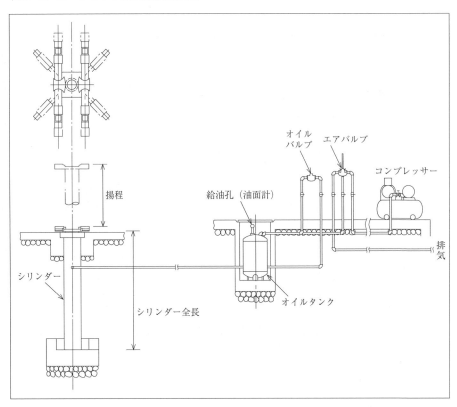

図21-16　**オートリフトを設けた例**

ウ　混合燃料油調合器（図21-17参照）

図21-17　**混合燃料油調合器**

図21-18　**バッテリーチェッカー**

エ　自動車の点検に関する設備（図21-18、図21-19参照）

オ　自動車の部品の交換に関する設備（図21-20参照）

図21-19　**ホイルバランサー**

図21-20　**タイヤチェンジャー**

カ　自動車の軽整備に関する設備

図21-21　**トルコンチェンジャー**

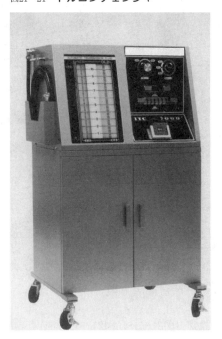

図21-22　**オイルチェンジャー**

図21-23　**ホースリールセット**
　　　　　（オイル、グリース用）

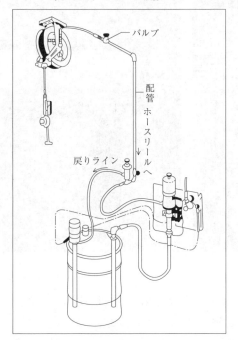

キ　洗車に関する設備

図21-24　**門型洗車機**

図21-25 **箱型洗車機**　　　　図21-26 **マット洗浄機**

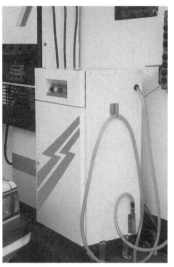

(3) 附随設備以外の設備

　給油空地内には給油設備以外の設備は設けてはならない。ただし、次の設備については、必要最小限の範囲で設けることができる。

① POS用カードリーダー

② クイックサービスユニット（附随設備を用いることなく自動車の給油時に行う軽易なサービス業務に供する設備で、コンセント等を設けていないものに限る。）

③ 現金自動釣銭機

図21-27 **POS用カードリーダー**

図21-28　**POS及びクイックサービスユニットの設置例**

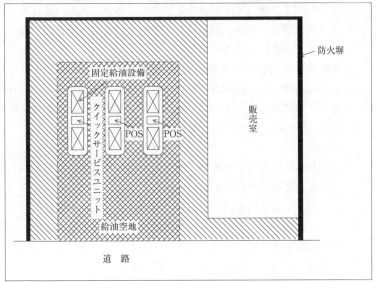

▧▧▧……固定給油設備、POS用カードリーダー、クイックサービスユニット、
　　　　現金自動釣銭機以外は設けられない場所
▨▨▨……附随設備を設けられる場所

　ア　POS（販売時点情報管理）

　　POS とは Point of Sales の略語である。POSを使用することにより給油取扱
　所の売上げを各顧客の自動車ごとに記録（記憶）し、そのデータにより給油業
　務を合理化するものである。

　　POSの機器は、大別して発信器、本体及び端末機により構成され各々電気的に
　結ばれている。発信器は固定給油設備のポンプ部分に内蔵され、ポンプからの吐
　出量をパルス信号でとらえ本体部に知らせる。発信器は固定給油設備内にあるた
　め防爆構造である。

図21-29　**POSの系統図例**

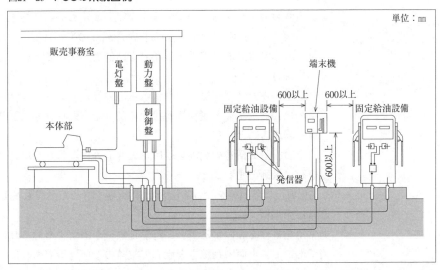

　　　端末機はポスト型で屋外の給油に支障ない場所に設置され、カードリーダー、リーダープリンタ、オートプリンタ等と称され、入力（顧客のカード）することにより、発信器、本体部に連動し、燃料を計量した量及び金額等が記載された伝票が出てくるのが一般的である。

　　　本体部は給油取扱所事務室内に設置し、発信器、端末機からの信号により売上げ等の積算及び個々の伝票の発行（端末機から伝票が出ない場合）などを行う。

　　　なお、給油空地等でタブレット端末等の携帯型の決済用端末等を使用する場合「平成30年消防危第154号」を参照すること。

イ　看板等

　(ア)　看板等は危規則第25条の４第１項に掲げる用途に係るものとし、当該給油取扱所の営業種目以外のものは不適切である。

　　　なお、これを防火塀上に設けるものにあっては不燃材料とし、防火塀上以外の場所に設けるものにあっては難燃性能を有する材料又はこれと同等以上の防火性能を有するものとする。

　(イ)　看板の位置は、給油業務等に支障ない場所とする。

　(ウ)　合成樹脂類の看板については、次により運用している。

　　a　形態

　　　(a)　上屋の側面若しくは天井面に取り付け、又は埋め込むもの

　　　(b)　建物外面、上屋の柱又は相互間に取り付けるもの

　　　(c)　上屋の屋上、サインポール等に取り付けるもの

　　b　材質

　　　(a)　材質は、難燃性能を有する合成樹脂材料（JIS K 6911 5.24.1のA法による自消性のもの）等のものであること。ただし、上記a (c)に設けるものにあっては、一般アクリル樹脂材料を使用することができる。

　　　(b)　JIS K 6911に定める合成樹脂材料を使用した看板類には、商品名を記したシールが添付されていること。

　　c　防水性

　　　電気設備を有するもので、雨水が浸入するおそれのある看板の外郭カバーは防雨性（JIS C 0920に定める保護等級３のもの）とし、外郭カバーが防雨型以外のものにあっては電気器具を防滴型とすること。

　　d　取付方法

　　　建物、キャノピー等に取り付けるもの及びインジケーターの裏面に設けるものは、看板本体と建物等が接する部分を不燃材料等により防火上有効な措置を講ずること。

　　　なお、耐火構造の規制を受ける天井面等に埋め込む場合は、当該天井面等を耐火区画とすること。

　(エ)　防火塀上に看板等を設ける場合は、防火塀を含めた耐震耐風圧構造とすること。

ウ　非常用発電機

　　非常用発電機を設置する場合、可燃性蒸気が滞留するおそれのある範囲以外の場所であって、車両の動線を考慮して支障のない場所であれば、直接地盤面や犬走りに設置することも可能である（平成31年消防危第81号　令和６年消防危第40号改正）。

第2節　屋内給油取扱所

■1 建築物の設置等

根拠条文　危政令

> **第17条第2項**　給油取扱所のうち建築物内に設置するものその他これに類するもので総務省令で定めるもの（以下「屋内給油取扱所」という。）の位置、構造及び設備の技術上の基準は、前項第1号から第6号まで、第7号本文、第9号から第16号まで及び第19号から第23号までの規定の例によるほか、次のとおりとする。

危規則

> （屋内給油取扱所）
>
> **第25条の6**　令第17条第2項の総務省令で定める給油取扱所（同項の屋内給油取扱所をいう。）は、建築物の給油取扱所の用に供する部分の水平投影面積から当該部分のうち床又は壁で区画された部分の1階の床面積（以下この条において「区画面積」という。）を減じた面積の、給油取扱所の敷地面積から区画面積を減じた面積に対する割合が3分の1を超えるもの（当該割合が3分の2までのものであって、かつ、火災の予防上安全であると認められるものを除く。）とする。

図1-1　**建築物内に設置された給油取扱所の例**

図1-2　**全面上屋が設けられた給油取扱所の例**

留意事項　(1) 屋内給油取扱所は、建築物内に給油取扱所の用に供する部分の全部又は一部が設置されているもの及び危規則第25条の6に規定する上屋等の空地に対する比率が3分の1を超えるもの（当該割合が3分の2までのものであって、かつ、火災の予防上安全であると認められるものを除く。）である。

　(2) 危規則第25条の6で規定された上屋（キャノピー）との空地比の算定は次による。

　　なお、「給油取扱所の用に供する部分の1階の床面積を減じた面積」には、上屋以外の販売室などに設けられたひさしの面積も含まれる。

Ⅰ　　┌──────────────┐　　┌──────────────┐　　┌──────────────┐
　　　│①建築物の給油取扱所の│　│②建築物の給油取扱所の用│　│③上屋（キャノピー）│
　　　│　用に供する部分の水平│ － │　に供する部分（床又は壁│ ＝ │　面積（建物のひさ│
　　　│　投影面積　　　　　　│　│　で区画された部分に限│　│　しを含む。）　　│
　　　└──────────────┘　　│　る。）　　　　　　　│　└──────────────┘
　　　　　　　　　　　　　　　　　└──────────────┘
　　　　　　　　　　　　　　　　　販売室、ポンプ室、油庫、
　　　　　　　　　　　　　　　　　コンプレッサー室、店舗、
　　　　　　　　　　　　　　　　　整備室、洗車室、住居・本
　　　　　　　　　　　　　　　　　店事務所等

Ⅱ　　┌──────────────┐　┌──────┐　┌──────────────┐
　　　│④給油取扱所の敷地面積│ － │②の面積│ ＝ │⑤敷地内の空地面積│
　　　└──────────────┘　└──────┘　└──────────────┘

Ⅰ及びⅡから　$\dfrac{③の面積}{⑤の面積} > \dfrac{1}{3}$（屋内給油取扱所の例）

　　　　　　又は

Ⅰ及びⅡから　$\dfrac{③の面積}{⑤の面積} > \dfrac{2}{3}$、かつ、火災の予防上安全であると認められるもの（屋内給油取扱所の例）

ア　給油取扱所の敷地面積

「給油取扱所の敷地面積」とは、給油取扱所の用に供する部分の防火塀の中心（防火塀が建築物を兼ねる場合にあってはその中心線）と道路に面する側の道路境界線に囲まれた部分、又は給油取扱所が建築物内にある場合は、給油取扱所の用に供する部分の壁の中心線と道路に面する側の道路境界線に囲まれた部分とする。

イ　上屋にルーバーを設ける場合は、原則としてルーバーの部分も水平投影面積に算入すること。

ウ　建築物の上屋のはり等（おおむね50㎝以上の幅）は水平投影面積に算入すること。

エ　上屋の吹き抜け部分は、水平投影面積に算入しない。

図1－3　**上屋面積の算定例**

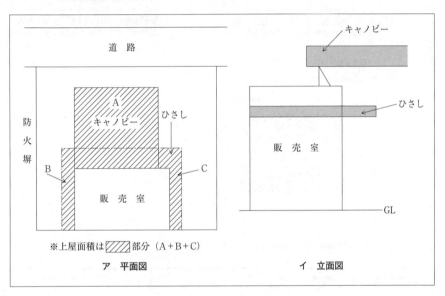

ア　平面図　　　　　　　　　　　　　　イ　立面図

(3)　ア及びイの全ての事項を満たすものについては、「火災の予防上安全であると認められるもの」に該当するものであること（図1－4①～③参照）。

　　なお、建築物内に設置するもの及び給油取扱所の用に供する部分の上部に上階を有するものについては認められないこと（図1－4④、⑤参照）。

ア　道路に1面以上面している給油取扱所であって、その上屋（キャノピー）と事務所等の建築物の間に水平距離又は垂直距離で 0.2 m以上の隙間があり、かつ、上屋（キャノピー）と給油取扱所の周囲に設ける塀又は壁の間に水平距離で1m以上の隙間が確保されていること。

イ　可燃性蒸気が滞留する奥まった部分を有するような複雑な敷地形状ではないこと。

図1-4　火災の予防上安全であると認められる例・認められない例

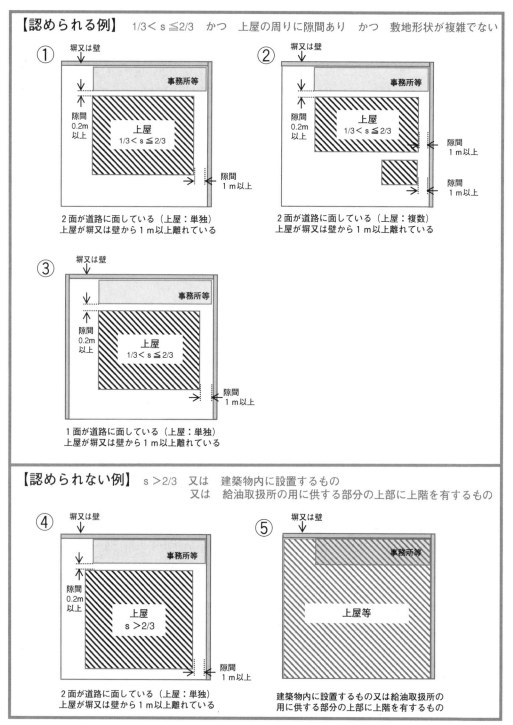

$$s = \frac{建築物の給油取扱所の用に供する部分の水平投影面積-区画面積}{給油取扱所の敷地面積-区画面積}$$

(4) 屋内給油取扱所の位置・構造のうち、前危政令第17条第1項に規定する屋外給油取扱所の基準を準用するものは、次のとおりである。

① 第 1 号………固定給油設備
② 第 2 号………給油空地
③ 第 3 号………注油空地
④ 第 4 号………給油空地、注油空地の舗装
⑤ 第 5 号………滞留、流出防止措置
⑥ 第 6 号………標識、掲示板
⑦ 第 7 号本文…専用タンク等の容量制限
⑧ 第 9 号………固定給油設備等の配管
⑨ 第 10 号………固定給油設備等の構造、設備
⑩ 第 11 号………固定給油設備等の表示
⑪ 第 12 号………固定給油設備の位置制限
⑫ 第 13 号………固定注油設備の位置制限
⑬ 第 14 号………懸垂式固定給油設備等のホース長さ
⑭ 第 15 号………懸垂式固定給油設備等の緊急停止装置
⑮ 第 16 号………給油取扱所に設ける建築物等の制限
⑯ 第 19 号………防火上の塀又は壁
⑰ 第 20 号………ポンプ室等の構造
⑱ 第 21 号………電気設備の基準
⑲ 第 22 号………附随設備の基準
⑳ 第 23 号………給油に支障がある設備の禁止

ア　第7号本文のみを適用とし、ただし書を削除することから屋内給油取扱所には、簡易タンクを設けることができない。

イ　第16号に規定する用途は、給油取扱所の敷地内に対するものであり、他用途とする部分には適用されないものである。

2 建築物の構造

根拠条文 危政令

> **第17条第2項第1号**　屋内給油取扱所は、壁、柱、床及びはりが耐火構造で、消防法施行令（昭和36年政令第37号）別表第1(6)項に掲げる用途に供する部分を有しない建築物（総務省令で定める設備を備えたものに限る。）に設置すること。

危規則

> （屋内給油取扱所の建築物）
> **第25条の7**　令第17条第2項第1号の総務省令で定める設備は、屋内給油取扱所で発生した火災を建築物の屋内給油取扱所の用に供する部分以外の部分に自動

> 的に、かつ、有効に報知できる自動火災報知設備その他の設備とする。

留意事項　(1) 屋内給油取扱所は、給油取扱所に供する部分のみならず建築物全体が耐火構造でなければならない。ただし、上部に上階を有さない給油取扱所の上屋については、屋根のみを不燃材料とすることができる。また、階段等の出入口が事務所等の中に設けられ、可燃性の蒸気の滞留を防止する措置が講じられている場合には、地階を設けることができる。

(2) 施行令別表第1(6)項に掲げる用途に供する部分を有する建築物内には、設置できないものである。ただし、当該部分が事務所等の診療室等機能的に従属しているときは、主たる用途である事務所等に含まれるものとし屋内給油取扱所の設置が認められる。しかし、みなし従属としているときは給油取扱所の設置は認められない。

(6)項に掲げる用途とは、おおむね次に示す用途である。

表2-1

項	用　途	定　義
(6)項イ	①病院	(医療法第1条の5第1項) 医師又は歯科医師が、公衆又は特定多数人のため医業又は歯科医業を行う場所であって、20人以上の患者を入院させるための施設を有するものをいう。
	②診療所	(医療法第1条の5第2項) 医師又は歯科医師が、公衆又は特定多数人のため医業又は歯科医業を行う場所であって、患者を入院させるための施設を有しないもの又は19人以下の患者を入院させるための施設を有するものをいう。
	③助産所	(医療法第2条) 助産師が公衆又は特定多数人のためその業務（病院又は診療所において行うものを除く。）を行う場所をいい、妊婦、産婦又はじょく婦10人以上の入所施設を有してはならない。
(6)項ロ (1)	①老人短期入所施設	(老人福祉法第20条の3) 老人福祉法第10条の4第1項第3号の措置に係る者又は介護保険法の規定による短期入所生活介護に係る居宅介護サービス費若しくは介護予防短期入所生活介護に係る介護予防サービス費の支給に係る者その他の政令で定める者を短期間入所させ、養護することを目的とする施設とする。
	②養護老人ホーム	(老人福祉法第20条の4) 老人福祉法第11条第1項第1号の措置に係る者を入所させ、養護するとともに、その者が自立した日常生活を営み、社会的活動に参加するために必要な指導及び訓練その他の援助を行うことを目的とする施設とする。
	③特別養護老人ホーム	(老人福祉法第20条の5) 老人福祉法第11条第1項第2号の措置に係る者又は介護保険法の規定による地域密着型介護老人福祉施設入所者生活介護に係る地域密着型介護サービス費若しくは介護福祉施設サービスに係る施設介護サービス費の支給に係る者その

		他の政令で定める者を入所させ、養護することを目的とする施設とする。
	④軽費老人ホーム（避難が困難な要介護者を主として入居させるものに限る。）	（老人福祉法第20条の6） 無料又は低額な料金で、老人を入所させ、食事の提供その他日常生活上必要な便宜を供与することを目的とする施設とする。
	⑤有料老人ホーム（避難が困難な要介護者を主として入居させるものに限る。）	（老人福祉法第29条） 老人を入居させ、入浴、排せつ若しくは食事の介護、食事の提供又はその他の日常生活上必要な便宜であって厚生労働省令で定めるものの供与（他に委託して供与をする場合及び将来において供与をすることを約する場合を含む。）をする事業を行う施設であって、老人福祉施設、認知症対応型老人共同生活援助事業を行う住居その他厚生労働省令で定める施設でないものをいう。
	⑥介護老人保健施設	（介護保険法第8条第28項） 要介護者であって、主としてその心身の機能の維持回復を図り、居宅における生活を営むことができるようにするための支援が必要である者（その治療の必要の程度につき厚生労働省令で定めるものに限る。）に対し、施設サービス計画に基づいて、看護、医学的管理の下における介護及び機能訓練その他必要な医療並びに日常生活上の世話を行うことを目的とする施設として、介護保険法第94条第1項の都道府県知事の許可を受けたものをいう。
	⑦老人短期入所事業を行う施設	（老人福祉法第5条の2第4項） 老人福祉法第10条の4第1項第3号の措置に係る者又は介護保険法の規定による短期入所生活介護に係る居宅介護サービス費若しくは介護予防短期入所生活介護に係る介護予防サービス費の支給に係る者その他の政令で定める者を特別養護老人ホームその他の厚生労働省令で定める施設に短期間入所させ、養護する事業を行う施設をいう。
	⑧小規模多機能型居宅介護事業を行う施設（避難が困難な要介護者を主として宿泊させるものに限る。）	（老人福祉法第5条の2第5項） 老人福祉法第10条の4第1項第4号の措置に係る者又は介護保険法の規定による小規模多機能型居宅介護に係る地域密着型介護サービス費若しくは介護予防小規模多機能型居宅介護に係る地域密着型介護予防サービス費の支給に係る者その他の政令で定める者につき、これらの者の心身の状況、置かれている環境等に応じて、それらの者の選択に基づき、それらの者の居宅において、又は厚生労働省令で定めるサービスの拠点に通わせ、若しくは短期間宿泊させ、当該拠点において、入浴、排せつ、食事等の介護その他の日常生活を営むのに必要な便宜であって厚生労働省令で定めるもの及び機能訓練を供与する事業を行う施設をいう。
	⑨認知症対応型老人共同生活援助事業を行う施設	（老人福祉法第5条の2第6項） 老人福祉法第10条の4第1項第5号の措置に係る者又は介護保険法の規定による認知症対応型共同生活介護に係る地域密着型介護サービス費若しくは介護予防認知症対応型共同生活介護に係る地域密着型介護予防サービス費の支給に係る者その他の政令で定める者につき、これらの者が共同生活を営むべき住居において入浴、排せつ、食事等の介護その他の日常生活上の援助事業を行う施設をいう。

(6)項ロ (2)	救護施設	(生活保護法第38条第 2 項) 身体上又は精神上著しい障害があるために日常生活を営む ことが困難な要保護者を入所させて、生活扶助を行うこと を目的とする施設とする。
(6)項ロ (3)	乳児院	(児童福祉法第37条) 乳児（保健上、安定した生活環境の確保その他の理由によ り特に必要のある場合には、幼児を含む。）を入院させて、 これを養育し、あわせて退院した者について相談その他の 援助を行うことを目的とする施設とする。
(6)項ロ (4)	障害児入所施設	(児童福祉法第42条) 次に掲げる区分に応じ、障害児を入所させて、当該各号に 定める支援を行うことを目的とする施設とする。 (1)　福祉型障害児入所施設　保護並びに日常生活における 　　基本的な動作及び独立自活に必要な知識技能の習得のた 　　めの支援 (2)　医療型障害児入所施設　保護、日常生活における基本 　　的な動作及び独立自活に必要な知識技能の習得のための 　　支援並びに治療
(6)項ロ (5)	①障害者支援施設 　（避難が困難な障害 　者等を主として入 　所させるものに限 　る。）	(障害者の日常生活及び社会生活を総合的に支援するため の法律第 5 条第11項) 障害者につき、施設入所支援を行うとともに、施設入所支 援以外の施設障害福祉サービスを行う施設（のぞみの園及 び障害者の日常生活及び社会生活を総合的に支援するため の法律第 5 条第 1 項の主務省令で定める施設を除く。）を いう。
	②短期入所を行う施 　設 　（避難が困難な障害 　者等を主として入 　所させるものに限 　る。）	(障害者の日常生活及び社会生活を総合的に支援するため の法律第 5 条第 8 項) 居宅においてその介護を行う者の疾病その他の理由によ り、障害者支援施設その他の主務省令で定める施設への短 期間の入所を必要とする障害者等につき、当該施設に短期 間の入所をさせ、入浴、排せつ又は食事の介護その他の主 務省令で定める便宜を供与することを行う施設をいう。
	③共同生活援助を行 　う施設 　（避難が困難な障害 　者等を主として入 　所させるものに限 　る。）	(障害者の日常生活及び社会生活を総合的に支援するため の法律第 5 条第17項) 障害者につき、主として夜間において、共同生活を営むべ き住居において相談、入浴、排せつ若しくは食事の介護そ の他の日常生活上の援助を行い、又はこれに併せて、居宅 における自立した日常生活への移行を希望する入居者につ き、当該日常生活への移行及び移行後の定着に関する相談 その他の主務省令で定める援助を行う施設をいう。
(6)項ハ (1)	①老人デイサービス 　センター	(老人福祉法第20条の 2 の 2) 老人福祉法第10条の 4 第 1 項第 2 号の措置に係る者又は介 護保険法の規定による通所介護に係る居宅介護サービス 費、地域密着型通所介護若しくは認知症対応型通所介護に 係る地域密着型介護サービス費若しくは介護予防認知症対 応型通所介護に係る地域密着型介護予防サービス費の支給

		に係る者若しくは第1号通所事業であって厚生労働省令で定めるものを利用する者その他の政令で定める者（その者を現に養護する者を含む。）を通わせ、同法第5条の2第3項の厚生労働省令で定める便宜を供与することを目的とする施設とする。
	②軽費老人ホーム（(6)項ロ(1)④に掲げるものを除く。）	(6)項ロ(1)④参照
	③老人福祉センター	（老人福祉法第20条の7） 無料又は低額な料金で、老人に関する各種の相談に応ずるとともに、老人に対して、健康の増進、教養の向上及びレクリエーションのための便宜を総合的に供与することを目的とする施設とする。
	④老人介護支援センター	（老人福祉法第20条の7の2） 地域の老人の福祉に関する各般の問題につき、老人、その者を現に養護する者、地域住民その他の者からの相談に応じ、必要な助言を行うとともに、主として居宅において介護を受ける老人又はその者を現に養護する者と市町村、老人居宅生活支援事業を行う者、老人福祉施設、医療施設、老人クラブその他老人の福祉を増進することを目的とする事業を行う者等との連絡調整その他の厚生労働省令で定める援助を総合的に行うことを目的とする施設とする。
	⑤有料老人ホーム（(6)項ロ(1)⑤に掲げるものを除く。）	(6)項ロ(1)⑤参照
	⑥老人デイサービス事業を行う施設	（老人福祉法第5条の2第3項） 老人福祉法第10条の4第1項第2号の措置に係る者又は介護保険法の規定による通所介護に係る居宅介護サービス費、地域密着型通所介護若しくは認知症対応型通所介護に係る地域密着型介護サービス費若しくは介護予防認知症対応型通所介護に係る地域密着型介護予防サービス費の支給に係る者その他の政令で定める者（その者を現に養護する者を含む。）を特別養護老人ホームその他の厚生労働省令で定める施設に通わせ、これらの者につき入浴、排せつ、食事等の介護、機能訓練、介護方法の指導その他の厚生労働省令で定める便宜を供与する事業又は同法第115条の45第1項第1号ロに規定する第1号通所事業（以下「第1号通所事業」という。）であって厚生労働省令で定めるものを行う施設をいう。
	⑦小規模多機能型居宅介護事業を行う施設（(6)項ロ(1)⑧に掲げるものを除く。）	(6)項ロ(1)⑧参照
(6)項ハ(2)	更生施設	（生活保護法第38条第3項） 身体上又は精神上の理由により養護及び生活指導を必要とする要保護者を入所させて、生活扶助を行うことを目的とする施設とする。

(6)項ハ (3)	①助産施設	(児童福祉法第36条) 保健上必要があるにもかかわらず、経済的理由により、入院助産を受けることができない妊産婦を入所させて、助産を受けさせることを目的とする施設とする。
	②保育所	(児童福祉法第39条) 保育を必要とする乳児・幼児を日々保護者の下から通わせて保育を行うことを目的とする施設（利用定員が20人以上であるものに限り、幼保連携型認定こども園を除く。）とする。
	③幼保連携型認定こども園	(児童福祉法第 39 条の 2) 義務教育及びその後の教育の基礎を培うものとしての満 3 歳以上の幼児に対する教育（教育基本法第 6 条第 1 項に規定する法律に定める学校において行われる教育をいう。）及び保育を必要とする乳児・幼児に対する保育を一体的に行い、これらの乳児又は幼児の健やかな成長が図られるよう適当な環境を与えて、その心身の発達を助長することを目的とする施設とする。
	④児童養護施設	(児童福祉法第41条) 保護者のない児童（乳児を除く。ただし、安定した生活環境の確保その他の理由により特に必要のある場合には、乳児を含む。）、虐待されている児童その他環境上養護を要する児童を入所させて、これを養護し、あわせて退所した者に対する相談その他の自立のための援助を行うことを目的とする施設とする。
	⑤児童自立支援施設	(児童福祉法第44条) 不良行為をなし、又はなすおそれのある児童及び家庭環境その他の環境上の理由により生活指導等を要する児童を入所させ、又は保護者の下から通わせて、個々の児童の状況に応じて必要な指導を行い、その自立を支援し、あわせて退所した者について相談その他の援助を行うことを目的とする施設とする。
	⑥児童家庭支援センター	(児童福祉法第44条の 2) 地域の児童の福祉に関する各般の問題につき、児童に関する家庭その他からの相談のうち、専門的な知識及び技術を必要とするものに応じ、必要な助言を行うとともに、市町村の求めに応じ、技術的助言その他必要な援助を行うほか、児童福祉法第26条第 1 項第 2 号及び第27条第 1 項第 2 号の規定による指導を行い、あわせて児童相談所、児童福祉施設等との連絡調整その他内閣府令の定める援助を総合的に行うことを目的とする施設とする。
	⑦一時預かり事業を行う施設	(児童福祉法第 6 条の 3 第 7 項) 次に掲げる者について、内閣府令で定めるところにより、主として昼間において、保育所、認定こども園（就学前の子どもに関する教育、保育等の総合的な提供の推進に関する法律第 2 条第 6 項に規定する認定こども園をいい、保育所であるものを除く。）その他の場所（第 2 号において「保育所等」という。）において、一時的に預かり、必要な保護を行う事業をいう。 (1)　家庭において保育（養護及び教育（第39条の 2 第 1

		項に規定する満 3 歳以上の幼児に対する教育を除く。）を行うことをいう。以下同じ。）を受けることが一時的に困難となつた乳児又は幼児 (2)　子育てに係る保護者の負担を軽減するため、保育所等において一時的に預かることが望ましいと認められる乳児又は幼児
	⑧家庭的保育事業を行う施設	（児童福祉法第 6 条の 3 第 9 項） 次に掲げる事業を行う施設をいう。 (1)　子ども・子育て支援法第19条第 2 号の内閣府令で定める事由により家庭において必要な保育を受けることが困難である乳児又は幼児（以下「保育を必要とする乳児・幼児」という。）であって満 3 歳未満のものについて、家庭的保育者（市町村長が行う研修を修了した保育士その他の内閣府令で定める者であって、当該保育を必要とする乳児・幼児の保育を行う者として市町村長が適当と認めるものをいう。以下同じ。）の居宅その他の場所（当該保育を必要とする乳児・幼児の居宅を除く。）において、家庭的保育者による保育を行う事業（利用定員が 5 人以下であるものに限る。(2)において同じ。） (2)　満 3 歳以上の幼児に係る保育の体制の整備の状況その他の地域の事情を勘案して、保育が必要と認められる児童であって満 3 歳以上のものについて、家庭的保育者の居宅その他の場所（当該保育が必要と認められる児童の居宅を除く。）において、家庭的保育者による保育を行う事業
(6)項ハ (4)	①児童発達支援センター	（児童福祉法第43条） 地域の障害児の健全な発達において中核的な役割を担う機関として、障害児を日々保護者の下から通わせて、高度の専門的な知識及び技術を必要とする児童発達支援を提供し、あわせて障害児の家族、指定障害児通所支援事業者その他の関係者に対し、相談、専門的な助言その他の必要な援助を行うことを目的とする施設とする。
	②児童心理治療施設	（児童福祉法第43条の 2 ） 家庭環境、学校における交友関係その他の環境上の理由により社会生活への適応が困難となつた児童を、短期間、入所させ、又は保護者の下から通わせて、社会生活に適応するために必要な心理に関する治療及び生活指導を主として行い、あわせて退所した者について相談その他の援助を行うことを目的とする施設とする。
	③児童発達支援を行う施設 （児童発達支援センターを除く。）	（児童福祉法第 6 条の 2 の 2 第 2 項） 障害児につき、児童発達支援センターその他の内閣府令で定める施設に通わせ、日常生活における基本的な動作及び知識技能の習得並びに集団生活への適応のための支援その他の内閣府令で定める便宜を供与し、又はこれに併せて児童発達支援センターにおいて治療（上肢、下肢又は体幹の機能の障害（以下「肢体不自由」という。）のある児童に対して行われるものに限る。第21条の 5 の 2 第 1 号及び第21条の 5 の29第 1 項において同じ。）を行うことを行う施設をいう。
	④放課後等デイサービスを行う施設	（児童福祉法第 6 条の 2 の 2 第 3 項） 学校教育法第 1 条に規定する学校（幼稚園及び大学を除

	（児童発達支援センターを除く。）	く。）又は専修学校等（同法第124条に規定する専修学校及び同法第134条第1項に規定する各種学校をいう。以下この項において同じ。）に就学している障害児（専修学校等に就学している障害児にあつては、その福祉の増進を図るため、授業の終了後又は休業日における支援の必要があると市町村長（特別区の区長を含む。以下同じ。）が認める者に限る。）につき、授業の終了後又は休業日に児童発達支援センターその他の内閣府令で定める施設に通わせ、生活能力の向上のために必要な支援、社会との交流の促進その他の便宜を供与することを行う施設をいう。
(6)項ハ (5)	①身体障害者福祉センター	（身体障害者福祉法第31条） 無料又は低額な料金で、身体障害者に関する各種の相談に応じ、身体障害者に対し、機能訓練、教養の向上、社会との交流の促進及びレクリエーションのための便宜を総合的に供与する施設とする。
	②障害者支援施設（(6)項ロ(5)①に掲げるものを除く。）	(6)項ロ(5)①参照
	③地域活動支援センター	（障害者の日常生活及び社会生活を総合的に支援するための法律第5条第27項） 障害者等を通わせ、創作的活動又は生産活動の機会の提供、社会との交流の促進その他の主務省令で定める便宜を供与する施設をいう。
	④福祉ホーム	（障害者の日常生活及び社会生活を総合的に支援するための法律第5条第28項） 現に住居を求めている障害者につき、低額な料金で、居室その他の設備を利用させるとともに、日常生活に必要な便宜を供与する施設をいう。
	⑤障害者福祉サービス事業を行う施設（短期入所等施設を除く。） ・生活介護	（障害者の日常生活及び社会生活を総合的に支援するための法律第5条） （第7項） 常時介護を要する障害者として主務省令で定める者につき、主として昼間において、障害者支援施設その他の主務省令で定める施設において行われる入浴、排せつ又は食事の介護、創作的活動又は生産活動の機会の提供その他の主務省令で定める便宜を供与することをいう。
	・短期入所	（第8項） 居宅においてその介護を行う者の疾病その他の理由により、障害者支援施設その他の主務省令で定める施設への短期間の入所を必要とする障害者等につき、当該施設に短期間の入所をさせ、入浴、排せつ又は食事の介護その他の主務省令で定める便宜を供与することをいう。
	・自立訓練	（第12項） 障害者につき、自立した日常生活又は社会生活を営むことができるよう、主務省令で定める期間にわたり、身体機能又は生活能力の向上のために必要な訓練その他の主務省令で定める便宜を供与することをいう。

	・就労移行支援	（第13項） 就労を希望する障害者及び通常の事業所に雇用されている障害者であって主務省令で定める事由により当該事業所での就労に必要な知識及び能力の向上のための支援を一時的に必要とするものにつき、主務省令で定める期間にわたり、生産活動その他の活動の機会の提供を通じて、就労に必要な知識及び能力の向上のために必要な訓練その他の主務省令で定める便宜を供与することをいう。
	・就労継続支援	（第14項） 通常の事業所に雇用されることが困難な障害者及び通常の事業所に雇用されている障害者であって主務省令で定める事由により当該事業所での就労に必要な知識及び能力の向上のための支援を一時的に必要とするものにつき、就労の機会を提供するとともに、生産活動その他の活動の機会の提供を通じて、その知識及び能力の向上のために必要な訓練その他の主務省令で定める便宜を供与することをいう。
	・共同生活援助	（第17項） 障害者につき、主として夜間において、共同生活を営むべき住居において相談、入浴、排せつ若しくは食事の介護その他の日常生活上の援助を行い、又はこれに併せて、居宅における自立した日常生活への移行を希望する入居者につき、当該日常生活への移行及び移行後の定着に関する相談その他の主務省令で定める援助を行うことをいう。
(6)項ニ	①幼稚園	（学校教育法第22条） 義務教育及びその後の教育の基礎を培うものとして、幼児を保育し、幼児の健やかな成長のために適当な環境を与えて、その心身の発達を助長することを目的とする学校をいう。
	②特別支援学校	（学校教育法第72条） 視覚障害者、聴覚障害者、知的障害者、肢体不自由者又は病弱者（身体虚弱者を含む。）に対して、幼稚園、小学校、中学校又は高等学校に準ずる教育を施すとともに、障害による学習上又は生活上の困難を克服し自立を図るために必要な知識技能を授けることを目的とする学校をいう。

(3)　他用途に報知する設備

　　危規則第25条の7の「自動的に、かつ、有効に報知できる」自動火災報知設備とは、図2-1の例のとおりである。

図2-1　**他用途に報知する設備の例**

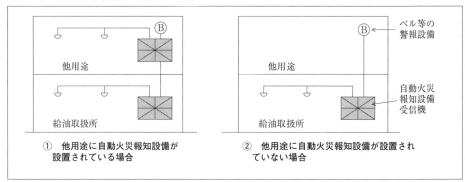

① 他用途に自動火災報知設備が
　設置されている場合

② 他用途に自動火災報知設備が設置され
　ていない場合

3 専用タンク又は廃油タンク等の構造

(根拠条文)　危政令

> **第17条第2項第2号**　屋内給油取扱所に専用タンク又は廃油タンク等を設ける場合には、当該専用タンク又は廃油タンク等の位置、構造及び設備は、次号から第4号までに定めるもののほか、第13条第1項（第5号、第8号、第9号（注入口は屋外に設けることとする部分及び掲示板に係る部分に限る。）、第9号の2及び第12号を除く。）、同条第2項（同項においてその例によるものとされる同条第1項第5号、第8号、第9号（注入口は屋外に設けることとする部分及び掲示板に係る部分に限る。）、第9号の2及び第12号を除く。）又は同条第3項（同項においてその例によるものとされる同条第1項第5号、第8号、第9号（注入口は屋外に設けることとする部分及び掲示板に係る部分に限る。）、第9号の2及び第12号を除く。）に掲げる地下タンク貯蔵所の地下貯蔵タンクの位置、構造及び設備の例によるものであること。

(留意事項)　専用タンク及び廃油タンク等の位置、構造及び設備は、地下タンク貯蔵所の基準の規定の一部が準用される。適用規定等については、次のとおりである。

地下タンク貯蔵所（危政令第13条）

第1項第1号	タンクの設置方法
第2号	タンクとタンク室との間隔及び乾燥砂の充塡
第3号	タンクの埋設深さ
第4号	タンク相互の間隔
第6号	タンクの材質、板厚、強度
第7号	タンク外面の保護
第8号の2	危険物量表示装置（液面計）
第9号	注入口の位置、構造、設備（屋外に設けることとする部分及び掲示板に係る部分を除く。）
第10号	配管の位置、構造、設備
第11号	配管の取付位置
第13号	漏れ検知設備の設置

第14号　　　タンク室の構造
第 2 項　　　二重殻タンクの位置、構造、設備
第 3 項　　　漏れ防止構造のタンクの基準

4 通気管・安全装置

根拠条文　危政令

> **第17条第 2 項第 3 号**　専用タンク及び廃油タンク等には、総務省令で定めるところにより、通気管又は安全装置を設けること。

危規則

（安全装置）
第19条　令第 9 条第 1 項第16号（令第19条第 1 項において準用する場合を含む。）、令第11条第 1 項第 8 号（令第 9 条第 1 項第20号イにおいてその例による場合及びこれを令第19条第 1 項において準用する場合を含む。）、令第12条第 1 項第 7 号（令第 9 条第 1 項第20号ロにおいてその例による場合及びこれを令第19条第 1 項において準用する場合並びに令第12条第 2 項においてその例による場合を含む。）、令第13条第 1 項第 8 号（令第 9 条第 1 項第20号ハにおいてその例による場合及びこれを令第19条第 1 項において準用する場合並びに令第13条第 2 項（令第 9 条第 1 項第20号ハにおいてその例による場合及びこれを令第19条第 1 項において準用する場合並びに令第17条第 1 項第 8 号イにおいてその例による場合を含む。）、令第13条第 3 項（令第 9 条第 1 項第20号ハにおいてその例による場合及びこれを令第19条第 1 項において準用する場合並びに令第17条第 1 項第 8 号イにおいてその例による場合を含む。）及び令第17条第 1 項第 8 号イにおいてその例による場合を含む。）及び令第17条第 2 項第 3 号の総務省令で定める安全装置は、次の各号のとおりとする。ただし、第 4 号に掲げるものは、危険物の性質により安全弁の作動が困難である加圧設備に限つて用いることができる。
(1)　自動的に圧力の上昇を停止させる装置
(2)　減圧弁で、その減圧側に安全弁を取り付けたもの
(3)　警報装置で、安全弁を併用したもの
(4)　破壊板
2　略
3　前 2 項に掲げる安全装置の構造は、告示で定める規格に適合するものでなければならない。
（通気管）
第20条
2　令第12条第 1 項第 7 号（令第 9 条第 1 項第20号ロにおいてその例による場合及びこれを令第19条第 1 項において準用する場合並びに令第12条第 2 項においてその例による場合を含む。）の規定により、第 4 類の危険物の屋内貯蔵タンクのうち圧力タンク以外のタンクに設ける通気管は、無弁通気管とし、その位

置及び構造は、次のとおりとする。

⑴　先端は、屋外にあつて地上4メートル以上の高さとし、かつ、建築物の窓、出入口等の開口部から1メートル以上離すものとするほか、引火点が40度未満の危険物のタンクに設ける通気管にあつては敷地境界線から1.5メートル以上離すこと。ただし、高引火点危険物のみを100度未満の温度で貯蔵し、又は取り扱うタンクに設ける通気管にあつては、先端をタンク専用室内とすることができる。

⑵　通気管は、滞油するおそれがある屈曲をさせないこと。

⑶　前項第1号の基準に適合するものであること。

3　令第13条第1項第8号（令第9条第1項第20号ハにおいてその例による場合及びこれを令第19条第1項において準用する場合並びに令第13条第2項（令第9条第1項第20号ハにおいてその例による場合及びこれを令第19条第1項において準用する場合並びに令第17条第1項第8号イにおいてその例による場合を含む。）、令第13条第3項（令第9条第1項第20号ハにおいてその例による場合及びこれを令第19条第1項において準用する場合並びに令第17条第1項第8号イにおいてその例による場合を含む。）及び令第17条第1項第8号イにおいてその例による場合を含む。）の規定により、第4類の危険物の地下貯蔵タンクに設ける通気管の位置及び構造は、次のとおりとする。

⑴　通気管は、地下貯蔵タンクの頂部に取り付けること。

⑵　通気管のうち地下の部分については、その上部の地盤面にかかる重量が直接当該部分にかからないように保護するとともに、当該通気管の接合部分(溶接その他危険物の漏えいのおそれがないと認められる方法により接合されたものを除く。)については、当該接合部分の損傷の有無を点検することができる措置を講ずること。

⑶　可燃性の蒸気を回収するための弁を通気管に設ける場合にあつては、当該通気管の弁は、地下貯蔵タンクに危険物を注入する場合を除き常時開放している構造であるとともに、閉鎖した場合にあつては、10キロパスカル以下の圧力で開放する構造のものであること。

⑷　無弁通気管にあつては、前項各号の基準に適合するものであること。

⑸　大気弁付通気管にあつては、第1項第2号並びに前項第1号及び第2号の基準に適合するものであること。

4　略

5　第3項の規定は、令第17条第2項第3号の規定により専用タンク及び廃油タンク等に設ける通気管の位置及び構造の基準について準用する。この場合において、第2項第1号中「屋外」とあるのは、「屋外又は建築物の屋内給油取扱所の用に供する部分の可燃性の蒸気が滞留するおそれのない場所」と読み替えるものとする。

留意事項　⑴　安全装置については、危険物を取り扱う設備の種類、危険物の物性、取扱い圧力範囲等を十分に考慮し、すみやかに安全な圧力とすることができるものとすること。

⑵　通気管の先端については、次による。

ア　屋外に設ける場合は、隣接建築物等の状況を考慮し、通気に支障ない場所とする。

イ　屋内部分に設ける場合の可燃性蒸気が滞留するおそれのない場所とは、換気のよい自動車等の出入口付近の場所をいうものである。

ウ　通気管の先端は、上階への延焼を防止するために設けられる。ひさしを貫通する場合、貫通部の埋戻し等の措置を講ずる必要がある。

図4-1　**通気管先端の設置例**

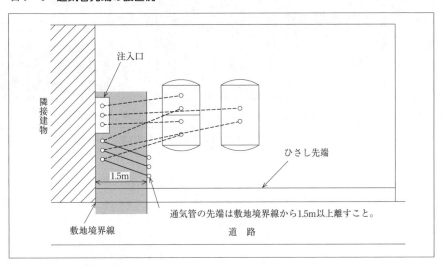

5 過剰注入防止装置

根拠条文 危政令

> **第17条第2項第4号**　専用タンクには、危険物の過剰な注入を自動的に防止する設備を設けること。

留意事項　過剰注入防止装置は、移動タンク貯蔵所等による過剰な注入を防止するため、タンクの液面をフロート等により直接又は液面計と連動して自動的に受入れを停止するものである。この場合、装置は、タンクの最大許可容量の範囲内で作動させなければならない。

表5-1　**過剰注入防止装置の構造例**

種　　　類	構　　造　　例
フロート式のもの	○タンクの注入管内に設けられたもので、液面により浮子の上下により作動するもの 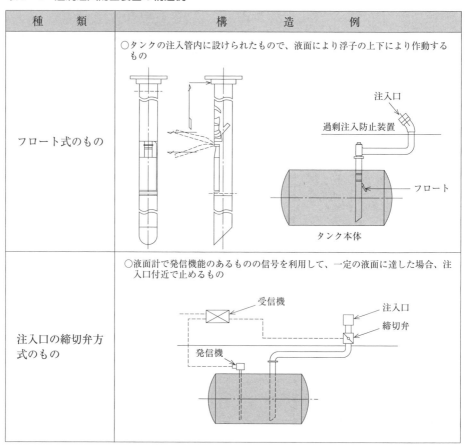
注入口の締切弁方式のもの	○液面計で発信機能のあるものの信号を利用して、一定の液面に達した場合、注入口付近で止めるもの

図5-1　**フロート方式の例**　　　図5-2　**注入口の締切弁方式の例**

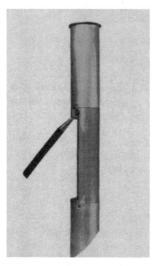

6 他用途等との区画

根拠条文 **危政令**

> **第17条第２項**
>
> (5) 建築物の屋内給油取扱所の用に供する部分は、壁、柱、床、はり及び屋根を耐火構造とするとともに、開口部のない耐火構造の床又は壁で当該建築物の他の部分と区画されたものであること。ただし、建築物の屋内給油取扱所の用に供する部分の上部に上階がない場合には、屋根を不燃材料で造ることができる。
>
> (6) 建築物の屋内給油取扱所の用に供する部分のうち総務省令で定める部分は、開口部のない耐火構造の床又は壁で当該建築物の屋内給油取扱所の用に供する部分の他の部分と区画され、かつ、防火上必要な総務省令で定める構造とすること。

危規則

> **第25条の４第４項**　令第17条第１項第17号及び同条第２項第６号の総務省令で定める部分は、第１項第５号の用途に供する部分とし、令第17条第１項第17号及び同条第２項第６号の総務省令で定める構造は、給油取扱所の敷地に面する側の壁に出入口がない構造とする。

留意事項　当該規定は、屋内給油取扱所にのみ設置することができる。「他用途」との区画（危政令第17条第２項第５号）と「本店事務所等」との区画（危政令第17条第２項第６号）（「第１節　**16** 建築物の構造等」参照）は、いわゆる給油取扱業務を行う部分と、開口部のない耐火構造の床又は壁で建築上完全に区画することである。

(1) 「他の部分と区画」とは、他用途等が上部上階にあるか否かは問うものではない。

(2) 危政令第17条第２項第５号の他用途との区画で、「開口部のない耐火構造の床又は壁で当該建築物の他の部分と区画されたものであること。」とは、施行令第８条に規定する区画とすることが望ましい。

(3) 危政令第17条第２項第６号の本店事務所等との区画の構造についても、前(2)に準じたものとする。

(参考)

施行令

> **(通則)**
>
> **第８条**　防火対象物が次に掲げる当該防火対象物の部分で区画されているときは、その区画された部分は、この節の規定の適用については、それぞれ別の防火対象物とみなす。
>
> (1) 開口部のない耐火構造（建築基準法第２条第７号に規定する耐火構造をいう。以下同じ。）の床又は壁
>
> (2) 床、壁その他の建築物の部分又は建築基準法第２条第９号の２ロに規定す

る防火設備（防火戸その他の総務省令で定めるものに限る。）のうち、防火上
有効な措置として総務省令で定める措置が講じられたもの（前号に掲げるも
のを除く。）

施行規則

（開口部のない耐火構造の壁等）
第5条の2　令第8条第1号に掲げる開口部のない耐火構造（建築基準法第2条
第7号に規定する耐火構造をいう。以下同じ。）の床又は壁（以下この条にお
いて「耐火構造の壁等」という。）は、次のとおりとする。
⑴　耐火構造の壁等は、鉄筋コンクリート造、鉄骨鉄筋コンクリート造その
他これらに類する堅ろうで、かつ、容易に変更できない構造であること。
⑵　耐火構造の壁等は、建築基準法施行令第107条第1号の表の規定にかかわら
ず、同号に規定する通常の火災による火熱が2時間加えられた場合に、構造
耐力上支障のある変形、溶融、破壊その他の損傷を生じないものであること。
⑶　耐火構造の壁等の両端又は上端は、防火対象物の外壁又は屋根から50セン
チメートル以上突き出していること。ただし、耐火構造の壁等及びこれに接
する外壁又は屋根の幅3.6メートル以上の部分を耐火構造とし、かつ、当該
耐火構造の部分が次に掲げるいずれかの要件を満たすものである場合は、こ
の限りでない。
イ　開口部が設けられていないこと。
ロ　開口部に防火戸（建築基準法第2条第9号の2ロに規定する防火設備で
あるものに限る。以下同じ。）が設けられており、かつ、耐火構造の壁等
を隔てた開口部相互間の距離が90センチメートル以上離れていること。
⑷　耐火構造の壁等は、配管を貫通させないこと。ただし、配管及び当該配管
が貫通する部分（以下この号において「貫通部」という。）が次に掲げる基
準に適合する場合は、この限りでない。
イ　配管の用途は、原則として給排水管であること。
ロ　配管の呼び径は、200ミリメートル以下であること。
ハ　貫通部の内部の断面積が、直径300ミリメートルの円の面積以下である
こと。
ニ　貫通部を2以上設ける場合にあっては、当該貫通部相互間の距離は、当
該貫通部のうち直径が大きい貫通部の直径の長さ(当該直径が200ミリメー
トル以下の場合にあっては、200ミリメートル) 以上とすること。
ホ　配管と貫通部の隙間を不燃材料（建築基準法第2条第9号に規定する不
燃材料をいう。以下同じ。）により埋める方法その他これに類する方法に
より、火災時に生ずる煙を有効に遮ること。
ヘ　配管及び貫通部は、耐火構造の壁等と一体として第2号に規定する性能
を有すること。
ト　配管には、その表面に可燃物が接触しないような措置を講じること。た
だし、当該配管に可燃物が接触しても発火するおそれがないと認められる
場合は、この限りでない。

（防火上有効な措置等）

第５条の３　令第８条第２号の総務省令で定める防火設備は、防火戸とする。

2　令第８条第２号の防火上有効な措置として総務省令で定める措置は、次の各号に掲げる壁等（床、壁その他の建築物の部分又は防火戸をいう。以下この項において同じ。）の区分に応じ、当該各号に定める基準に適合させるために必要な措置とする。

（1）　渡り廊下又は建築基準法施行令第128条の７第２項に規定する火災の発生のおそれの少ないものとして国土交通大臣が定める室（廊下、階段その他の通路、便所その他これらに類するものに限る。）を構成する壁等（建築基準法第21条第３項、同法第27条第４項（同法第87条第３項において準用する場合を含む。）又は同法第61条第２項の規定の適用がある防火対象物の壁等に限る。以下この号及び次号において「渡り廊下等の壁等」という。）　次に掲げる基準

　イ　渡り廊下等の壁等のうち防火戸は、閉鎖した場合に防火上支障のない遮煙性能を有するものであること。

　ロ　渡り廊下等の壁等により区画された部分のそれぞれの避難階以外の階に、避難階又は地上に通ずる直通階段（傾斜路を含む。以下「直通階段」という。）が設けられていること。

（2）　渡り廊下等の壁等に類するものとして消防庁長官が定める壁等　消防庁長官が定める基準

(4)　本店事務所等を有する屋内給油取扱所では、当該本店事務所等を給油取扱所の規制範囲に含めるか他用途部分とするかは、設置者の選択とすることで支障ない。

(5)　上部に上階がある場合は屋根を耐火構造とするものであるが、上部に上階のある給油取扱所の屋根（キャノピー）部分は、危規則第25条の10第３号のひさしと兼用しない場合のみ不燃材料でも差し支えないものである（図６−１、６−２参照）。

図６−１　**上階がない場合の例**

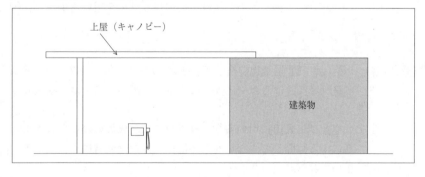

図6-2　**上屋をひさしと兼用しない場合の例**

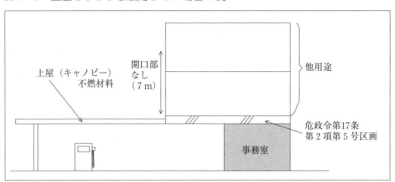

(6) キャノピーにガラスを使用する場合の要件は次のとおり。

　ア　地震による震動等により容易に破損・落下しないように、ガラス取付部が耐震性を有している。

　イ　火災時に発生する熱等により容易に破損しないよう、網入りガラス等を使用している。

　ウ　万一破損した場合においても、避難及び消防活動の観点から安全上支障がないよう、飛散防止フィルム等により飛散防止措置をしている。

　エ　ガラスを使用する範囲については、破損により開口が生じた場合においても、周囲の状況から判断し、延焼防止に支障ないものである。

7 給油取扱所の出入口

根拠条文　危政令

> **第17条第2項**
> 　(7)　建築物の屋内給油取扱所の用に供する部分の窓及び出入口（自動車等の出入口で総務省令で定めるものを除く。）には、防火設備を設けること。
> 　(7の2)　事務所等の窓又は出入口にガラスを用いる場合は、網入りガラスとすること。

留意事項　(1)　「第1節　**16** 建築物の構造等」（危政令第17条第1項第17号）を参照。

(2)　事務所等に設ける窓や出入口にガラスを用いる場合は、網入りガラスとされている。

　ア　窓及び出入口に用いる網入りガラスは、火災の際に亀裂ができても容易に炎が通過する隙間ができないなどの防火上及び爆発時のガラスの飛散防止の観点から用いられる。

　イ　網入りガラスは、ガラスの中に金属の網が入っているもので、網の形状からキッコウ型のものと、ヒシクロス型のものとがあり、これらにはそれぞれ不透明のものと透明のものとがある（図7-1参照）。

図 7 - 1　**網入りガラスの種類**

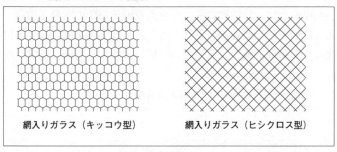

網入りガラス（キッコウ型）　　　網入りガラス（ヒシクロス型）

注　線入りガラスは、昭和58年10月 1 日以降、乙種防火戸としての認定
　　が取り消され、網入りガラスと同等のものとは認められなくなった。

8 可燃性蒸気流入防止構造

(根拠条文)　危政令

> **第17条第 2 項第 8 号**　建築物の屋内給油取扱所の用に供する部分のうち、事務所
> その他火気を使用するもの（総務省令で定める部分を除く。）は、漏れた可燃
> 性の蒸気がその内部に流入しない総務省令で定める構造とすること。

(留意事項)　「第 1 節　**17** 可燃性蒸気流入防止構造」（危政令第17条第 1 項第18号）を参照。

9 給油取扱所の開放性と講ずべき措置

(根拠条文)　危政令

> **第17条第 2 項第 9 号**　建築物の屋内給油取扱所の用に供する部分の 1 階の二方に
> ついては、自動車等の出入する側又は通風及び避難のための総務省令で定め
> る空地に面するとともに、壁を設けないこと。ただし、総務省令で定める措
> 置を講じた屋内給油取扱所にあつては、当該建築物の屋内給油取扱所の用に
> 供する部分の 1 階の一方について、自動車等の出入する側に面するとともに、
> 壁を設けないことをもつて足りる。

(留意事項)　(1)　屋内給油取扱所は、当該建築物の給油取扱所の用に供する部分を、通風及び避難
　　　　　のため、道路に二方以上開放していることを原則とする。
　　　　(2)　道路に対し、開放性が確保される条件は、
　　　　　　①　自動車等の出入りする側
　　　　　　②　通風性の確保
　　　　　　③　避難の確保
　　　　のすべてに適合させる必要がある。
　　　　　ア　自動車等の出入りする側
　　　　　　　「自動車等の出入する側」とは、危規則第 1 条第 1 号に規定する幅員 4 m以上の
　　　　　道路に接し、かつ、「第 1 節　**3** 給油空地」に規定する給油空地に出入りする側
　　　　　をいう。

　　イ　通風性の確保

　　　通風性とは、給油取扱所のうち危規則第25条の4第1項第1号に規定する給油
　　又は灯油若しくは軽油の詰替えのための作業場又は危政令第17条第1項第2号に
　　規定する給油空地が、危険物の取扱いに際し、有効に換気されることを条件とす
　　る。

図9−1　**通風性が確保されている給油空地例**

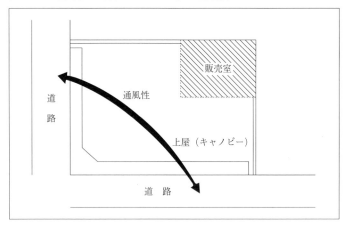

図9−2

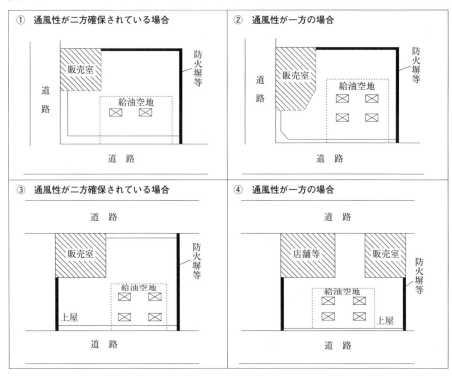

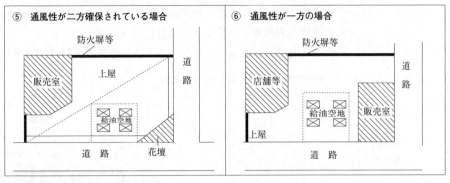

ウ　避難の確保

　　前アと同じく、給油取扱所を利用する不特定の者及び自動車等の安全な避難を確保しなければならない。

　　したがって、例えば道路以外に河川や公園、堤防等に面し、通風性は確保されたとしても、避難上問題を生ずる場合は、二方が開放しているとはいえないものである。

1　二方が開放されている屋内給油取扱所の空地

(根拠条文)　危規則

> （二方が開放されている屋内給油取扱所の空地）
> **第25条の8**　令第17条第2項第9号の総務省令で定める空地は、次のとおりとする。
> 　(1)　当該空地は、給油空地、注油空地並びに第25条の4第1項第3号及び第4号の用途に供する部分以外の給油取扱所の敷地内の屋外の場所に保有すること。
> 　(2)　当該空地は、間口が6メートル以上、奥行が建築物の第25条の4第1項第1号の用途に供する部分の奥行以上であり、かつ、避難上及び通風上有効な空地であること。
> 　(3)　当該空地は、その範囲を表示するとともに、その地盤面に「駐停車禁止」の文字を表示すること。この場合において、表示の色は黄色とするとともに、文字の表示の大きさは、縦1メートル以上、横5メートル以上とすること。

(留意事項)　当該規定は、一方が道路に面する給油取扱所において、自己敷地内に道路にかわって、「避難上及び通風上有効な空地」を設けることにより、二方が開放されている屋内給油取扱所の基準が適用されるものである。

(1)　危規則第25条の8の通風及び避難のための空地（以下「避難空地」という。）は、次による。

　ア　給油空地、注油空地及び漏えい拡大防止措置以外の場所とする。

　イ　車両等の乗入口又は乗入通路としては認められないものである。

(2)　危規則第25条の8第1号に規定する「屋外の場所」とは、上屋等一切の建築物の設けられていない場所をさすものである。

(3)　洗車室又は整備室等自動車の進入に要する用途は、避難空地に面する場所に設け

てはならない。

(4) 避難空地には、漏れた危険物が流入しないように、当該空地と給油空地等及びその他の空地との境界には排水溝を設けなければならない。

(5) 避難空地内には、滞油のおそれのある油分離装置を設けてはならない。

図9-3 **避難空地を設けた給油取扱所の例**

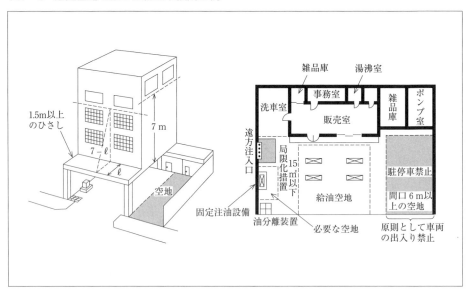

図9-4 **避難空地として認められる例**

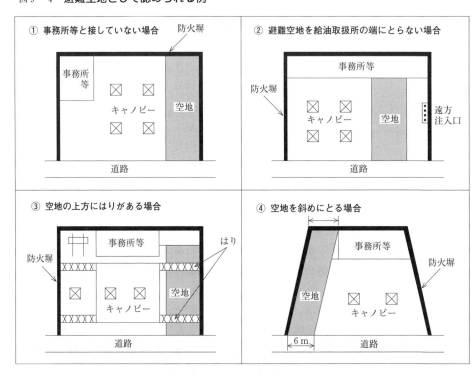

図 9 - 5　**避難空地として認められない例**

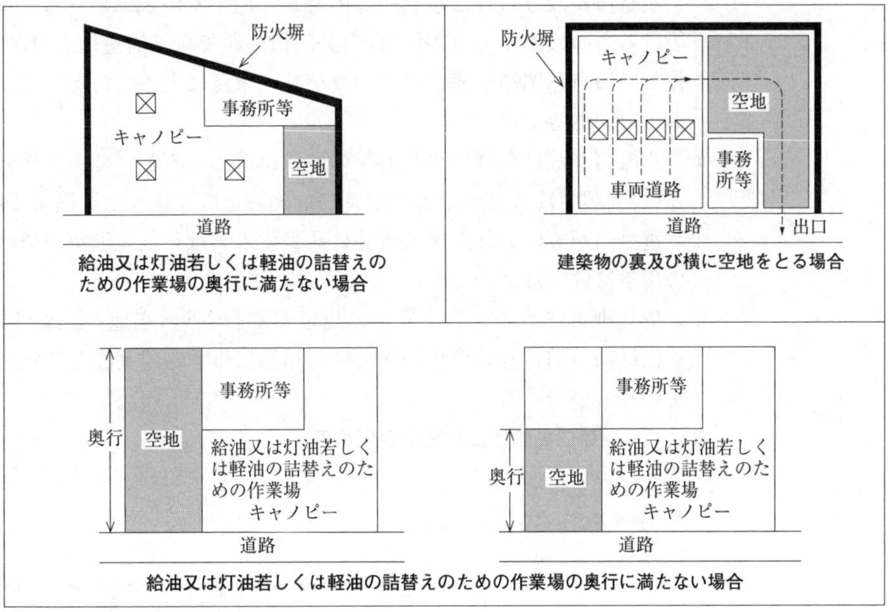

2　一方のみが開放されている屋内給油取扱所

(根拠条文)　危規則

> (一方のみが開放されている屋内給油取扱所において講ずる措置)
> **第25条の9**　令第17条第2項第9号ただし書の総務省令で定める措置は、次のとおりとする。
> (1)　給油取扱所の建築物の第25条の4第1項第1号の用途に供する部分の各部分から次に掲げるいずれかの場所までの距離が10メートル以内であること。
> 　イ　給油取扱所の敷地外に直接通ずる避難口（随時開けることができる自動閉鎖の特定防火設備が設けられたものに限る。）が設けられ、かつ、壁等により区画された事務所等（当該事務所等の出入口には、随時開けることができる自動閉鎖の防火設備が設けられ、かつ、窓には、はめごろし戸である防火設備が設けられたものに限る。）の出入口
> 　ロ　自動車等の出入する側に面する屋外の空地のうち避難上安全な場所

(留意事項)　一方のみが道路に開放されている屋内給油取扱所については、次の設備が付加されることとなる。

　　避難口等の設置

　　　危規則第25条の4第1項第1号で定める「給油又は灯油若しくは軽油の詰替えのための作業場」のあらゆる場所から、災害等を想定した避難経路を確保する必要がある。

　　ア　「避難上安全な場所」とは、危規則第1条第1号で規定する道路をいう。

　　イ　「敷地外に直接通ずる避難口」は、避難上安全な場所又はそれに類する公園、

広場、路地等に容易に通じるものとし、おおむね90cm以上の幅を有する通路とする。

ウ　避難口が設けられた事務所等の避難に用する出入口のうち、電気式自動ドアを設けるものにあっては停電時、自動的に閉鎖できる構造のものが望ましい。なお、停電時の自動閉鎖装置には、バッテリー電源によるものと、スプリング式によるものとがある。

エ　避難口が設けられた事務所等の窓に、はめごろし戸である防火設備を設ける範囲は、当該事務所等が給油空地及び危険物を取り扱う室に面する部分が該当する。

オ　避難口が設けられた事務所等に該当するのは、危規則第25条の4第1項第2号の用途に供する部分である。

カ　危規則第25条の9第1号ロに規定する「屋外の空地」とは、給油又は灯油若しくは軽油の詰替えのための作業場の用途に供する建築物と道路との間にある空地をいうものである。

図9-6　**避難口を設けた給油取扱所の例**

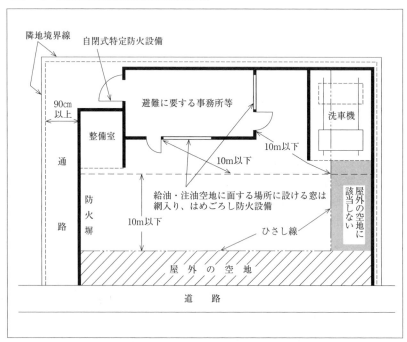

図9-7　**避難口として認められない例**

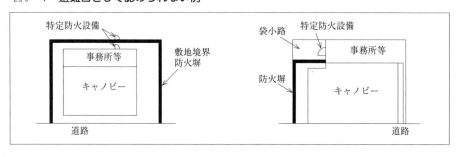

3　注入口の位置

（根拠条文）　危規則

> **第25条の9第2号**　専用タンクの注入口及び第25条第2号に掲げるタンクの注入口は、前号イの事務所等の出入口の付近その他避難上支障のある場所に設けないこと。

（留意事項）　当該規定は移動タンク貯蔵所から危険物の荷卸しによる災害危険に対する安全規定である。

(1)　「事務所等の出入口の付近」とは、事務所、販売室、その他常時人がいる場所のほか、2階からの階段出口も含まれる。

(2)　「避難上支障のある場所」とは、前面道路の自動車の乗入口付近が含まれる。

(3)　注入口を設置する位置は単に使用勝手を優先することなく、移動タンクの進入方向、避難動線、地盤の傾斜に伴う危険物の流出方向等を総合的に検討し、決定されなければならない。

4　可燃性蒸気回収設備

（根拠条文）　危規則

> **第25条の9第3号**　通気管の先端が建築物の屋内給油取扱所の用に供する部分に設けられる専用タンクで、引火点が40度未満の危険物を取り扱うものには、移動貯蔵タンクから危険物を注入するときに放出される可燃性の蒸気を回収する設備を設けること。

（留意事項）　可燃性蒸気回収設備は、移動貯蔵タンクから給油取扱所のタンクに危険物を注入したときに、当該タンクから放出される可燃性蒸気を当該移動貯蔵タンクに有効に回収するために設けるものである。

図9-8　**可燃性蒸気回収設備の設置例**

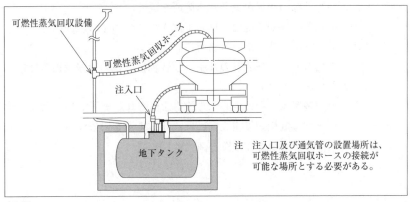

(参考)

　都民の健康と安全を確保する環境に関する条例施行規則（平成13年東京都規則第34

号）別表第6において、石油類の貯蔵能力が50,000L以上又はガソリンを5,000L以上貯蔵するガソリンスタンドにおいては、公害防止対策上、可燃性蒸気回収装置を設置しなければならないとされている。

東京都環境確保条例における炭化水素類規制の概要

施設の区分	炭化水素系物質の種類	施設の規模	排出防止設備
貯蔵施設	有機溶剤	貯蔵施設の容量の合計が5kL以上のもの	（共通で適用） ・吸着式処理設備 ・薬液による吸収処理設備 ・凝縮式処理と吸着式処理を組み合わせた設備 ・ベーパーリターン設備 ・これらと同等以上の性能を有する設備 （貯蔵施設に適用） ・浮屋根構造
	燃料用揮発油、灯油及び軽油	(1)燃料用揮発油の貯蔵施設の容量の合計が5kL以上のもの (2)燃料用揮発油、灯油又は軽油のすべての貯蔵施設の容量の合計が50kL以上のもの	
出荷施設	燃料用揮発油	燃料用揮発油を出荷するための施設であって貯蔵施設の容量が合計50kL以上のもの	

5 可燃性ガス検知装置

（根拠条文）危規則

> **第25条の9第4号** 建築物の第25条の4第1項第3号の用途に供する部分で床又は壁で区画されたもの及びポンプ室の内部には、可燃性の蒸気を検知する警報設備を設けること。

（留意事項） (1) 可燃性ガス検知装置は、自動車等の整備室及びポンプ室に設置するものである。

　ア　可燃性蒸気検知警報設備は、検知器、受信機及び警報装置から構成されるものである。

　イ　警戒区域は、可燃性蒸気が滞留するおそれのある室又はその部分とする。

　ウ　検知器は、床面から0.15m以内の有効に検知できる位置に設ける。ただし、出入口等外部の空気が流通する箇所を除く。

　エ　検知器の検知濃度は、爆発下限界の4分の1の範囲内とする。

　オ　受信機は常時人がいる場所に設置する。

　カ　受信機の主音響装置の音圧及び音色は、他の警報設備の警報音と区別できるものとする。

　キ　警報装置は、その中心から前方1m離れた場所で90dB以上とする。

　ク　可燃性蒸気検知警報設備には、非常電源を附置する。

(2) 可燃性ガス検知装置の構造例

図 9 - 9

拡散式検知部　　　　　　　ポンプ吸引式検知部

図 9 - 10　**可燃性ガス検知装置の系統例**

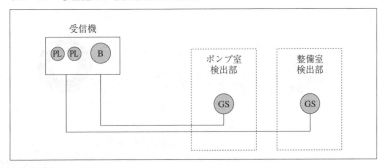

受信機

PL　PL　B

ポンプ室
検出部

整備室
検出部

GS　　　　　　GS

6　衝突防止措置

(根拠条文)　危規則

> **第25条の9第5号**　固定給油設備及び固定注油設備には、自動車等の衝突を防止
> するための措置を講ずること。

(留意事項)　(1)　固定給油設備及び固定注油設備に対し、自動車等の衝突を防止するための措置は
　　おおむね次のとおりである。
　　　ア　固定給油設備等を懸垂式とする方法（「第1節　**14** 懸垂式固定給油設備等」を
　　　参照）
　　　イ　防護柵等により、保護する方法
　　　ウ　建物構造物及び車両進入動線やアイランドの構造により防護する方法
　　(2)　構造例
　　　ア　防護柵により保護する方法

図 9 - 11

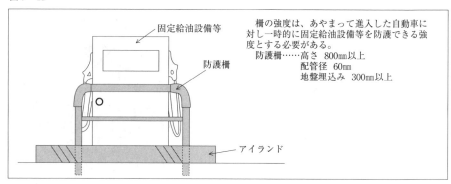

柵の強度は、あやまって進入した自動車に
対し一時的に固定給油設備等を防護できる強
度とする必要がある。
　防護柵……高さ　800mm以上
　　　　　　配管径　60mm
　　　　　　地盤埋込み　300mm以上

固定給油設備等

防護柵

アイランド

　　イ　アイランドによる方法……アイランドの高さ及び幅を利用して固定給油設備等
　　　　　　　　　　　　　　　　を防護するもの。ただし、トラック等が利用する軽
　　　　　　　　　　　　　　　　油用固定給油設備には適さない。

図 9 - 12

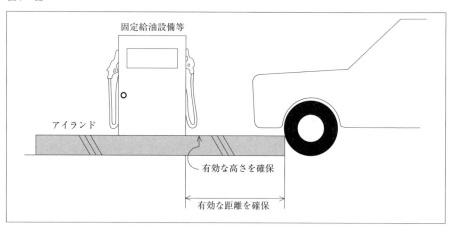

固定給油設備等

アイランド

有効な高さを確保

有効な距離を確保

🔟 可燃性の蒸気が滞留するおそれのある穴、くぼみ等

根拠条文　危政令

> **第17条第2項第10号**　建築物の屋内給油取扱所の用に供する部分については、可
> 燃性の蒸気が滞留するおそれのある穴、くぼみ等を設けないこと。

留意事項　　給油取扱所において貯蔵、取り扱うガソリンや灯油、軽油などは、消防法上、第4類
の引火性液体に該当する。この第4類の引火性液体の一般的特性は、次のとおりである。
(1)　引火点が低いものほど可燃性蒸気が発生しやすい。
(2)　可燃性蒸気は、空気より重いため、側溝や下水溝など低所に流れ、かつ、滞留し
　　やすく、予想外に遠方に流れて引火する場合がある。
(3)　一般に電気の不良導体で、静電気が蓄積されやすく、静電気による火花によって
　　引火爆発することがある。
　　　したがって、給油取扱所の用に供する部分については、可燃性の蒸気が滞留する
　　おそれのある穴やくぼみ等を設けてはいけないこととされているものである。

ア　地下タンク等のマンホール、点検口

地下タンクの直上に設けるマンホール、点検口等のうち、給油取扱所の設備として最小限必要なものは、地盤面上での漏えい危険物の浸入を防ぐ構造とする。

また、整備室や洗車室に設ける、貯留設備で小規模（300㎜×300㎜）なものについては設けても支障がない。

イ　整備ピット等

整備室の車両整備を目的としたピットや、遠方注入口のピット方式のもの及びこれに類似したものは、原則的には穴、くぼみ等に該当するものとされる。

⑪ 上階がある場合の措置

根拠条文　危政令

> **第17条第2項第11号**　建築物の屋内給油取扱所の用に供する部分は、当該部分の上部に上階がある場合にあつては、危険物の漏えいの拡大及び上階への延焼を防止するための総務省令で定める措置を講ずること。

留意事項　(1)　「上部に上階がある場合」とは、給油取扱所の規制範囲に対して上部に上階が全部又は一部有するもので、上階の用途が危規則第25条の4第1項で規制されたもの以外の用途であること。すなわち、給油取扱所の用に供する部分の上階に「他用途」を有する場合に、本規定が適用となる。

図11−1　**「上部に上階のある場合」に該当しない例**　　図11−2　**「上部に上階のある場合」に該当する例**

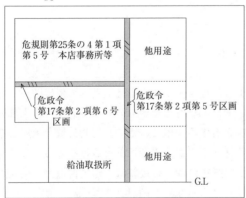

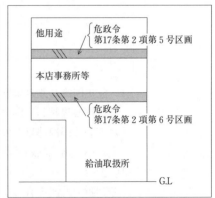

(2)　本店事務所等を有する屋内給油取扱所では、当該本店事務所等を給油取扱所の規制範囲に含めるか他用途部分とするかは、設置者の選択によることができるものである。また、これにより基準の適用が異なることから、施設の設置許可申請時に明確な意思表示が必要である。

1　注入口等の設置場所

根拠条文　危規則

> （上部に上階を有する屋内給油取扱所において講ずる措置）
> **第25条の10**　令第17条第2項第11号の総務省令で定める措置は、次のとおりとす

る。

　(1)　専用タンクの注入口及び第25条第2号に掲げるタンクの注入口並びに固定
　　　給油設備及び固定注油設備は、上階への延焼防止上安全な建築物の屋内給油
　　　取扱所の用に供する部分に設けること。この場合において、当該部分の屋根
　　　は上階への延焼防止上有効な幅を有して外壁と接続し、かつ、開口部を有し
　　　ないものでなければならない。

留意事項　(1)　危規則第25条の10第1号に規定する「注入口並びに固定給油設備及び固定注油設
　　　備は、上階への延焼防止上安全な建築物の屋内給油取扱所の用に供する部分に設け
　　　ること」とは、火災が発生した場合、上階への火炎の噴出を防止するため、注入口
　　　（漏えい拡大防止措置部分を含む。）及び固定給油設備等を、上屋（上階のある場合
　　　は上階の床）内に設けることをいう。

図11-3　**注入口及び固定給油設備等の上階への延焼防止上安全な場所の設置例**

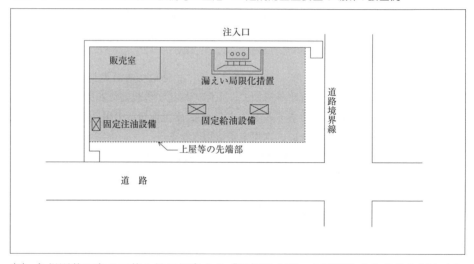

　(2)　危規則第25条の10第1号に規定する「屋根は上階への延焼防止上有効な幅を有し
　　　て外壁と接続し、かつ、開口部を有しないもの」については、上部の上階に設置さ
　　　れている開口部以上の幅を有する上屋で、かつ、建物外壁と上屋とを接続し、上屋
　　　上部への延焼経路となる採光用の窓等の開口部を設けないものとすること。
　(3)　上屋（キャノピー）と建築物外壁との接続は、建築構造上、接続させるものであ
　　　り、耐火性能を有しなければならない（図11-4参照）。
　(4)　上屋等が防火塀（建築物の壁体を兼ねる場合を含む。）に水平距離で、おおむね
　　　1m以内で近接している場合は、当該防火塀は上屋等まで立上げて一体とする。
　　　　この場合、立ち上げた壁体の面が道路境界である場合を除き開口部を設けてはな
　　　らない。

図11-4　上屋（キャノピー）と建築物の開口部の関係について

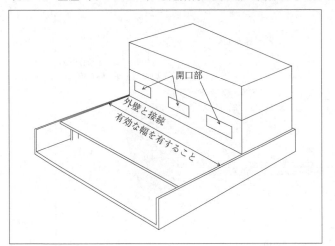

2　漏えい局限化措置

根拠条文　危規則

> 第25条の10第２号　前号の注入口の周囲には、危険物の漏えい範囲を15平方メートル以下に局限化するための設備及び漏れた危険物を収容する容量４立方メートル以上の設備を設けるとともに、これらの設備の付近には、可燃性の蒸気を検知する警報設備を設けること。

留意事項　漏えい局限化措置は、次によること。

(1)　注入口の周囲（注入口に移動タンク貯蔵所から荷卸しするために停車する側）に15㎡の漏えい拡大防止措置を講じ、漏れた油を収容するための収容槽を設ける。この場合、設置場所は、移動タンク貯蔵所の停車位置を十分考慮するとともに、給油空地及び注油空地外の場所としなければならない。

(2)　収容槽の材質は金属、コンクリート又はＦＲＰ等とし、埋設による土圧、水圧等に耐えられるものでなければならない。

(3)　収容槽は実収容量を４㎡以上とし、空気抜き、漏れた危険物の回収用マンホール又は抜取り用配管を備えたものとする。なお、当該収容槽は専用タンク及び廃油タンク等とは兼用はできない。

(4)　漏えい拡大防止措置は、急激な漏えいを考慮して注入口の周囲に排水溝を設け、集油するため50分の１程度の勾配をとるとともに、収容槽への配管は直径100mm以上とする。

(5)　日常における維持管理上、集水ますを設けるとともに、注入口使用時以外は収容槽への雨水及び可燃性蒸気の流入を防止するためのバルブ等を設ける。なお、バルブピットの上部ふたは防水型とする。

図11-5　**漏えい局限化措置の例**

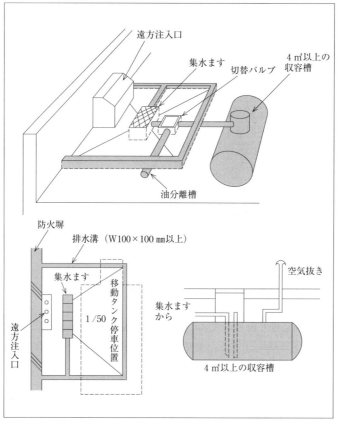

3　延焼防止上有効なひさし

根拠条文　危規則

> **第25条の10**
>
> (3)　建築物の第25条の4第1項第1号の用途に供する部分の開口部には、当該
> 開口部の上部に上階の外壁から水平距離1.5メートル以上張り出した屋根又
> は耐火性能を有するひさしを設けること。ただし、当該開口部の上端部から
> 高さ7メートルの範囲内の上階の外壁に開口部がない場合にあつては、この
> 限りでない。
>
> (4)　前号の屋根又はひさしの先端は、上階の開口部（次に掲げる開口部を除
> く。）までの間に、7メートルから当該屋根又はひさしの上階の外壁から張り
> 出した水平距離を減じた長さ以上の距離を保つこと。
>
> 　イ　はめごろし戸である防火設備を設けた開口部
>
> 　ロ　延焼防止上有効な措置を講じた開口部（消防法施行令別表第1(1)項か
> ら(4)項まで、(5)項イ、(6)項及び(9)項イに掲げる防火対象物の用途以外の用
> 途に供する部分に設けるものに限る。）

留意事項　延焼防止上有効な1.5m以上の屋根又はひさしの取扱いについては、次による。

　　なお、ひさしは、ベランダ等他の用途としての使用は認められないものである。

図11－6　**延焼防止上有効なひさしの措置例**

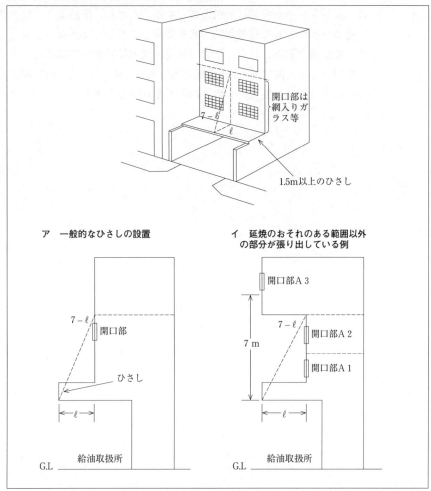

注1　開口部A1及び開口部A2に対するひさしの長さは ℓ とする。
注2　開口部A3に対するひさしの長さは、$\ell = 0$ とする。
注3　開口部に対するひさしの長さ ℓ は、1.5m以上とする。

(1)　危規則第25条の10第4号ロに規定する「延焼防止上有効な措置を講じた開口部」とは、JIS R 3206で規定された強化ガラスを用いたはめごろし窓がある。

(2)　危規則第25条の10第3号のひさし等の上階の外壁からの張り出しは、1.5m以上とする。ただし、ひさし等の先端部に次によりドレンチャー設備を設ける場合は、特例を適用し、1.0mとすることができる。この場合、危規則第25条の10第4号に規定するひさし等の外壁からの張り出した水平距離は、1.0m未満とすることはできない。

　　ア　ドレンチャーヘッドは、ひさし等の先端部に当該先端部の長さ2.5m以下ごとに1個設けるとともに、はり等により散水が妨げられるおそれのある場所には更にヘッドを増設する。

　　イ　水源は、その水量がドレンチャーヘッドの設置個数に1.3㎥を乗じて得た量以上の量となるように設ける。

　　ウ　ドレンチャー設備は、すべてのドレンチャーヘッドを同時に使用した場合にそれぞれのヘッドの先端において、放水圧力が0.3MPa以上で、かつ、放水量が130

　　　L/min以上の性能のものとする。

　　エ　ドレンチャー設備は手動方式とする。ただし、閉鎖型スプリンクラーヘッドを
　　　感知ヘッドとした自動起動方式を併用しても差し支えない。

　　オ　加圧送水装置、電源、配管等は屋内消火栓設備の例による。

（3）規制を受けた開口部（7 mの範囲内のあるもの）のうち、消防隊用進入口を設ける
　　場合にあっては、外部からのみ開閉できる構造とする。

第 3 節　給油取扱所の基準の特例

　　自動車用以外の給油取扱所（航空機給油取扱所、船舶給油取扱所、鉄道給油取扱所）、圧縮天然ガス又は液化石油ガス、圧縮水素を充填するための設備を設ける給油取扱所やメタノール又はエタノール等を取り扱う給油取扱所及び自家用の給油取扱所については、その実態を勘案し、危政令第17条第 1 項及び第 2 項の基準に対する特例が同条第 3 項又は第 4 項に基づいて危規則第26条から第28条の 2 の 3 までに定められている。

　　また、顧客に自ら自動車等に給油させ、又は灯油若しくは軽油を容器に詰め替えさせる給油取扱所についての特例は、危政令第17条第 5 項に基づいて危規則第28条の 2 の 4 から第28条の 2 の 8 までに定められている。

根拠条文 **危政令**

> **第17条第 3 項**　次に掲げる給油取扱所については、総務省令で、前 2 項に掲げる基準の特例（第 5 号に掲げるものにあつては、第 1 項に掲げる基準の特例に限る。）を定めることができる。
> (1)　飛行場で航空機に給油する給油取扱所
> (2)　船舶に給油する給油取扱所
> (3)　鉄道又は軌道によつて運行する車両に給油する給油取扱所
> (4)　圧縮天然ガスその他の総務省令で定めるガスを内燃機関の燃料として用いる自動車等に当該ガスを充てんするための設備を設ける給油取扱所（第 6 号に掲げるものを除く。）
> (5)　電気を動力源とする自動車等に水素を充てんするための設備を設ける給油取扱所（次号に掲げるものを除く。）
> (6)　総務省令で定める自家用の給油取扱所
> **第17条第 4 項**　第 4 類の危険物のうちメタノール若しくはエタノール又はこれらを含有するものを取り扱う給油取扱所については、当該危険物の性質に応じ、総務省令で、前 3 項に掲げる基準を超える特例を定めることができる。
> **第17条第 5 項**　顧客に自ら自動車等に給油させ、又は灯油若しくは軽油を容器に詰め替えさせる給油取扱所として総務省令で定めるもの（第27条第 6 項第 1 号及び第 1 号の 3 において「顧客に自ら給油等をさせる給油取扱所」という。）については、総務省令で、前各項に掲げる基準を超える特例を定めることができる。

■ 航空機給油取扱所

　　航空機給油取扱所とは、飛行場内において航空機の燃料タンクに直接給油するための取扱所である。

根拠条文 **危規則**

> （給油タンク車の基準の特例）

第24条の 6 第 1 項　航空機又は船舶の燃料タンクに直接給油するための給油設備を備えた移動タンク貯蔵所（以下この条、第26条、第26条の 2 、第40条の 3 の 7 及び第40条の 3 の 8 において「給油タンク車」という。）に係る令第15条第 3 項の規定による同条第 1 項に掲げる基準の特例は、この条の定めるところによる。

（航空機給油取扱所の基準の特例）

第26条　令第17条第 3 項第 1 号に掲げる給油取扱所（以下この条及び第40条の 3 の 7 において「航空機給油取扱所」という。）に係る令第17条第 3 項の規定による同条第 1 項及び第 2 項に掲げる基準の特例は、この条の定めるところによる。

2　航空機給油取扱所については、令第17条第 1 項第 1 号、第 2 号、第 4 号（給油空地に係る部分に限る。）、第 5 号（給油空地に係る部分に限る。）、第 7 号ただし書、第 9 号、第10号（給油ホースの長さに係る部分に限る。）及び第19号の規定は、適用しない。

3　前項に定めるもののほか、航空機給油取扱所の特例は、次のとおりとする。

(1)　航空機給油取扱所の給油設備は、次のいずれかとすること。

　　イ　固定給油設備

　　ロ　給油配管（燃料を移送するための配管をいう。以下同じ。）及び当該給油配管の先端部に接続するホース機器（以下第27条までにおいて「給油配管等」という。）

　　ハ　給油配管及び給油ホース車（給油配管の先端部に接続するホース機器を備えた車両をいう。以下この条及び第40条の 3 の 7 において同じ。）

　　ニ　給油タンク車

(1の 2)　航空機給油取扱所には、航空機に直接給油するための空地で次に掲げる要件に適合するものを保有すること。

　　イ　航空機（給油設備が給油タンク車である航空機給油取扱所にあつては、航空機及び給油タンク車）が当該空地からはみ出さず、かつ、安全かつ円滑に給油を受けることができる広さを有すること。

　　ロ　給油設備が固定給油設備、給油配管等又は給油配管及び給油ホース車である航空機給油取扱所にあつては、固定給油設備又は給油配管の先端部の周囲に設けること。

(2)　前号の空地は、漏れた危険物が浸透しないための第24条の16の例による舗装をすること。

(3)　第 1 号の 2 の空地には、可燃性の蒸気が滞留せず、かつ、漏れた危険物その他の液体が当該空地以外の部分に流出しないように次に掲げる要件に適合する措置を講ずること。

　　イ　可燃性の蒸気が滞留しない構造とすること。

　　ロ　当該航空機給油取扱所の給油設備の一つから告示で定める数量の危険物が漏えいするものとした場合において、当該危険物が第 1 号の 2 の空地以外の部分に流出せず、火災予防上安全な場所に設置された貯留設備に収容されること。ただし、漏れた危険物その他の液体の流出を防止することができるその他の措置が講じられている場合は、この限りでない。

ハ　ロの貯留設備に収容された危険物が外部に流出しないこと。この場合において、水に溶けない危険物を収容する貯留設備にあつては、当該危険物と雨水等が分離され、雨水等のみが航空機給油取扱所外に排出されること。

(4)　給油設備が固定給油設備である航空機給油取扱所は、次によること。

イ　地下式（ホース機器が地盤面下の箱に設けられる形式をいう。以下この号において同じ。）の固定給油設備を設ける場合には、ホース機器を設ける箱は適当な防水の措置を講ずること。

ロ　固定給油設備に危険物を注入するための配管のうち、専用タンクの配管以外のものは、令第9条第1項第21号に掲げる製造所の危険物を取り扱う配管の例によるものであること。

ハ　地下式の固定給油設備（ポンプ機器とホース機器とが分離して設置されるものに限る。）を設ける航空機給油取扱所には、当該固定給油設備のポンプ機器を停止する等により専用タンク又は危険物を貯蔵し、若しくは取り扱うタンクからの危険物の移送を緊急に止めることができる装置を設けること。

(5)　給油設備が給油配管等である航空機給油取扱所は、次によること。

イ　給油配管には、先端部に弁を設けること。

ロ　給油配管は、令第9条第1項第21号に掲げる製造所の危険物を取り扱う配管の例によるものであること。

ハ　給油配管の先端部を地盤面下の箱に設ける場合には、当該箱は、適当な防水の措置を講ずること。

ニ　給油配管の先端部に接続するホース機器は、漏れるおそれがない等火災予防上安全な構造とすること。

ホ　給油配管の先端部に接続するホース機器には、給油ホースの先端に蓄積される静電気を有効に除去する装置を設けること。

ヘ　航空機給油取扱所には、ポンプ機器を停止する等により危険物を貯蔵し、又は取り扱うタンクからの危険物の移送を緊急に止めることができる装置を設けること。

(6)　給油設備が給油配管及び給油ホース車である航空機給油取扱所は、前号イからハまで及びへの規定の例によるほか、次によること。

イ　給油ホース車は、防火上安全な場所に常置すること。

ロ　給油ホース車には、第24条の6第3項第1号及び第2号の装置を設けること。

ハ　給油ホース車のホース機器は、第24条の6第3項第3号、第5号本文及び第7号に掲げる給油タンク車の給油設備の例によるものであること。

ニ　給油ホース車の電気設備は、令第15条第1項第13号に掲げる移動タンク貯蔵所の電気設備の例によるものであること。

ホ　給油ホース車のホース機器には、航空機と電気的に接続するための導線を設けるとともに、給油ホースの先端に蓄積される静電気を有効に除去する装置を設けること。

留意事項　(1)　航空機給油取扱所は、その特殊性から危政令第17条における次の部分は適用しないこととしている。

① 危政令第17条第1項第1号……固定給油設備
② 危政令第17条第1項第2号……給油空地（間口10m奥行6m以上）
③ 危政令第17条第1項第4号……給油空地の構造
④ 危政令第17条第1項第5号……危険物の滞留、流出防止措置
⑤ 危政令第17条第1項第7号ただし書……防火地域等における簡易タンクの設置
⑥ 危政令第17条第1項第9号……専用タンク以外からの配管の禁止
⑦ 危政令第17条第1項第10号……給油ホースの長さ
⑧ 危政令第17条第1項第19号……防火塀又は壁の設置

　なお、これらの適用条文の特例は、航空機給油取扱所のほか、船舶給油取扱所、鉄道給油取扱所にも同様に取り扱われることとなる。

(2)　航空機給油取扱所は、次のとおり分類される。

ア　直接給油方式（危規則第26条第3項第1号イ及び第4号）

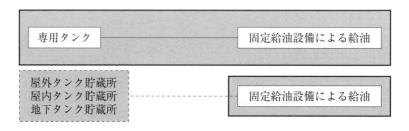

イ　ハイドラント方式（危規則第26条第3項第1号ロ及び第5号）

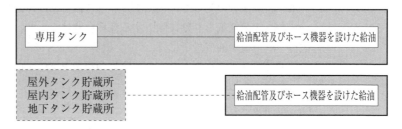

ウ　給油ホース車（サービサー）方式（危規則第26条第3項第1号ハ及び第6号）

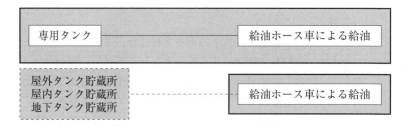

エ　給油タンク車（レフューラー）方式（危規則第26条第3項第1号ニ）

```
┌─────────────┐   ┌──────────┐   ┌──────────┐   ┌──────────┐
│屋外タンク貯蔵所│   │ローリー詰 │   │移動タンク貯 │   │注2     ┃
│屋内タンク貯蔵所│---│めの一般取 │---│蔵所（給油タ │---│給油タンク車 ┃
│地下タンク貯蔵所│   │扱所    │   │ンク車）  │   │による給油  ┃
└─────────────┘   └──────────┘   └──────────┘   └──────────┘
```

注1　□□□□□□は、一の航空機給油取扱所を示す。
注2　給油タンク車は、移動タンク貯蔵所として規制される。

(3)　給油形態は、おおむね次のとおりとなる。

ア　直接給油方式

図1-1　**地上式固定給油設備による航空機への給油の例**

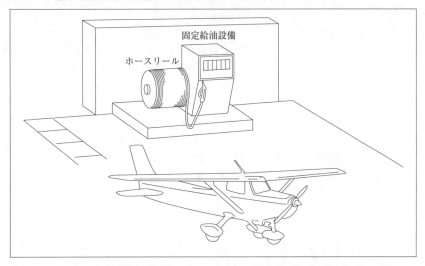

イ　ハイドラント方式及び給油ホース車（サービサー）方式によるもの

図1-2　**ハイドラント方式による航空機への給油の例**

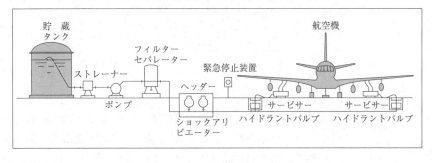

図1-3　**サービサーによる航空機への給油の例**

　　　注1　ハイドラント……貯蔵タンクから、ポンプ設備により専用の給油配管へ給油
　　　　　　　するもの。
　　　注2　サービサー………ハイドラント方式のうち、給油ホースのないものについて
　　　　　　　は給油ホース設備及びフィルター等を積載したサービサー
　　　　　　　により給油する。ただし、サービサーには加圧装置は設置さ
　　　　　　　れていない。

　ウ　給油タンク車（レフューラー）方式によるもの

　　　レフューラーとは車両に専用タンク、ポンプ設備、フィルター及びホース設備
　　（ホースリール）等を有するもので、移動タンク貯蔵所として規制される。なお、
　　給油は航空機から離れた位置でホースを延長してポンプにより燃料を圧送する。

図1-4　**給油タンク車の構造例**

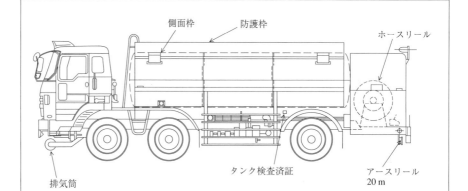

　　　なお、給油タンク車の構造基準は、危規則第24条の6（給油タンク車の基準の
　　特例）により示されている（「第2集　第6章　第3節　給油タンク車」参照）。
　　　一般的に航空機給油取扱所は、その規模、形態に応じてこれらの給油方式の一
　　部、又は全部を併用する方式としている。

(4)　航空機給油取扱所の特例

　ア　給油空地は航空機の給油行為を行う場所とし、その大きさは給油する航空機を
　　　包含できるものとする。

　イ　給油空地の舗装は「第1節　**5** 給油空地及び注油空地の舗装」(1)、(2)を準用
　　　する。また、航空機の通行・駐機等による荷重に対し、十分な強度を有するも
　　　のでなければならない。

ウ　給油空地内では漏れた危険物が、それ以外の空地に流出しないよう傾斜を設け、回収するための排水溝及び油分離装置を設けるものとされている。この場合、排水溝は必ずしも給油空地に限定するものでないが、滑走路及びエプロン部分を含めた雨水と油分離装置の処理について検討しておく必要がある。

また、漏れた危険物その他の液体の流出を防止することができるその他の措置とは、土のう又は油吸着材等を有効に保有していることをいうものである。

エ　防火塀又は壁は設けないことができる。

(5)　危規則第26条第3項第4号の給油設備が固定給油設備である航空機給油取扱所と、危規則第26条第3項第5号のハイドラント方式の航空機給油取扱所との形態上の差異は、ポンプ機器を給油取扱所の給油空地に設置しているか否かによるものである。

(6)　危規則第26条第3項第6号の給油ホース車は、航空機給油取扱所の設備として位置付けられるものであり、その帰属を明確にしておく必要がある。

図1-5　**レフューラーによる航空機用給油取扱所の例**

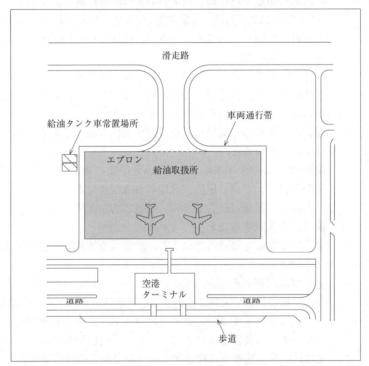

(7)　建築物の屋上に航空機給油取扱所を設置する場合の安全対策

ア　設置基準及び許可範囲等について

(ア)　航空機給油取扱所は、壁、柱、床、はり及び屋根が耐火構造である建築物の屋上に設置すること。

(イ)　航空機給油取扱所として規制を受ける部分は、建築物全体ではなく、給油設備、航空機に直接給油するための空地、配管、その他危険物関連機器等とすること。なお、危険物を貯蔵し、又は取り扱うタンク（以下「危険物タンク」という。）は屋外タンク貯蔵所、屋内タンク貯蔵所又は地下タンク貯蔵所として許可するものとし、ポンプ機器はこれらの許可施設に附属する設備として取り扱うこと。

(ウ)　ポンプ機器及び危険物タンク（指定数量の5分の1以上指定数量未満の危険

物を貯蔵し、又は取り扱うタンクを含む。）は2階以上の階に設置しないこと。
　(エ)　貯蔵し、又は取り扱う危険物は、Jet A-1（JIS K2209の航空タービン燃料油
　　　1号）とすること。また、航空機給油取扱所の許可数量については、建築物の
　　　屋上で航空機に給油する場合の1日の最大取扱量により算定すること。当該取
　　　扱量が指定数量の5分の1以上指定数量未満となる場合は、市町村条例に基づ
　　　く少量危険物貯蔵取扱所としての基準が適用されるものであること。
　イ　航空機給油取扱所の設備について
　(ア)　給油設備は、危規則第26条第3項第1号ロの規定による、給油配管（燃料を
　　　移送するための配管をいう。）及び当該給油配管の先端部に接続するホース機
　　　器とすること。
　(イ)　手動開閉装置を開放状態で固定する装置を備えた給油ノズルを設けないこと。
　(ウ)　配管は、危政令第9条第1項第21号の規定の例によるほか、次によること。
　　　a　配管から危険物が流出した場合において、危険物及び可燃性蒸気の建築物
　　　　への流入を防止するため、以下のいずれかの措置を講ずること。
　　　　・　さや管又はこれに類する構造物（パイプシャフト等）の中に配管を設置する。
　　　　・　屋外に配管を設置するとともに、建築物の開口部及びその上部の外壁部
　　　　　分への設置を避ける。
　　　b　点検が容易でない場所に設ける配管及び建築物外に設置された危険物タン
　　　　クと建築物との連絡部分に設ける配管の接合は、溶接その他危険物の流出の
　　　　おそれがないと認められる方法によること。
　　　c　配管が建築物の主要構造部を貫通する場合は、その貫通部分に配管の接合
　　　　部分を設けないこと。
　　　d　配管には、見易い箇所に取り扱う危険物の物品名を表示すること。なお、
　　　　当該表示については、屋内に設けられる配管にあっては、点検のために設け
　　　　られた開口部にある配管ごとに、屋外にある配管にあっては、見易い箇所に
　　　　1箇所以上表示すること。
　　　e　屋上に電磁弁を設ける等により、給油量を管理し、必要以上の危険物が屋
　　　　上に送油されないための措置を講ずること。
　　　f　ポンプ吐出側直近部分の配管に逆止弁を設ける等により、配管内の危険物
　　　　がポンプ機器付近で大量に流出することを防止するための措置を講ずること。
　(エ)　ポンプ機器を停止する等により危険物タンクからの危険物の移送を緊急に止
　　　めることができる装置を設けること。また、当該装置の起動装置は、火災その
　　　他の災害に際し、速やかに操作することができる箇所に設けること。
　(オ)　消火設備については、危政令第20条の基準によるほか、第3種の消火設備を
　　　設置することが望ましいこと。
　ウ　給油体制について
　　　給油は、火災その他の災害が発生した際に危険物の移送の緊急停止、初期消火、
　　通報等の必要な対応が速やかに実施できるよう適切な体制で行うこと。
　エ　予防規程について
　　　災害その他の非常の場合に取るべき措置として、危険物の移送の緊急停止、初
　　期消火、通報等に関する事項を定めること。
　オ　避難経路について
　　　屋上からの避難経路については、複数設置することが望ましいこと。

2 船舶給油取扱所

　　船舶給油取扱所とは船舶の燃料タンクに直接給油するための取扱所である。したがって、船舶の航行に必要な燃料を給油するものであることから、例えばタンカーに危険物を荷積みする場合や、船舶相互で給油する場合などは、この規定に該当しないものとされている。

根拠条文　危規則

（船舶給油取扱所の基準の特例）

第26条の2　令第17条第3項第2号に掲げる給油取扱所（以下この条及び第40条の3の8において「船舶給油取扱所」という。）に係る令第17条第3項の規定による同条第1項及び第2項に掲げる基準の特例は、この条の定めるところによる。

2　船舶給油取扱所については、令第17条第1項第1号、第2号、第4号（給油空地に係る部分に限る。）、第5号（給油空地に係る部分に限る。）、第7号ただし書、第9号、第10号（給油ホースの長さに係る部分に限る。）及び第19号の規定は、適用しない。

3　前項に定めるもののほか、船舶給油取扱所の特例は、次のとおりとする。

(1)　船舶給油取扱所の給油設備は、固定給油設備又は給油配管等とすること。ただし、引火点が40度以上の第4類の危険物のみを取り扱う給油設備は、給油タンク車（第24条の6第3項第5号本文及び第8号に定める基準に適合するものに限る。）とすることができる。

(1の2)　船舶給油取扱所には、船舶に直接給油するための空地で次に掲げる要件に適合するものを保有すること。

　イ　係留された船舶に安全かつ円滑に給油することができる広さを有すること。

　ロ　固定給油設備又は給油配管の先端部の周囲に設けること（給油設備が給油タンク車のみである船舶給油取扱所を除く。）。

　ハ　給油設備が給油タンク車である船舶給油取扱所にあっては、当該給油タンク車が当該空地からはみ出さない広さを有すること。

(2)　前号の空地は、漏れた危険物が浸透しないための第24条の16の例による舗装をすること。

(3)　第1号の2の空地には、可燃性の蒸気が滞留せず、かつ、漏れた危険物その他の液体が当該空地以外の部分に流出しないように前条第3項第3号の例による措置を講ずること。

(3の2)　船舶給油取扱所には、危険物が流出した場合の回収等の応急措置を講ずるための設備を設けること。

(4)　給油設備が固定給油設備である船舶給油取扱所は、前条第3項第4号の規定の例によるものであること。

(5)　給油設備が給油配管等である船舶給油取扱所は、前条第3項第5号の規定の例によるものであること。

(6)　給油設備が給油タンク車である船舶給油取扱所には、静電気を有効に除去するための接地電極を設けるとともに、給油タンク車が転落しないようにするための措置を講ずること。

(留意事項)　(1)　船舶給油取扱所は、次のとおり分類される。

ア　直接給油方式（危規則第26条の2第3項第4号）

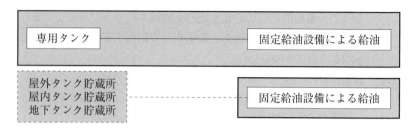

イ　ハイドラント方式（危規則第26条の2第3項第5号）

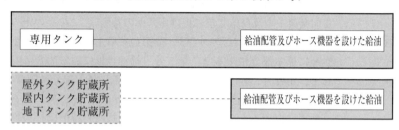

ウ　給油タンク車（レフューラー）方式（危規則第26条の2第3項第6号）

注1　[灰色の枠]は、一の船舶給油取扱所を示す。

注2　給油タンク車は、移動タンク貯蔵所として規制される。

(2)　船舶給油取扱所の形態は、おおむね次のとおりとなる。

ア　固定給油設備を用いて給油するもの

図2-1

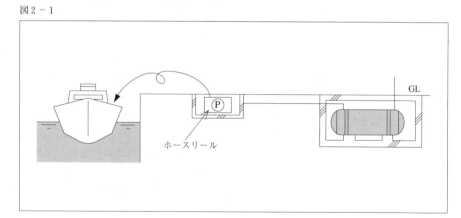

イ　給油配管等を用いて給油するもの

図2-2

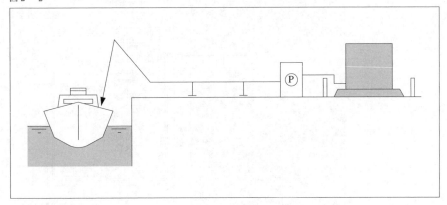

(3)　船舶給油取扱所の特例

ア　給油空地は給油作業を行うに必要な広さとする。

イ　給油空地の舗装は「第1節　**5** 給油空地及び注油空地の舗装」(1)、(2)を準用する。

ウ　給油空地内では漏れた危険物が、それ以外の空地に流出しないよう傾斜を設け、回収するための排水溝及び油分離装置を設けるものとされている。

　　また、漏れた危険物その他の液体の流出を防止することができるその他の措置とは、土のう又は油吸着材等を有効に保有していることをいうものである。

エ　防火塀又は壁は設けないことができる。

オ　「危険物が流出した場合の回収等の応急措置を講ずるための設備」とは、オイルフェンス、油吸着材等を保有することをいい、油吸着材の保有量は次の表のとおり、タンクの容量の区分に応じたものとする必要がある（平成20年5月22日消防危第264号）。

　　なお、当該タンクが複数存する場合は、そのうちの最大容量のタンクの容量に応じた量とすることができる。

表2-1

専用タンク又は貯蔵タンクの容量の区分	タンク容量30kL 未満のもの	タンク容量30kL 以上1,000kL 未満のもの	タンク容量1,000kL 以上のもの
吸着できる油の量	0.3kL 以上	1 kL 以上	3 kL 以上

　　油吸着材の吸着能力を確認する際には、運輸省船舶局長通達舶査第52号（昭和59年2月1日）に定める性能試験基準により、海上保安庁総務部海上保安試験研究センター所長が発行する試験成績書等を用いて確認する必要がある。

　　ただし、船舶給油取扱所の設置される周囲の状況及び潮流、河川の流速等、危険物の拡散速度を勘案し、より一層の安全対策を講ずる必要がある。

カ　給油タンク車を給油設備とする船舶給油取扱所については次によること。

(ｱ)　給油空地は水辺に接するものとし、給油タンク車の大きさの周囲に幅1m以上の空地を保有すること。

(ｲ)　給油空地は、白線等により表示すること。

(ｳ)　漏れた危険物その他の液体の流出を防止することができる措置として土のう等を給油タンク車に設置できない場合は、船舶への給油作業時に、給油空地の近傍で有効に活用できる位置に搬送することをもって措置できる。

　　なお、オ「油吸着材」等についても同様とする。

図2-3　**小型船舶給油取扱所の例**

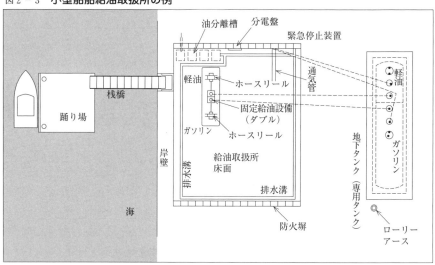

図2-4　**レフューラーによる船舶給油取扱所の例**

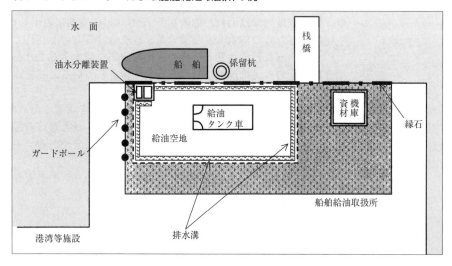

3 鉄道給油取扱所

　　鉄道給油取扱所は、鉄道又は軌道により運行する車両（ディーゼル機関車等）の燃料タンクに直接給油するための取扱所である。

根拠条文　危規則

> （鉄道給油取扱所の基準の特例）
> **第27条**　令第17条第3項第3号に掲げる給油取扱所（以下この条及び第40条の3の9において「鉄道給油取扱所」という。）に係る令第17条第3項の規定による同条第1項及び第2項に掲げる基準の特例は、この条の定めるところによる。
> 2　鉄道給油取扱所については、令第17条第1項第1号、第2号、第4号（給油空地に係る部分に限る。）、第5号（給油空地に係る部分に限る。）、第7号ただし書、第9号、第10号（給油ホースの長さに係る部分に限る。）及び第19号並び

に同条第2項第9号及び第10号の規定は、適用しない。

3　前項に定めるもののほか、鉄道給油取扱所の特例は、次のとおりとする。

(1)　鉄道給油取扱所の給油設備は、固定給油設備又は給油配管等とすること。

(1の2)　鉄道給油取扱所には、鉄道又は軌道によつて運行する車両に直接給油するための空地で次に掲げる要件に適合するものを保有すること。

　イ　当該車両が当該空地からはみ出さず、かつ、安全かつ円滑に給油を受けることができる広さを有すること。

　ロ　固定給油設備又は給油配管の先端部の周囲に設けること。

(2)　前号の空地のうち危険物が漏れるおそれのある部分は、漏れた危険物が浸透しないための第24条の16の例による舗装をすること。

(3)　第1号の2の空地には、可燃性の蒸気が滞留せず、かつ、漏れた危険物その他の液体が前号の規定により舗装した部分以外の部分に流出しないように次に掲げる要件に適合する措置を講ずること。

　イ　可燃性の蒸気が滞留しない構造とすること。

　ロ　当該鉄道給油取扱所の給油設備の一つから告示で定める数量の危険物が漏えいするものとした場合において、当該危険物が前号の規定により舗装した部分以外の部分に流出せず、火災予防上安全な場所に設置された貯留設備に収容されること。

　ハ　ロの貯留設備に収容された危険物が外部に流出しないこと。この場合において、水に溶けない危険物を収容する貯留設備にあつては、当該危険物と雨水等が分離され、雨水等のみが鉄道給油取扱所外に排出されること。

(4)　給油設備が固定給油設備である鉄道給油取扱所は、第26条第3項第4号の規定の例によるものであること。

(5)　給油設備が給油配管等である鉄道給油取扱所は、第26条第3項第5号の規定の例によるものであること。

留意事項　(1)　鉄道給油取扱所は、次のとおり分類される。

　　ア　直接給油方式（危規則第27条第3項第4号）

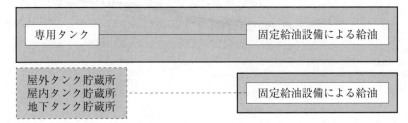

イ　ハイドラント方式（危規則第27条第3項第5号）

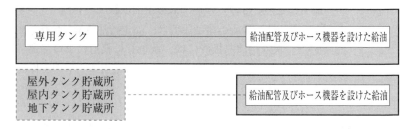

注　▨　は、一の鉄道給油取扱所を示す。

(2) 鉄道給油取扱所の特例
　　ア　給油空地は、給油作業に必要な広さとすること。
　　イ　防火塀又は壁は設けないことができる。

図3-1　**鉄道自家用給油取扱所の例（平面図）**

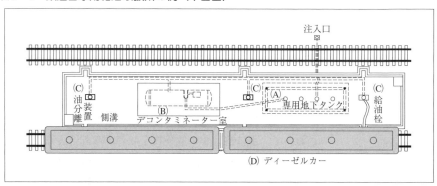

図3-2　**給油方法**

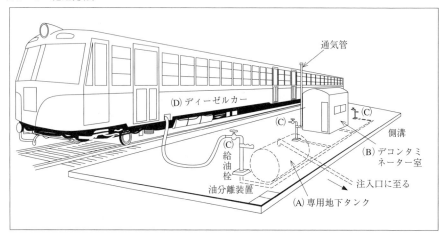

　　図3-1、図3-2はその一例を示したもので、専用地下タンク(A)に貯蔵されている軽油をポンプにより汲み上げ、デコンタミネーター室(B)を通じて不純物を分離し、給油栓(C)から所定の給油位置に停車したディーゼルカー(D)に給油するものである。

■4 圧縮天然ガス等充塡設備設置給油取扱所

　　圧縮天然ガス等充塡設備設置給油取扱所とは、圧縮天然ガス等を内燃機関の燃料として用いる自動車等（以下「圧縮天然ガス自動車等」という。）に当該圧縮天然ガス等を充塡するための設備を設ける給油取扱所である。

　　したがって、消防法上の危険物ではないが、爆発等災害を発生させる危険性を有する圧縮天然ガスを取り扱う設備を設けるという特殊な給油取扱所であるため、危政令第17条第1項及び第2項に掲げる基準の特例として、具体的な基準が危規則第27条の3及び第27条の4に定められている。

根拠条文　危規則

（圧縮天然ガス等充てん設備設置給油取扱所において充てんするガス）

第27条の2　令第17条第3項第4号の圧縮天然ガスその他の総務省令で定めるガスは、圧縮天然ガス又は液化石油ガス（次条及び第28条において「圧縮天然ガス等」という。）とする。

（圧縮天然ガス等充塡設備設置屋外給油取扱所の基準の特例）

第27条の3　令第17条第3項第4号に掲げる給油取扱所（以下「圧縮天然ガス等充塡設備設置給油取扱所」という。）に係る令第17条第3項の規定による同条第1項に掲げる基準の特例は、この条の定めるところによる。

2　圧縮天然ガス等充塡設備設置給油取扱所については、令第17条第1項第16号から第18号まで及び第22号の規定は、適用しない。

3　圧縮天然ガス等充塡設備設置給油取扱所には、給油又はこれに付帯する業務その他の業務のための避難又は防火上支障がないと認められる次に掲げる用途に供する建築物以外の建築物その他の工作物を設けてはならない。この場合において、第2号、第3号及び第6号の用途に供する床又は壁で区画された部分（給油取扱所の係員のみが出入するものを除く。）の床面積の合計は、300平方メートルを超えてはならない。

　(1)　給油、灯油若しくは軽油の詰替え又は圧縮天然ガス等の充塡のための作業場

　(2)　給油取扱所の業務を行うための事務所

　(3)　自動車等の点検・整備を行う作業場

　(4)　自動車等の洗浄を行う作業場

　(5)　給油取扱所の所有者、管理者若しくは占有者が居住する住居又はこれらの者に係る他の給油取扱所の業務を行うための事務所

　(6)　消防法施行令別表第1(1)項、(3)項、(4)項、(8)項、(11)項から(13)項まで、(14)項及び(15)項に掲げる防火対象物の用途（前各号に掲げるものを除く。）

4　前項の圧縮天然ガス等充塡設備設置給油取扱所に設ける建築物は、壁、柱、床、はり及び屋根を耐火構造とし、又は不燃材料で造るとともに、窓及び出入口（自動車等の出入口で前項第1号、第3号及び第4号の用途に供する部分に設けるものを除く。）に防火設備を設けること。この場合において、当該建築物の前項第5号の用途に供する部分は、開口部のない耐火構造の床又は壁で当該建築物の他の部分と区画され、かつ、給油取扱所の敷地内に面する側の壁に出入口が

ない構造としなければならない。

5　前項の建築物のうち、事務所その他火気を使用するもの（第3項第3号及び第4号の用途に供する部分を除く。）は、漏れた可燃性の蒸気がその内部に流入しない第25条の4第5項各号に掲げる構造としなければならない。

6　圧縮天然ガス等充塡設備設置給油取扱所の業務を行うについて必要な設備は、第1号に掲げるものとし、当該設備は、第2号から第6号までに定めるところにより設けなければならない。

(1)　自動車等の洗浄を行う設備、自動車等の点検・整備を行う設備、混合燃料油調合器、尿素水溶液供給機及び急速充電設備並びに圧縮天然ガススタンド（一般高圧ガス保安規則第2条第1項第23号の圧縮天然ガススタンドをいう。以下この項から第8項まで並びに第28条の2の7第4項及び第5項において同じ。）又は液化石油ガススタンド（液化石油ガス保安規則第2条第1項第20号の液化石油ガススタンドをいう。以下この項及び次項において同じ。）及び防火設備（一般高圧ガス保安規則第6条第1項第39号の防消火設備又は液化石油ガス保安規則第6条第1項第31号の防消火設備のうち防火設備をいう。以下この項及び次項において同じ。）

(2)　自動車等の洗浄を行う設備、自動車等の点検・整備を行う設備、混合燃料油調合器、尿素水溶液供給機及び急速充電設備の位置、構造又は設備の基準は、それぞれ次のとおりとすること。

　イ　自動車等の洗浄を行う設備　第25条の5第2項第1号に定める基準

　ロ　自動車等の点検・整備を行う設備　第25条の5第2項第2号に定める基準

　ハ　混合燃料油調合器　第25条の5第2項第3号に定める基準

　ニ　尿素水溶液供給機　第25条の5第2項第4号に定める基準

　ホ　急速充電設備　第25条の5第2項第5号に定める基準

(3)　圧縮天然ガス等充塡設備設置給油取扱所に設ける自動車等の洗浄を行う設備、自動車等の点検・整備を行う設備、混合燃料油調合器、尿素水溶液供給機及び急速充電設備に収納する危険物の数量の総和は、指定数量未満とすること。

(4)　圧縮天然ガススタンドの圧縮機、貯蔵設備、ディスペンサー及びガス配管の位置、構造又は設備の基準は、当該設備に係る法令の規定によるほか、それぞれ次のとおりとすること。

　イ　圧縮機

　　(1)　位置は、給油空地及び注油空地（以下この条及び第27条の5において「給油空地等」という。）以外の場所であること。

　　(2)　ガスの吐出圧力が最大常用圧力を超えて上昇するおそれのあるものにあっては、吐出圧力が最大常用圧力を超えて上昇した場合に圧縮機の運転を自動的に停止させる装置を設けること。

　　(3)　吐出側直近部分の配管に逆止弁を設けること。

　　(4)　自動車等の衝突を防止するための措置を講ずること。

　ロ　貯蔵設備

(1) 位置は、イ(1)の圧縮機の位置の例によるほか、(2)に定めるところによること。

(2) 専用タンクの注入口及び第25条第2号に掲げるタンクの注入口から8メートル以上の距離を保つこと。ただし、地盤面下に設置される場合又はこれらの注入口の周囲で発生した火災の熱の影響を受けないための措置が講じられている場合にあっては、この限りでない。

ハ　ディスペンサー

(1) 位置は、イ(1)の圧縮機の位置の例によるほか、給油空地等においてガスの充填を行うことができない場所であること。

(2) 充填ホースは、自動車等のガスの充填口と正常に接続されていない場合にガスが供給されない構造とし、かつ、著しい引張力が加わった場合に当該充填ホースの破断によるガスの漏れを防止する措置が講じられたものであること。

(3) 自動車等の衝突を防止するための措置を講ずること。

ニ　ガス配管

(1) 位置は、イ(1)の圧縮機の位置の例によるほか、(2)に定めるところによること。

(2) 自動車等が衝突するおそれのない場所に設置すること。ただし、自動車等の衝突を防止するための措置を講じた場合は、この限りでない。

(3) 漏れたガスが滞留するおそれのある場所に設置する場合には、接続部を溶接とすること。ただし、当該接続部の周囲にガスの漏れを検知することができる設備を設けた場合は、この限りでない。

(4) ガス導管から圧縮機へのガスの供給及び貯蔵設備からディスペンサーへのガスの供給を緊急に停止することができる装置を設けること。この場合において、当該装置の起動装置は、火災その他の災害に際し、速やかに操作することができる箇所に設けること。

(5) 液化石油ガススタンドの受入設備、圧縮機、貯蔵設備、充填用ポンプ機器、ディスペンサー及びガス配管の位置、構造又は設備の基準は、当該設備に係る法令の規定によるほか、圧縮機、貯蔵設備、ディスペンサー及びガス配管にあってはそれぞれ前号イ((3)を除く。)、ロ、ハ又はニ((4)中ガス導管から圧縮機へのガスの供給に係る部分を除く。)の規定の例によることとし、受入設備及び充填用ポンプ機器にあってはそれぞれ次のとおりとすること。

イ　受入設備

(1) 位置は、前号イ(1)の圧縮機の位置の例によるほか、給油空地等においてガスの受入れを行うことができない場所であること。

(2) 自動車等の衝突を防止するための措置を講ずること。

ロ　充填用ポンプ機器

(1) 位置は、前号イ(1)の圧縮機の位置の例によること。

(2) ガスの吐出圧力が最大常用圧力を超えて上昇することを防止するための措置を講ずること。

(3) 自動車等の衝突を防止するための措置を講ずること。

(6)　防火設備の位置、構造又は設備の基準は、当該設備に係る法令の規定によるほか、そのポンプ機器にあっては、次のとおりとすること。

イ　位置は、第4号イ(1)の圧縮機の位置の例によること。

ロ　起動装置は、火災その他の災害に際し、速やかに操作することができる箇所に設けること。

7　第3項から前項までに定めるもののほか、圧縮天然ガス等充塡設備設置給油取扱所の特例は、この項及び次項のとおりとする。

(1)　防火設備から放出された水が、給油空地等、令第17条第1項第20号に規定するポンプ室等並びに専用タンクの注入口及び第25条第2号に掲げるタンクの注入口付近に達することを防止するための措置を講ずること。

(2)　簡易タンク又は専用タンクの注入口若しくは第25条第2号に掲げるタンクの注入口から漏れた危険物が、前項第4号から第6号までに掲げる設備が設置されている部分（地盤面下の部分を除く。）に達することを防止するための措置を講ずること。

(3)　固定給油設備（懸垂式のものを除く。）、固定注油設備（懸垂式のものを除く。）及び簡易タンクには、自動車等の衝突を防止するための措置を講ずること。

(4)　簡易タンクを設ける場合には、圧縮天然ガススタンド又は液化石油ガススタンドのガス設備から火災が発生した場合に当該タンクへの延焼を防止するための措置を講ずること。

8　第6項第4号ハ(1)及びニ(1)の規定にかかわらず、次に掲げる措置のすべてを講じた場合又は給油空地が軽油のみを取り扱う固定給油設備のうちホース機器の周囲に保有する空地である場合は、圧縮天然ガススタンドのディスペンサー及びガス配管を給油空地（固定給油設備（懸垂式のものを除く。）のうちホース機器の周囲に保有する空地に限る。以下この項、第27条の5第7項並びに第28条の2の7第4項及び第5項において同じ。）に設置することができる。

(1)　固定給油設備（ホース機器の周囲に保有する給油空地に圧縮天然ガススタンドのディスペンサー及びガス配管を設置するものに限る。以下この項並びに第28条の2の7第4項及び第5項において同じ。）の構造及び設備は、次によること。

イ　給油ホース（ガソリン、メタノール等又はエタノール等を取り扱うものに限る。以下この号及び第27条の5第7項第1号において同じ。）の先端部に手動開閉装置を備えた給油ノズルを設けること。

ロ　手動開閉装置を開放状態で固定する装置を備えた給油ノズル（ガソリン、メタノール等又はエタノール等を取り扱うものに限る。以下この号及び第27条の5第7項第1号において同じ。）を設ける固定給油設備は、次によること。

(1)　給油ノズルは、自動車等の燃料タンク給油口から脱落した場合に給油を自動的に停止する構造のものとすること。

(2)　第25条の2第2号ハの規定にかかわらず、給油ホースは、著しい引張力が加わったときに安全に分離するとともに、分離した部分からの危険

物の漏えいを防止することができる構造のものとすること。

ハ　給油ノズルは、自動車等の燃料タンクが満量となったときに給油を自動的に停止する構造のものとすること。

ニ　1回の連続したガソリン、メタノール等又はエタノール等の給油量が一定の数量を超えた場合に給油を自動的に停止する構造のものとすること。

ホ　固定給油設備には、当該固定給油設備（ホース機器と分離して設置されるポンプ機器を有する固定給油設備にあっては、ホース機器。以下この号及び第27条の5第7項第1号において同じ。）が転倒した場合において当該固定給油設備の配管及びこれに接続する配管からのガソリン、メタノール等又はエタノール等の漏えいの拡散を防止するための措置を講ずること。

(2)　固定給油設備又は給油中の自動車等から漏れたガソリン、メタノール等又はエタノール等が、当該給油空地内の圧縮天然ガスを充塡するために自動車等が停車する場所、圧縮天然ガススタンドのディスペンサー及びガス配管が設置されている部分に達することを防止するための措置を講ずること。

(3)　火災その他の災害に際し速やかに操作することができる箇所に、給油取扱所内の全ての固定給油設備及び固定注油設備のホース機器への危険物の供給を一斉に停止するための装置を設けること。

（圧縮天然ガス等充塡設備設置屋内給油取扱所の基準の特例）

第27条の4　圧縮天然ガス等充塡設備設置給油取扱所に係る令第17条第3項の規定による同条第2項に掲げる基準の特例は、前条第3項及び第6項から第8項までの規定の例によるほか、この条の定めるところによる。

2　圧縮天然ガス等充塡設備設置給油取扱所については、令第17条第2項においてその例によるものとされる同条第1項第16号及び第22号並びに同条第2項第7号及び第9号ただし書の規定は、適用しない。

3　建築物の屋内給油取扱所の用に供する部分の窓及び出入口（自動車等の出入口で前条第3項第1号、第3号及び第4号の用途に供する部分に設けるものを除く。）には、防火設備を設けなければならない。

4　令第17条第2項第1号の建築物は、建築物の屋内給油取扱所の用に供する部分の上部に上階を有しないものでなければならない。

(留意事項) (1)　圧縮天然ガススタンド、液化石油ガススタンド及び防火設備

ア　圧縮天然ガススタンドとは、一般高圧ガス保安規則（昭和41年通商産業省令第53号）第2条第1項第23号の圧縮天然ガススタンドをいい、天然ガスを調整してできた都市ガスを供給する導管に接続された圧縮機、貯蔵設備、ディスペンサー及びガス配管等から構成される。

図4-1 **圧縮天然ガススタンドの概要図**

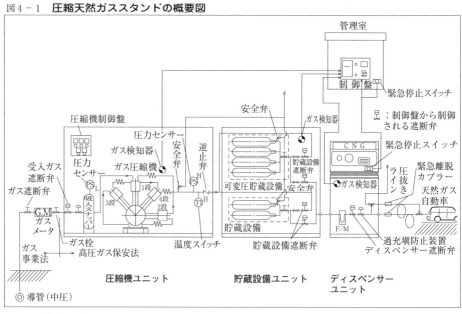

イ 液化石油ガススタンドとは、液化石油ガス保安規則（昭和41年通商産業省令第52号）第2条第1項第20号の液化石油ガススタンドをいい、受入設備、圧縮機、貯蔵設備、充填用ポンプ機器、ディスペンサー及びガス配管等から構成される。

図4-2 **液化石油ガススタンドの概要図**

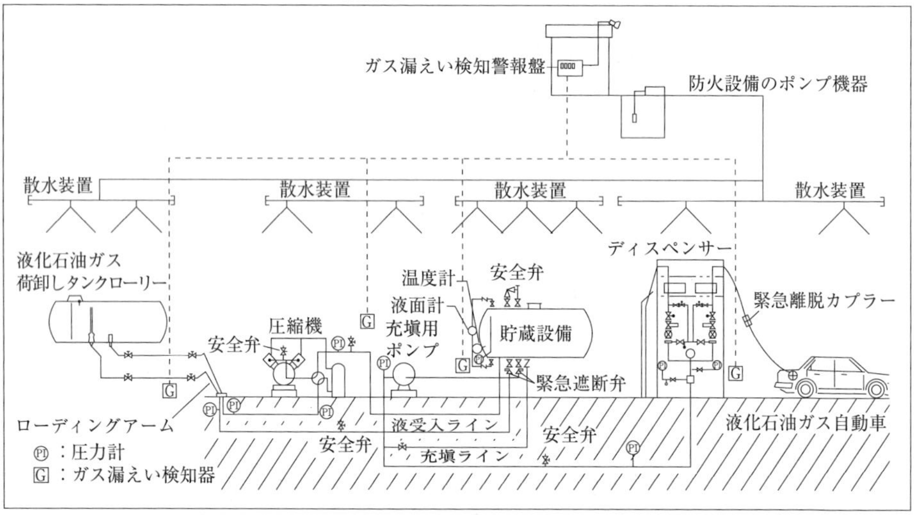

ウ 防火設備（一般高圧ガス保安規則第6条第1項第39号の防消火設備又は液化石油ガス保安規則第6条第1項第31号の防消火設備のうち防火設備をいう。(3)ア及びウを除き、以下同じ。）とは、火災の予防及び火災による類焼を防止するための設備であって、次のものをいう。

(7) 圧縮天然ガススタンド（一般高圧ガス保安規則第7条第1項に適合するものに限る。）を設けた施設にあっては、当該圧縮天然ガススタンドの貯蔵設備に設けられ、又は当該圧縮天然ガススタンドのディスペンサー若しくはその近傍に設けられる散水装置等及び防火用水供給設備

(イ)　液化石油ガススタンドを設けた施設にあっては、当該液化石油ガススタンドの貯蔵設備に設けられ、当該液化石油ガススタンドの受入設備若しくはその近傍に設けられ、又は当該液化石油ガススタンドのディスペンサー若しくはその近傍に設けられる散水装置等及び防火用水供給設備

(2)　圧縮天然ガススタンド、液化石油ガススタンド及び防火設備の位置、構造及び設備に関する運用基準は、次のとおりである。

圧縮天然ガススタンド及びその防火設備については、一般高圧ガス保安規則第7条の規定に、液化石油ガススタンド及びその防火設備については、液化石油ガス保安規則第8条の規定によるほか、危規則第27条の3第6項各号に定める基準に適合すること及び次の事項に留意すること。

ア　圧縮天然ガススタンド関係

(ア)　圧縮機

a　ガスの吐出圧力が最大常用圧力を超えて上昇した場合に圧縮機の運転を自動的に停止させる装置とは、圧縮機の圧力を圧力センサーにより検知し、電動機の電源を切ることにより、当該圧縮機の運転を停止させる異常高圧防止装置をいうこと。ただし、圧力が最大常用圧力を超えて上昇するおそれのないものにあってはこの限りでない。

b　圧縮機の吐出側直近部分の配管には、逆止弁を設けることとされているが、貯蔵設備側から圧縮機へのガスの逆流を防止できる位置である場合には、逆止弁を貯蔵設備の受入側直近部分のガス配管に設けても差し支えない。

c　自動車等の衝突を防止するための措置とは、圧縮機を鋼板製ケーシングに収める方法、圧縮機の周囲に防護柵又はポール等を設置する方法がある。

(イ)　貯蔵設備

貯蔵設備は、専用タンクの注入口及び危規則第25条第2号に掲げるタンクの注入口（以下「専用タンク等の注入口」という。）から8m以上の距離を保つこと。ただし、地盤面下又は次のa若しくはbに適合する場所に設置される場合にあってはこの限りでない。

a　専用タンク等の注入口に面する側に防熱板が設けられている場所等、専用タンク等の注入口の周囲で発生した危険物の火災の際に生ずる熱が遮られる場所

b　専用タンク等の注入口との間に設けられた排水溝から、3m以上離れた場所。なお、当該排水溝は、荷卸し時等に専用タンク等の注入口付近で漏えいした危険物が、排水溝を越えて貯蔵設備側に流出することのないよう十分な流下能力を有するものであること。

(ウ)　ディスペンサー

a　ディスペンサーの位置は、給油空地及び注油空地（以下「給油空地等」という。）以外の場所とするほか、充塡ホースを最も伸ばした状態においてもガスの充塡を受ける自動車等が給油空地等に入らない等、自動車等が給油空地等においてガスの充塡を受けることができない場所とすること。ただし、危規則第27条の3第8項の規定による場合は給油空地に設けることができ

る。

b ディスペンサーを給油空地に設ける場合、危規則第27条の3第6項第6号イの規定により、防火設備の位置は給油空地等以外の場所とすることとされていることから、防火設備を設置することを要しないディスペンサーとすることが必要となること。

c 可燃性蒸気が滞留するおそれのある場所に設ける場合は、圧縮天然ガスに加え可燃性蒸気に対して防爆性能を有する構造のものであること。

d 自動車等のガスの充塡口と正常に接続されていない場合にガスが供給されない構造とは、自動車等の充塡口と正常に接続した場合に限り開口する内部弁をいうこと。

e 著しい引張力が加わった場合に当該充塡ホースの破断によるガスの漏れを防止する措置とは、自動車等の誤発進等により著しい引張力が加わった場合に離脱し、遮断弁がはたらく緊急離脱カプラーをいうこと。

f 自動車等の衝突を防止するための措置とは、ディスペンサーの周囲に防護柵又はポール等を設置する方法がある。

(エ) ガス配管

a ガス配管の位置は、給油空地等以外の場所とすること。ただし、危規則第27条の3第8項の規定による場合は給油空地に設けることができる。

b 自動車等が衝突するおそれのない場所に設置する例として、次のような方法がある。

(a) ガス配管をキャノピーの上部等に設置する方法

(b) ガス配管を地下に埋設する方法

(c) ガス配管をトレンチ内に設置する方法

c 自動車等の衝突を防止するための措置とは、ガス配管の周囲に防護柵又はポール等を設ける方法がある。

d 漏れたガスが滞留するおそれのある場所の例として、ガスが有効に排出されないトレンチ内部がある。

e 危規則第27条の3第6項第4号ニ(3)ただし書に規定する配管の接続部の周囲に設けるガスの漏れを検知することができる設備とは、当該ガスの爆発下限界における4分の1以下の濃度で漏れたガスを検知し、警報を発するものをいう。また、当該設備は漏れたガスに対して防爆性能を有する構造のものとするほか、可燃性蒸気が滞留するおそれのある場所に設ける場合は、可燃性蒸気に対して防爆性能を有する構造のものであること。

f ガス導管から圧縮機へのガスの供給及び貯蔵設備からディスペンサーへのガスの供給を緊急に停止することができる装置とは、遮断弁及び遮断操作部をいう。遮断弁は、圧縮機へ供給されるガスを受け入れるための配管及び貯蔵設備からガスを送り出すための配管に設けること。また、遮断操作部は、事務所及び火災その他の災害に際し速やかに操作することができる箇所に設けること。

図4-3　**圧縮天然ガス充塡設備設置給油取扱所の設置例**

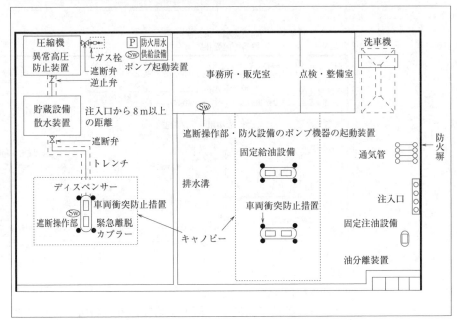

イ　液化石油ガススタンド関係

　　圧縮機、貯蔵設備、ディスペンサー及びガス配管についてはア（ア）（bを除く。）、（イ）、（ウ）（aただし書及びbを除く。）、（エ）（aただし書及びfのガス導管から圧縮機へのガスの供給に係る部分を除く。）の事項に留意するほか、受入設備及び充塡用ポンプ機器については以下の事項に留意すること。

（ア）受入設備

　　a　ローディングアーム、受入ホース等の受入設備の位置は、給油空地等以外の場所とするほか、当該受入設備に接続される液化石油ガスの荷卸し等を行う車両が給油空地等に入ることのない場所に設けること。

　　b　自動車等の衝突を防止するための措置とは、受入設備の周囲に防護柵又はポール等を設置する方法がある。

（イ）充塡用ポンプ機器

　　a　液化石油ガスの吐出圧力が最大常用圧力を超えて上昇することを防止するための措置としては、次のようなものがある。

　　(a)　容積型ポンプにあっては、ポンプの吐出圧力が最大常用圧力を超えた場合に、自動的に吐出液の一部を貯蔵設備に戻すことにより、圧力を最大常用圧力以下とする措置

　　(b)　遠心型ポンプにあっては、ポンプ吸入側で気体が吸入された場合にポンプを自動的に停止させる措置のほか、圧力が最大常用圧力を超えて上昇するおそれのあるものにあっては、自動的に吐出液の一部をポンプ吸入側に戻すこと等により圧力を最大常用圧力以下とする措置

　　b　自動車等の衝突を防止するための措置とは、充塡用ポンプ機器の周囲に防護柵又はポール等を設置する方法がある。

図4－4　**液化石油ガス充填設備設置給油取扱所の設置例**

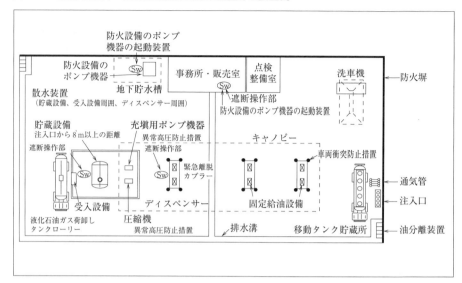

ウ　防火設備関係

(ｱ)　防火設備の位置は、給油空地等以外の場所とすること。

(ｲ)　防火設備のポンプ機器の起動装置は、ポンプ付近に設けるほか、火災その他の災害に際し速やかに操作することができる箇所に設けること。

(3)　地下室その他の地下に貯蔵設備等を設置する圧縮天然ガススタンドの位置、構造、及び設備の運用基準は、次によること。

　　地下室その他の地下に圧縮天然ガススタンドの貯蔵設備等を設置する場合は、(2)アの該当事項を満足するほか、次の事項に留意すること。

ア　地下室

(ｱ)　地下室には地上に通ずる階段を設けるとともに、当該階段の地上部分（以下「地上部分」という。）は、固定給油設備及び固定注油設備からそれぞれ給油ホース又は注油ホースの長さに1mを加えた距離以上離し（地上部分を高さ2m以上の不燃材料で造られた壁で区画する場合を除く。）、通気管の先端部から水平に4m以上の距離を有すること。ただし、次のa又はbのいずれかの措置を講じた場合にあっては、通気管に対する距離を1.5m以上とすることができる。

　a　地上部分の屋根、壁等を不燃材料で造り、階段の出入口に随時開けることのできる自動閉鎖の防火設備（危政令第9条第1項第7号の防火設備をいう。以下ア及びウにおいて同じ。）を設けることにより、内部に可燃性蒸気が流入するおそれのない構造とする場合。なお、当該地上部分の壁に開口部を設ける場合にあっては、網入りガラスのはめごろし戸に限り認められるものである。

　b　地上部分が開放された構造で、次の要件を満足する場合

　　(a)　地上部分に高さ60cm以上の不燃性の壁を設け、当該地上部分の出入口には随時開けることのできる自動閉鎖の防火設備を設けること。

　　(b)　地下室に通ずる階段の最下部に可燃性蒸気を有効に検知できるように検知設備（以下「可燃性蒸気検知設備」という。）を設けるとともに、当該

設備と連動して作動する換気装置を設けること。

(イ) 地上部分は、専用タンク等の注入口より2m以上離して設けること。ただし、当該地上に係る部分が、高さ2m以上の不燃性の壁により専用タンク等の注入口と区画されている場合にあっては、この限りでない。

(ウ) 地上部分は、給油空地等、専用タンク等の注入口及び簡易タンクと排水溝等により区画すること。

(エ) 地下室又は階段の出入口には随時開けることのできる自動閉鎖の防火設備を設けること。

(オ) 地下室には出入口及び吸排気口以外の開口部を設けないこと。

(カ) 階段の地上への出入口には、高さ15cm以上の犬走り又は敷居を設けること。

(キ) 地下室上部にふたを設ける場合は、ふたのすき間等から漏れた危険物その他の液体が浸透しない構造とすること。

(ク) 地下室は、天井部等に漏れたガスが滞留しない構造とすること。

(ケ) 地下室には、点検等が可能な通路等を確保すること。

(コ) 地下室には、常用及び非常用の照明設備を設けること。

イ　換気設備

(ア) 吸気口は、地上2m以上の高さとし、通気管又は吸気口より高い位置にある危険物を取り扱う設備から、水平距離で4m以上離して設けること。ただし、吸気口を通気管又は危険物を取り扱う設備より高い位置に設ける場合は、この限りでない。

(イ) 排気口は、地上5m以上の高さとし、ガスが滞留するおそれのない場所に設けること。

(ウ) 換気設備は、700㎥／hr以上の換気能力を有する常時換気設備とすること。

(エ) 換気設備は、地下室の天井部等にガスが滞留しないように設けること。

ウ　ガス漏えい検知警報設備、可燃性蒸気検知設備等

(ア) 地下室に設置される圧縮天然ガススタンドの設備の周囲に漏れたガスが滞留するおそれのある場所には、爆発下限界の4分の1以下の濃度でガスの漏えいを検知し、その濃度を表示するとともに警報を発する設備（以下「ガス漏えい検知警報設備」という。）を、有効にガス漏れを検知することができるように設けること。また、ガス漏れを検知した場合に、設備を緊急停止することができる措置を講ずること。

(イ) 地下室に通ずる階段には、可燃性蒸気が滞留するおそれのある最下部に、可燃性蒸気を有効に検知できるように可燃性蒸気検知設備を設けること。ただし、階段の出入口に、随時開けることのできる自動閉鎖の防火設備を設けること等により、階段に可燃性蒸気が滞留するおそれのない場合にあっては、この限りでない。

(ウ) ガス漏れや可燃性蒸気の滞留が発生した場合、ガス漏えい検知警報設備及び可燃性蒸気検知設備により、地下室内に警報する措置を講ずること。

(エ) 地下室には熱感知器及び地区音響装置を設けるとともに、事務所等へ受信機を設けること。

エ　その他

(ｱ)　地下室内には、室外から操作することのできる防消火設備を設けること。

(ｲ)　ガス漏えい検知警報設備、可燃性蒸気検知設備、換気設備、防火設備及び地下室内設置非常用照明設備には、停電時等に当該設備を30分以上稼働することができる非常用電源を設けること。

(ｳ)　危政令第17条第3項で準用する同条第2項に定める屋内給油取扱所に設ける場合にあっては、危政令第17条第2項第10号の規定に抵触しない構造とすること。

(4)　その他の位置、構造及び設備に関する運用基準

ア　防火設備から放出された水が、給油空地等、ポンプ室等及び専用タンク等の注入口付近に達することを防止するための措置とは、給油空地等、ポンプ室等及び専用タンク等の注入口付近と散水される範囲との間に排水溝を設置すること等をいう。なお、排水溝は、散水装置等の設置状況及び水量を考慮して、排水能力（幅、深さ、勾配等）が十分なものとする。

イ　簡易タンク又は専用タンク等の注入口から漏れた危険物が、受入設備、圧縮機、貯蔵設備、充填用ポンプ機器、ディスペンサー、ガス配管及び防火設備（地盤面下に設置されたものを除く。）に達することを防止するための措置は、簡易タンク及び専用タンク等の注入口と圧縮天然ガススタンド、液化石油ガススタンド及び防火設備との間に排水溝を設置すること等をいう。なお、排水溝は、散水装置等の設置状況及び水量を考慮して、排水能力（幅、深さ、勾配等）が十分なものとする。

ウ　固定給油設備（懸垂式のものを除く。）、固定注油設備（懸垂式のものを除く。）及び簡易タンクに講ずる自動車等の衝突を防止するための措置とは、これらの設備の周囲に防護柵又はポール等を設置する方法がある。

エ　圧縮天然ガススタンド及び液化石油ガススタンドのガス設備（ガスが通る部分）で火災が発生した場合に、その熱の影響が簡易タンクへ及ぶおそれのある場合に講ずる措置としては、簡易タンクと圧縮天然ガススタンド及び液化石油ガススタンドのガス設備との間に防熱板等を設置する方法がある。

(5)　圧縮天然ガススタンドのディスペンサー及びガス配管を給油空地に設置する場合

ア　要件

下記(ｱ)又は(ｲ)のいずれかの要件を満たす場合は、危規則第27条の3第6項第4号ハ(1)及びニ(1)の規定にかかわらず、圧縮天然ガススタンドのディスペンサー及びガス配管を給油空地に設置することができる。なお、当該給油空地は、固定給油設備のうちホース機器の周囲に保有する空地をいい、懸垂式の固定給油設備のうちホース機器の下方に保有する空地は含まれない。

(ｱ)　給油空地において、ガソリン、第四類の危険物のうちメタノール若しくはこれを含有するもの又は第四類の危険物のうちエタノール若しくはこれを含有するもの（以下「ガソリン等」という。）を取り扱わず、軽油のみを取り扱う場合

(ｲ)　次のa～cに掲げる措置をすべて講じた場合

a　圧縮天然ガススタンドのディスペンサー及びガス配管を設置した給油空地に設ける固定給油設備の構造及び設備は次によること。

(a)　給油ホース（ガソリン等を取り扱うものに限る。以下同じ。）の先端部に、

　　　手動開閉装置を備えた給油ノズルを設けること。

(b)　手動開閉装置を備えた給油ノズルには、手動開閉装置を開放状態で固定する装置を備えたもの（ラッチオープンノズル）及び手動開閉装置を開放状態で固定できないもの（非ラッチオープンノズル）の二種類があり、手動開閉装置を固定する装置を備えた給油ノズル（ガソリン等を取り扱うものに限る。以下同じ。）にあっては、次の@及び⒝によること。

@　給油ノズルが自動車等の燃料タンク給油口から脱落した場合に給油を自動的に停止する構造のものとすること。構造の具体的な例として、給油ノズルの給油口からの離脱又は落下時の衝撃により、手動開閉装置を開放状態で固定する装置が解除される構造等がある。

⒝　給油ホースは、著しい引張力が加わったときに安全に分離するとともに、分離した部分からのガソリン等の漏えいを防止することができる構造のものとする。構造の具体的な例として、給油ホースの途中に緊急離脱カプラーを設置するものがある。緊急離脱カプラーは、通常の使用時における荷重等では分離しないが、給油ノズルを給油口に差して発進した場合等には安全に分離し、分離した部分の双方を弁により閉止する構造のものである。なお、緊急離脱カプラーを効果的に機能させるためには、固定給油設備が堅固に固定されている必要がある。離脱直前の引張力は、一般に地震時に発生する固定給油設備の慣性力よりも大きいことから、当該慣性力だけではなく当該引張力も考慮して、固定給油設備を固定する必要がある。

(c)　給油ノズルは、自動車等の燃料タンクが満量となったときに給油を自動的に停止する構造のものとする。この場合、給油ノズルの手動開閉装置を開放状態で固定する装置を備えたものにあっては、固定する装置により設定できるすべての吐出量において給油を行った場合に機能するものであること。また、手動開閉装置を開放状態で固定できないものにあっては、15L／min程度以上の吐出量で給油を行った場合に機能するものであること。なお、当該装置が機能した場合には、給油ノズルの手動開閉装置を一旦閉鎖しなければ、再び給油を開始することができない構造であること。

(d)　1回の連続したガソリン等の給油量が一定の数量を超えた場合に給油を自動的に停止する構造のものとする。当該構造は次の@及び⒝によること。

@　危険物保安監督者の特別な操作により設定及び変更が可能であり、その他の者の操作により容易に変更されるものでないこと。

⒝　1回の連続したガソリン等の給油量の上限は、1回当たりの給油量の実態を勘案して設定されたものであること。この場合、設定値は100Lを標準とする。

(e)　固定給油設備（ホース機器と分離して設置されるポンプ機器を有する固定給油設備にあっては、ホース機器）には、当該設備が転倒した場合において当該設備の配管及びこれに接続する配管からのガソリン等の漏えいの拡散を防止するための措置を講ずる。当該措置の例として、立ち上がり配管遮断弁の設置又は逆止弁の設置（ホース機器と分離して設置されるポン

プ機器を有する固定給油設備の場合を除く。）によること。

　　立ち上がり配管遮断弁は、一定の応力を受けた場合に脆弱部がせん断されるとともに、せん断部の双方を弁により遮断することにより、ガソリン等の漏えいを防止する構造のものとし、車両衝突等の応力が脆弱部に的確に伝わるよう、固定給油設備の本体及び基礎部に堅固に取り付ける。

　　逆止弁は、転倒時にも機能する構造のものとし、固定給油設備の配管と地下から立ち上げたフレキシブル配管の間に設置する。

b　固定給油設備又は給油中の自動車等から漏れたガソリン等が、圧縮天然ガスを充塡するために自動車等が停車する場所、圧縮天然ガススタンドのディスペンサー及びガス配管が設置されている部分（以下「圧縮天然ガス充塡場所等」という。）に達することを防止するための措置を講ずる。

　　当該措置の例として、給油空地に傾斜を付けるとともに、当該傾斜に応じ圧縮天然ガス充塡場所等を適切に配置すること等により、ガソリン等の漏えいが想定される範囲と圧縮天然ガス充塡場所等とが重複しないようにする方法がある。この場合、次の事項に留意すること。

(a)　ガソリン等の漏えいが想定される範囲について

　ⓐ　漏えい起点となる範囲

　　固定給油設備又は給油中の自動車等からガソリン等が漏えいする場合、その漏えい起点となる範囲は、給油するために給油ノズルが固定給油設備から自動車等の給油口まで移動する範囲及びガソリン等を給油するために自動車等が停車する場所とする（図4-5参照）。

　ⓑ　漏えい想定範囲

　　ガソリン等の漏えいが想定される範囲は、ⓐの漏えい起点となる範囲から、当該給油空地の形態に応じ、申請者により検証された漏えい想定範囲とするほか、図4-6に示す漏えい想定範囲を参考とすることができる。

(b)　圧縮天然ガス充塡場所等について

　ⓐ　圧縮天然ガスを充塡するために自動車等が停車する場所

　　圧縮天然ガススタンドのディスペンサー付近で、圧縮天然ガスを充塡するために自動車等が停車する場所とする。

　ⓑ　圧縮天然ガススタンドのディスペンサー及びガス配管

　　圧縮天然ガススタンドのディスペンサー及びガス配管が設置されている部分とする。

(c)　その他

　　(a)又は(b)に関する事項について、当該場所の範囲を確認するため、許可申請書の添付書類においてその場所（範囲）を明らかにしておく。また、給油空地の傾斜に応じ圧縮天然ガス充塡場所等やアイランドを適切に配置した例を図4-7、図4-8に示す。

c　火災その他の災害に際し速やかに操作することができる箇所に、給油取扱所内のすべての固定給油設備及び固定注油設備のホース機器への危険物の供給を一斉に停止するための装置（緊急停止スイッチ）を設ける。火災その他

の災害に際し速やかに操作することができる箇所とは、給油空地等に所在する従業員等においても速やかに操作することができる箇所をいうものであり、給油取扱所の事務所の給油空地に面する外壁等が想定されるものである。
イ　その他
　圧縮天然ガススタンドのディスペンサー及びガス配管を給油空地に設置することに併せて必要最小限の圧縮天然ガス用のPOS用カードリーダー等の設備を給油空地に設ける場合は、給油又は圧縮天然ガスの充塡に支障がないと認められる範囲に限り設けて差し支えない。ただし、可燃性蒸気が滞留するおそれのある場所に設ける場合は、可燃性蒸気に対して防爆性能を有する構造のものであること。

図4-5　**漏えい起点となる範囲**

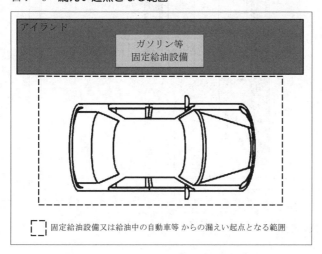

図4-6　**検証に基づく漏えい想定範囲**

条件（給油ノズルの吐出量：50L/min　傾斜の勾配：1／100〜1／75）

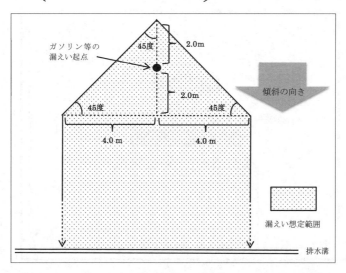

図4 - 7　**具体例1**

条件 $\begin{pmatrix} 給油ノズルの吐出量：50\mathrm{L}/\mathrm{min} \\ 傾斜の勾配：1／100～1／75 \end{pmatrix}$

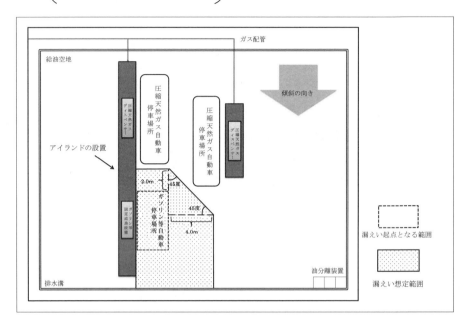

図4 - 8　**具体例2**

条件 $\begin{pmatrix} 給油ノズルの吐出量：50\mathrm{L}/\mathrm{min} \\ 傾斜の勾配：1／100～1／75 \end{pmatrix}$

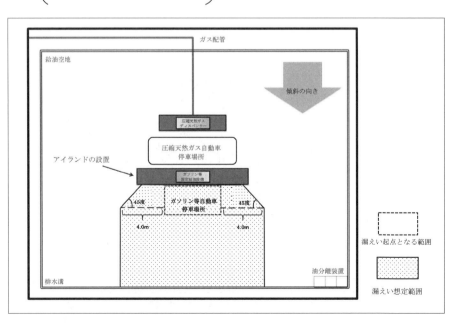

5 圧縮水素充塡設備設置給油取扱所

　　　　圧縮水素充塡設備設置給油取扱所とは、電気を動力源とする自動車等に水素を充塡するための設備を設ける給油取扱所である。圧縮水素は、高圧ガス保安法（昭和26年法律第204号）により規制され、消防法上の危険物ではないが、災害発生の危険性を有する圧縮水素を取り扱う設備を設ける特殊な給油取扱所となるため、危政令第17条第1項及び第2項に掲げる基準の特例として、具体的な基準が危規則第27条の5に定められている。

根拠条文　危規則

> （圧縮水素充塡設備設置給油取扱所の基準の特例）
>
> **第27条の5**　令第17条第3項第5号に掲げる給油取扱所（水素を充塡するための設備は、圧縮水素を充塡するための設備に限る。以下「圧縮水素充塡設備設置給油取扱所」という。）に係る令第17条第3項の規定による同条第1項に掲げる基準の特例は、第27条の3第3項から第5項までの規定の例によるほか、この条の定めるところによる。この場合において、同条第3項及び第4項中「圧縮天然ガス等」とあるのは、「圧縮水素」とする。
>
> 2　圧縮水素充塡設備設置給油取扱所については、令第17条第1項第7号、第8号、第16号から第18号まで及び第22号の規定は、適用しない。
>
> 3　圧縮水素充塡設備設置給油取扱所には、固定給油設備若しくは固定注油設備に接続する専用タンク、危険物から水素を製造するための改質装置に接続する原料タンク又は容量10,000リットル以下の第25条で定めるタンク（以下この条において「専用タンク等」という。）を地盤面下に埋没して設ける場合を除き、危険物を取り扱うタンクを設けてはならない。ただし、都市計画法第8条第1項第5号の防火地域及び準防火地域以外の地域においては、地盤面上に固定給油設備に接続する容量600リットル以下の簡易タンクを、その取り扱う同一品質の危険物ごとに1個ずつ3個まで設けることができる。
>
> 4　前項の専用タンク等又は簡易タンクを設ける場合には、当該専用タンク等又は簡易タンクの位置、構造及び設備は、次によらなければならない。
>
> （1）　専用タンク等の位置、構造及び設備は、令第13条第1項（第5号、第9号（掲示板に係る部分に限る。）、第9号の2及び第12号を除く。）、同条第2項（同項においてその例によるものとされる同条第1項第5号、第9号（掲示板に係る部分に限る。）、第9号の2及び第12号を除く。）又は同条第3項（同項においてその例によるものとされる同条第1項第5号、第9号（掲示板に係る部分に限る。）、第9号の2及び第12号を除く。）に掲げる地下タンク貯蔵所の地下貯蔵タンクの位置、構造及び設備の例によるものであること。
>
> （2）　簡易タンクの構造及び設備は、令第14条第4号及び第6号から第8号までに掲げる簡易タンク貯蔵所の簡易貯蔵タンクの構造及び設備の例によるものであること。
>
> 5　圧縮水素充塡設備設置給油取扱所の業務を行うについて必要な設備は、第1号に掲げるものとし、当該設備は、第27条の3第6項第2号、第3号及び第6

号の規定の例によるほか、第2号及び第3号に定めるところにより設けなければならない。この場合において、第27条の3第6項第3号中「圧縮天然ガス等」とあるのは「圧縮水素」と、同項第6号中「防火設備」とあるのは「第27条の5第5項第1号に規定する防火設備又は温度の上昇を防止するための装置」とする。

(1) 自動車等の洗浄を行う設備、自動車等の点検・整備を行う設備、混合燃料油調合器、尿素水溶液供給機、急速充電設備及び危険物から水素を製造するための改質装置並びに圧縮水素スタンド（一般高圧ガス保安規則第2条第1項第25号の圧縮水素スタンドをいう。以下この項から第7項までにおいて同じ。）及び防火設備（同規則第6条第1項第39号の防消火設備のうち防火設備をいう。次項において同じ。）又は温度の上昇を防止するための装置（同規則第7条の3第2項第15号、第19号及び第20号の温度の上昇を防止するための装置をいう。次項において同じ。）

(2) 危険物から水素を製造するための改質装置の位置、構造及び設備の基準は、令第9条第1項第12号から第16号まで、第18号、第21号及び第22号の規定の例によるほか、次のとおりとすること。

　イ　危険物から水素を製造するための改質装置は、自動車等が衝突するおそれのない屋外に設置すること。

　ロ　改質原料及び水素が漏えいした場合に危険物から水素を製造するための改質装置の運転を自動的に停止させる装置を設けること。

　ハ　ポンプ設備は、改質原料の吐出圧力が最大常用圧力を超えて上昇することを防止するための措置を講ずること。

　ニ　危険物から水素を製造するための改質装置における危険物の取扱量は、指定数量の10倍未満であること。

(3) 圧縮水素スタンドの改質装置（前号に掲げる改質装置を除く。以下この号において同じ。）、液化水素の貯槽、液化水素昇圧ポンプ、送ガス蒸発器、圧縮機、蓄圧器、ディスペンサー、液化水素配管及びガス配管並びに液化水素、圧縮水素及び液化石油ガスの受入設備の位置、構造又は設備の基準は、当該設備に係る法令の規定によるほか、それぞれ次のとおりとすること。

　イ　改質装置の位置、構造及び設備の基準は、前号イからハまでの規定の例によること。

　ロ　液化水素の貯槽には、自動車等の衝突を防止するための措置を講ずること。

　ハ　液化水素昇圧ポンプには、自動車等の衝突を防止するための措置を講ずること。

　ニ　送ガス蒸発器には、自動車等の衝突を防止するための措置を講ずること。

　ホ　圧縮機

　　(1) ガスの吐出圧力が最大常用圧力を超えて上昇するおそれのあるものにあつては、吐出圧力が最大常用圧力を超えて上昇した場合に圧縮機の運転を自動的に停止させる装置を設けること。

　　(2) 吐出側直近部分の配管に逆止弁を設けること。

　　(3) 自動車等の衝突を防止するための措置を講ずること。

　　へ　蓄圧器には、自動車等の衝突を防止するための措置を講ずること。
　　ト　ディスペンサー
　　　(1)　位置は、給油空地等以外の場所であり、かつ、給油空地等において圧縮水素の充塡を行うことができない場所であること。
　　　(2)　充塡ホースは、自動車等のガスの充塡口と正常に接続されていない場合にガスが供給されない構造とし、かつ、著しい引張力が加わった場合に当該充塡ホースの破断によるガスの漏れを防止する措置が講じられたものであること。
　　　(3)　自動車等の衝突を防止するための措置を講ずること。
　　　(4)　自動車等の衝突を検知し、運転を自動的に停止する構造のものとすること。
　　チ　液化水素配管及びガス配管
　　　(1)　位置は、給油空地等以外の場所とするほか、(2)に定めるところによること。
　　　(2)　自動車等が衝突するおそれのない場所に設置すること。ただし、自動車等の衝突を防止するための措置を講じた場合は、この限りでない。
　　　(3)　液化水素配管又はガス配管から火災が発生した場合に給油空地等及び専用タンク等の注入口への延焼を防止するための措置を講ずること。
　　　(4)　漏れたガスが滞留するおそれのある場所に設置する場合には、接続部を溶接とすること。ただし、当該接続部の周囲にガスの漏れを検知することができる設備を設けた場合は、この限りでない。
　　　(5)　蓄圧器からディスペンサーへのガスの供給を緊急に停止することができる装置を設けること。この場合において、当該装置の起動装置は、火災その他の災害に際し、速やかに操作することができる箇所に設けること。
　　リ　液化水素、圧縮水素及び液化石油ガスの受入設備
　　　(1)　位置は、給油空地等以外の場所であり、かつ、給油空地等において液化水素又はガスの受入れを行うことができない場所であること。
　　　(2)　自動車等の衝突を防止するための措置を講ずること。
6　第3項から前項までに定めるもののほか、圧縮水素充塡設備設置給油取扱所の特例は、次のとおりとする。
(1)　改質装置、液化水素の貯槽、液化水素昇圧ポンプ、送ガス蒸発器、圧縮機及び蓄圧器と給油空地等、簡易タンク及び専用タンク等の注入口との間に障壁を設けること。
(2)　防火設備又は温度の上昇を防止するための装置から放出された水が、給油空地等、令第17条第1項第20号に規定するポンプ室等及び専用タンク等の注入口付近に達することを防止するための措置を講ずること。
(3)　固定給油設備、固定注油設備、簡易タンク又は専用タンク等の注入口から漏れた危険物が、ディスペンサーに達することを防止するための措置を講ずること。
(4)　固定給油設備（懸垂式のものを除く。）、固定注油設備（懸垂式のものを除

　　　く。）及び簡易タンクには、自動車等の衝突を防止するための措置を講ずること。

(5)　簡易タンクを設ける場合には、圧縮水素スタンドの設備から火災が発生した場合に当該タンクへの延焼を防止するための措置を講ずること。

(6)　液化水素の貯槽を設ける場合には、固定給油設備又は固定注油設備から火災が発生した場合にその熱が当該貯槽に著しく影響を及ぼすおそれのないようにするための措置を講ずること。

7　第5項第3号ト(1)及びチ(1)の規定にかかわらず、次に掲げる措置の全てを講じた場合又は給油空地が軽油のみを取り扱う固定給油設備のうちホース機器の周囲に保有する空地である場合は、圧縮水素スタンドのディスペンサー及びガス配管を給油空地に設置することができる。

(1)　固定給油設備（ホース機器の周囲に保有する給油空地に圧縮水素スタンドのディスペンサー及びガス配管を設置するものに限る。以下この項において同じ。）の構造及び設備は、次によること。

　　イ　給油ホースの先端部に手動開閉装置を備えた給油ノズルを設けること。

　　ロ　手動開閉装置を開放状態で固定する装置を備えた給油ノズルを設ける固定給油設備は、次によること。

　　　(1)　給油ノズルは、自動車等の燃料タンク給油口から脱落した場合に給油を自動的に停止する構造のものとすること。

　　　(2)　第25条の2第2号ハの規定にかかわらず、給油ホースは、著しい引張力が加わったときに安全に分離するとともに、分離した部分からの危険物の漏えいを防止することができる構造のものとすること。

　　ハ　給油ノズルは、自動車等の燃料タンクが満量となったときに給油を自動的に停止する構造のものとすること。

　　ニ　一回の連続したガソリン、メタノール等又はエタノール等の給油量が一定の数量を超えた場合に給油を自動的に停止する構造のものとすること。

　　ホ　固定給油設備には、当該固定給油設備が転倒した場合において当該固定給油設備の配管及びこれに接続する配管からのガソリン、メタノール等又はエタノール等の漏えいの拡散を防止するための措置を講ずること。

(2)　固定給油設備又は給油中の自動車等から漏れたガソリン、メタノール等又はエタノール等が、当該給油空地内の圧縮水素を充填するために自動車等が停車する場所、圧縮水素スタンドのディスペンサー及びガス配管が設置されている部分に達することを防止するための措置を講ずること。

(3)　火災その他の災害に際し速やかに操作することができる箇所に、給油取扱所内の全ての固定給油設備及び固定注油設備のホース機器への危険物の供給を一斉に停止するための装置を設けること。

【留意事項】　圧縮水素充塡設備設置給油取扱所に係る技術上の基準について、次のとおり運用上の指針が示されている。

○圧縮水素充塡設備設置給油取扱所の技術上の基準に係る運用上の指針について（抜粋）

平成27年6月5日消防危第123号

最終改正　令和3年3月30日消防危第52号

第1　圧縮水素充塡設備設置給油取扱所の位置、構造及び設備の技術上の基準

　1　圧縮水素スタンド、防火設備及び温度の上昇を防止するための装置の定義に関する事項

　　⑴　圧縮水素スタンドとは、一般高圧ガス保安規則（昭和41年通商産業省令第53号）第2条第1項第25号に定める「圧縮水素を燃料として使用する車両に固定した燃料装置用容器に当該圧縮水素を充塡するための処理設備を有する定置式製造設備」をいい、水素を製造するための改質装置、液化水素を貯蔵する液化水素の貯槽、液化水素を直接昇圧する液化水素昇圧ポンプ、液化水素を気化する送ガス蒸発器、水素を圧縮する圧縮機、圧縮水素を貯蔵する蓄圧器、圧縮水素を燃料電池自動車に充塡するディスペンサー、液化水素配管及びガス配管並びに液化水素、圧縮水素及び液化石油ガスを外部から受け入れるための受入設備の一部で構成されている。また、改質装置とは、ナフサなどの危険物のほか、天然ガス、液化石油ガスなどを原料として、これを改質し水素を製造する装置をいう。

　　⑵　防火設備とは、火災の予防及び火災による類焼を防止するための設備であって、蓄圧器に設けられる水噴霧装置、散水装置等をいう。

　　⑶　温度の上昇を防止するための装置とは、蓄圧器及び圧縮水素を供給する移動式製造設備の車両が停止する位置に設けられる水噴霧装置、散水装置等をいう。

　2　圧縮水素スタンドの各設備に係る技術上の基準に関する事項

　　　圧縮水素スタンド（常用の圧力が82MPa以下のものに限る。以下同じ。）を構成する各設備は、一般高圧ガス保安規則第7条の3又は第7条の4の規定によるほか、規則第27条の5第5項第3号に定める基準に適合することとされているが、この場合、次の事項に留意すること。

　　⑴　液化水素の貯蔵

　　　　自動車等（自動車、原動機付自転車その他の当該設備に衝突した場合に甚大な影響を及ぼすおそれのあるものをいう。以下同じ。）の衝突を防止するための措置とは、液化水素の貯槽の周囲に保護柵又はポール等を設ける方法があること。なお、液化水素の貯槽を自動車等が容易に進入できない場所に設置する場合は、当該措置が講じられているものとみなすこと。

　　⑵　液化水素昇圧ポンプ

　　　　自動車等の衝突を防止するための措置とは、液化水素昇圧ポンプの周囲に保護柵又はポール等を設ける必要があること。なお、液化水素昇圧ポンプを自動車等が容易に進入できない場所に設置する場合は、当該措置が講じられているものとみなすこと。

(3) 送ガス蒸発器

　　自動車等の衝突を防止するための措置とは、送ガス蒸発器の周囲に保護柵又はポール等を設ける方法があること。なお、送ガス蒸発器を自動車等が容易に進入できない場所に設置する場合は、当該措置が講じられているものとみなすこと。

(4) 圧縮機

　ア　ガスの吐出圧力が最大常用圧力を超えて上昇した場合に圧縮機の運転を自動的に停止させる装置とは、圧縮機の圧力を圧力センサーにより検知し、電動機の電源を切ることにより、当該圧縮機の運転を停止させる異常高圧防止装置をいうこと。ただし、圧力が最大常用圧力を超えて上昇するおそれのないものにあってはこの限りでない。

　イ　圧縮機の吐出側直近部分の配管には、逆止弁を設けることとされているが、蓄圧器側から圧縮機へのガスの逆流を防止できる位置である場合には、逆止弁を蓄圧器の受入側直近部分のガス配管に設けても差し支えないこと。

　ウ　自動車等の衝突を防止するための措置とは、圧縮機の周囲に保護柵又はポール等を設ける方法があること。なお、圧縮機を自動車等が容易に進入できない場所に設置する場合は、当該措置が講じられているものとみなすこと。

(5) 蓄圧器

　　自動車等の衝突を防止するための措置とは、蓄圧器の周囲に保護柵又はポール等を設ける方法があること。なお、蓄圧器を自動車等が容易に進入できない場所に設置する場合は、当該措置が講じられているものとみなすこと。

(6) ディスペンサー

　ア　自動車等のガスの充塡口と正常に接続されていない場合にガスが供給されない構造とは、自動車等の充塡口と正常に接続した場合に限り開口する内部弁をいうこと。

　イ　著しい引張力が加わった場合に当該充塡ホースの破断によるガスの漏れを防止する措置とは、自動車の誤発進等により著しい引張力が加わった場合に離脱し、遮断弁がはたらく緊急離脱カプラーをいうこと。

　ウ　自動車等の衝突を防止するための措置とは、ディスペンサーの周囲に保護柵又はポール等を設ける方法があること。

　エ　自動車等の衝突を検知する方法とは、衝突センサー等を設ける方法があること。

(7) 液化水素配管及びガス配管

　ア　自動車等が衝突するおそれのない場所に設置する例としては、次のような方法があること。

　　(ア) 液化水素配管及びガス配管をキャノピーの上部等に設置する方法

　　(イ) 液化水素配管及びガス配管を地下に埋設する方法

　　(ウ) 液化水素配管及びガス配管をトレンチ内に設置する方法

　イ　自動車等の衝突を防止するための措置とは、液化水素配管及びガス配管の周囲に防護柵又はポール等を設ける方法があること。

　ウ　液化水素配管又はガス配管から火災が発生した場合に給油空地等及び専用

タンク等の注入口への延焼を防止するための措置とは、液化水素配管又はガス配管が地上部（キャノピー上部を除く。）に露出している場合に液化水素配管及びガス配管の周囲に防熱板を設ける方法があること。

エ　配管の接続部の周囲に設けるガスの漏を検知することができる設備とは、当該ガスの爆発下限界における4分の1以下の濃度で漏れたガスを検知し、警報を発するものをいうこと。また、当該設備は漏れたガスに対して防爆構造を有するほか、ガソリン蒸気等の可燃性蒸気が存在するおそれのある場所に設置される場合にあっては、漏れたガス及び可燃性蒸気に対して防爆構造を有するものであること。

オ　蓄圧器からディスペンサーへのガスの供給を緊急に停止することができる装置とは、遮断弁及び遮断操作部をいうこと。遮断弁は、蓄圧器からガスを送り出すためのガス配管に設けること。また、遮断操作部は、事務所及び火災その他の災害に際し速やかに操作することができる箇所に設けること。

(8)　液化水素、圧縮水素及び液化石油ガスの受入設備

ア　受入設備とは、液化水素、圧縮水素及び液化石油ガスの受入れのために設置される設備であり、例えば液化水素の充塡車両と液化水素の貯槽との接続機器等（受入ホース、緊結金具等）や液化水素の貯槽の充塡口等をいう。

イ　給油空地等において液化水素又はガスの受入れを行うことができない場所とは、給油空地等に液化水素、圧縮水素又は液化石油ガスの充塡車両が停車し、又は受入設備と当該充塡車両の接続機器（注入ホース、緊結金具等）等が給油空地等を通過した状態で受入れを行うことができない場所であること。

ウ　自動車等の衝突を防止するための措置とは、受入設備の周囲に保護柵又はポール等を設ける方法があること。なお、受入設備を自動車等が容易に進入できない場所に設置する場合は、当該措置が講じられているものとみなすこと。

3　その他の技術上の基準に関する事項

上記2のほか、規則第27条の5第6項に規定される技術上の基準に係る運用については、次の事項に留意すること。

(1)　改質装置、液化水素の貯槽、液化水素昇圧ポンプ、送ガス蒸発器、圧縮機及び蓄圧器と給油空地等、簡易タンク及び専用タンク等の注入口との間に設置する障壁は、次のいずれかによるものとすること。なお、液化水素の貯槽については、加圧蒸発器及びバルブ類、充塡口、計測器等の操作部分が障壁の高さよりも低い位置となるように設置すること。

ア　鉄筋コンクリート製

直径9mm以上の鉄筋を縦、横40cm以下の間隔に配筋し、特に隅部の鉄筋を確実に結束した厚さ12cm以上、高さ2m以上のものであって堅固な基礎の上に構築され、予想されるガス爆発の衝撃等に対して十分耐えられる構造のもの。

イ　コンクリートブロック製

　　　　直径9mm以上の鉄筋を縦、横40cm以下の間隔に配筋し、特に隅部の鉄筋を確実に結束し、かつ、ブロックの空洞部にコンクリートモルタルを充填した厚さ15cm以上、高さ2m以上のものであって堅固な基礎の上に構築され、予想されるガス爆発の衝撃等に対し十分耐えられる構造のもの。

　ウ　鋼板製

　　　　厚さ3.2mm以上の鋼板に30×30mm以上の等辺山形鋼を縦、横40cm以下の間隔に溶接で取り付けて補強したもの又は厚さ6mm以上の鋼板を使用し、そのいずれにも1.8m以下の間隔で支柱を設けた高さ2m以上のものであって堅固な基礎の上に構築され、予想されるガス爆発の衝撃等に対して十分耐えられる構造のもの。

⑵　防火設備又は温度の上昇を防止するための装置から放出された水が、給油空地等、ポンプ室等及び専用タンク等の注入口付近に達することを防止するための措置とは、給油空地等、ポンプ室等及び専用タンク等の注入口付近と散水される範囲との間に排水溝を設置すること等をいうこと。なお、排水溝は、散水装置等の設置状況及び水量を考慮して、排水能力（幅、深さ、勾配等）が十分なものとすること。

⑶　固定給油設備、固定注油設備、簡易タンク又は専用タンク等の注入口から漏れた危険物が、ディスペンサーに達することを防止するための措置とは、固定給油設備、固定注油設備、簡易タンク又は専用タンク等とディスペンサーの間に排水溝を設置すること等をいうこと。なお、排水溝は、散水装置等の設置状態及び水量を考慮して、排水能力（幅、深さ、勾配等）が十分なものとすること。

⑷　固定給油設備（懸垂式のものを除く。）、固定注油設備（懸垂式のものを除く。）及び簡易タンクに講ずる自動車等の衝突を防止するための措置とは、これら設備の周囲に保護柵又はポール等を設ける方法があること。

⑸　圧縮水素スタンドの設備から火災が発生した場合に簡易タンクへの延焼を防止するための措置とは、簡易タンクと圧縮水素スタンドの設備の間に防熱板を設ける方法があること。

⑹　固定給油設備又は固定注油設備から火災が発生した場合にその熱が当該貯槽に著しく影響を及ぼすおそれのないようにするための措置とは、固定給油設備又は固定注油設備における火災の輻射熱により、液化水素の貯槽内の圧力が著しく上昇しないようにする措置をいうこと。

　　液化水素の貯槽内の圧力が著しく上昇しないようにする措置としては、障壁により輻射熱を遮る措置や、障壁の設置に加え、障壁又は固定給油設備及び固定注油設備を液化水素の貯槽から離して設ける措置が考えられる。なお、その他の方法により有効に火災の輻射熱による液化水素の貯槽内の圧力の著しい上昇を防止する対策についても今後検討していく必要がある。

　ア　障壁により輻射熱を遮る措置

　　　　固定給油設備及び固定注油設備と液化水素の貯槽との間に、液化水素の貯槽の高さよりも高い障壁を設けること。

　　　　なお、液化水素の貯槽の高さとは、地盤面から貯槽の貯蔵容器の頂点まで

の高さであること。

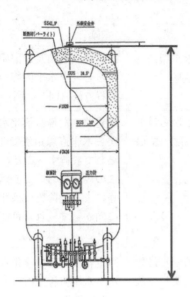

液化水素の貯槽の高さ
〔地盤面から貯槽の貯蔵容器の頂点まで
の高さ〕

図1　液化水素の貯槽の高さ

イ　障壁の設置に加え、障壁又は固定給油設備及び固定注油設備を液化水素の
貯槽から離して設ける措置(障壁の高さが液化水素の貯槽の高さ以下の場合)
　　液化水素の貯槽が、火災時の火炎に30分間以上耐えることができ、かつ、
貯槽の外面の温度が650℃までであれば貯槽内の許容圧力を超えないよう安
全装置の吹き出し量が設計されているもの[注]については、30分以内に貯槽表
面の温度が650℃に達しないことを前提として、例えば、障壁の高さが2m
の場合については、表1に示す措置を講ずること。なお、1の固定給油設備
でガソリンと軽油の両方の油種を給油出来る場合は、両方を満たすよう措置
を講ずること。
注)「一般高圧ガス保安規則の機能性基準の運用について」(20190606保局第3号)「13.
　　圧力計及び許容圧力以下に戻す安全装置」2.2(2)イ(i)参照

表1　高さ2mの障壁における障壁又は固定給油設備及び固定注油設備を液化水素の貯槽から離して
　　　設ける措置

対象設備	油種	最大吐出量	措置	
			障壁から必要な最短水平距離を確保する方法（図2参照）	固定給油設備及び固定注油設備から必要な水平直線距離を確保する方法（図3参照）
固定給油設備	ガソリン	50L/min以下	障壁を液化水素の貯槽から最短水平距離で2.1m以上離して設置すること。	固定給油設備を液化水素の貯槽から水平直線距離で3.9m以上離して設置すること。この場合において、舗装の勾配等により危険物が液化水素貯槽に向かって流れる可能性がないこと。
	軽油	180L/min以下	障壁を液化水素の貯槽から最短水平距離で2.3m以上離して設置すること。	固定給油設備を液化水素の貯槽から水平直線距離で6.0m以上離して設置すること。この場合において、舗装の勾配等により危険物が液化水素貯槽に向かって流れる可能性がないこと。
		90L/min以下	障壁を液化水素の貯槽から最短水平距離で2.3m以上離して設置すること。	固定給油設備を液化水素の貯槽から水平直線距離で5.0m以上離して設置すること。この場合において、舗装の勾配等により危険物が液化水素貯槽に向かって流れる可能性がないこと。
固定注油設備	灯油	180L/min以下	障壁を液化水素の貯槽から最短水平距離で3.0m以上離して設置すること。	固定注油設備を液化水素の貯槽から水平直線距離で6.5m以上離して設置すること。この場合において、舗装の勾配等により危険物が液化水素貯槽に向かって流れる可能性がないこと。
		60L/min以下	障壁を液化水素の貯槽から最短水平距離で2.0m以上離して設置すること。	固定注油設備を液化水素の貯槽から水平直線距離で4.0m以上離して設置すること。この場合において、舗装の勾配等により危険物が液化水素貯槽に向かって流れる可能性がないこと。

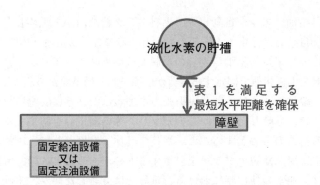

図2　**障壁から必要な最短水平距離を確保する方法**

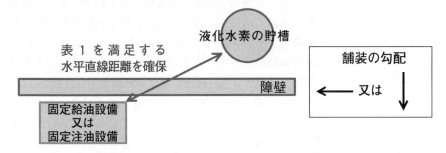

図3　**固定給油設備及び固定注油設備から必要な水平直線距離を確保する方法**

4　圧縮水素スタンドのディスペンサー及びガス配管の給油空地への設置に係る技術上の基準に関する事項

(1)　給油空地において軽油のみを取り扱う場合、及び次に掲げるすべての措置を講じた場合は、規則第27条の5第5項第3号ト(1)及びチ(1)の規定にかかわらず、圧縮水素スタンドのディスペンサー及びガス配管を給油空地に設置することができること。なお、当該給油空地は、固定給油設備のうちホース機器の周囲に保有する空地をいい、懸垂式の固定給油設備のうちホース機器の下方に保有する空地は含まれないこと。

ア　固定給油設備のうち、ホース機器の周囲に保有する給油空地に圧縮水素スタンドのディスペンサー及びガス配管を設置するものの構造及び設備は次によること。

(ア)　給油ホース（ガソリン、第四類の危険物のうちメタノール若しくはこれを含有するもの又は第四類の危険物のうちエタノール若しくはこれを含有するもの（以下「ガソリン等」という。）を取り扱うものに限る。以下同じ。）の先端部に、手動開閉装置を備えた給油ノズルを設けること。

(イ)　手動開閉装置を備えた給油ノズルには、手動開閉装置を開放状態で固定する装置を備えたもの（ラッチオープンノズル）及び手動開閉装置を開放状態で固定できないもの（非ラッチオープンノズル）の2種類があり、手動開閉装置を固定する装置を備えた給油ノズル（ガソリン等を取り扱うものに限る。以下同じ。）を設ける固定給油設備は、次の措置を講ずること。

　　　　a　給油ノズルが自動車等の燃料タンク給油口から脱落した場合に給油
　　　　を自動的に停止する構造のものとすること。構造の具体的な例として、
　　　　給油ノズルの給油口からの離脱又は落下時の衝撃により、手動開閉装
　　　　置を開放状態で固定する装置が解除される構造等があること。
　　　　b　給油ホースは、著しい引張力が加わったときに安全に分離するとと
　　　　もに、分離した部分からのガソリン等の漏えいを防止することができ
　　　　る構造のものとすること。構造の具体的な例として、給油ホースの途
　　　　中に緊急離脱カプラーを設置するものがあること。緊急離脱カプラー
　　　　は、通常の使用時における荷重等では分離しないが、給油ノズルを給
　　　　油口に差して発信した場合等には安全に分離し、分離した部分の双方
　　　　を弁により閉止する構造のものであること。なお、緊急離脱カプラー
　　　　を効果的に機能させるためには、固定給油設備が堅固に固定されてい
　　　　る必要がある。離脱直前の引張力は、一般に地震時に発生する固定給
　　　　油設備の慣性力よりも大きいことから、当該慣性力だけではなく当該
　　　　引張力も考慮して、固定給油設備を固定する必要があること。
　(ｳ)　給油ノズルは、自動車等の燃料タンクが満量となったときに給油を自
　　　動的に停止する構造のものとすること。この場合、手動開閉装置を固定
　　　する装置を備えた給油ノズルにあっては、固定する装置により設定でき
　　　るすべての吐出量において給油を行った場合に機能するものであること。
　　　また、手動開閉装置を開放状態で固定できないものにあっては、15リッ
　　　トル毎分程度以上の吐出量で給油を行った場合に機能するものであるこ
　　　と。なお、当該装置が機能した場合には、給油ノズルの手動開閉装置を
　　　一旦閉鎖しなければ、再び給油を開始することができない構造であるこ
　　　と。
　(ｴ)　1回の連続したガソリン等の給油量が一定の数量を超えた場合に給油
　　　を自動的に停止する構造のものとすること。当該構造は次によること。
　　　　a　危険物保安監督者の特別な操作により設定及び変更が可能であり、
　　　　その他の者の操作により容易に変更されるものでないこと。
　　　　b　1回の連続したガソリン等の給油量の上限は、1回当たりの給油量
　　　　の実態を勘案して設定されたものであること。この場合、設定値は100
　　　　リットルを標準とすること。
　(ｵ)　固定給油設備（ホース機器と分離して設置されるポンプ機器を有する
　　　固定給油設備にあっては、ホース機器。）には、当該設備が転倒した場合
　　　において当該設備の配管及びこれに接続する配管からのガソリン等の漏
　　　えいの拡散を防止するための措置を講ずること。当該措置の例として、
　　　立ち上がり配管遮断弁の設置又は逆止弁の設置（ホース機器と分離して
　　　設置されるポンプ機器を有する固定給油設備の場合を除く。）によること。
　　　　立ち上がり配管遮断弁は、一定の応力を受けた場合に脆弱部がせん断
　　　されるとともに、せん断部の双方を弁により遮断することにより、ガソ
　　　リン等の漏えいを防止する構造のものとし、車両衝突等の応力が脆弱部
　　　に的確に伝わるよう、固定給油設備の本体及び基礎部に堅固に取り付け

ること。

逆止弁は、転倒時にも機能する構造のものとし、固定給油設備の配管と地下から立ち上げたフレキシブル配管の間に設置すること。

イ　固定給油設備又は給油中の自動車等から漏れたガソリン等が、給油空地内の圧縮水素を充塡するために自動車等が停車する場所及び圧縮水素スタンドのディスペンサー及びガス配管が設置されている部分（以下「圧縮水素充塡場所等」という。）に達することを防止するための措置を講ずること。

当該措置の例として、給油空地に傾斜を付けるとともに、当該傾斜に応じ圧縮水素充塡場所等を適切に配置すること等により、ガソリン等の漏えいが想定される範囲と圧縮水素充塡場所等とが重複しないようにする方法がある。

なお、ガソリン等の漏えいが想定される範囲や配置の例については、「圧縮天然ガス等充塡設備設置給油取扱所の技術上の基準に係る運用上の指針について（通知）」（平成10年3月11日付け消防危第22号）第1の5(1)、イ(イ)に掲げる留意事項を参考とすること。

ウ　火災その他の災害に際し速やかに操作することができる箇所に、給油取扱所内のすべての固定給油設備及び固定注油設備のホース機器への危険物の供給を一斉に停止するための装置（緊急停止スイッチ）を設けること。火災その他の災害に際し、速やかに操作することができる箇所とは、給油空地等に所在する従業員等においても速やかに操作することができる箇所をいうものであり、給油取扱所の事務所の給油空地に面する外壁等が想定されるものであること。

(2)　圧縮水素スタンドのディスペンサー及びガス配管を給油空地に設置することに併せて必要最小限の圧縮水素用のＰＯＳ用カードリーダー等の設備を給油空地に設ける場合は、給油又は圧縮水素の充塡に支障がないと認められる範囲に限り設けて差し支えないこと。

この場合、ディスペンサー及びＰＯＳ用カードリーダー等の設備は、漏れたガスに対して防爆構造を有するほか、ガソリン蒸気等の可燃性蒸気が存在するおそれのある場所に設置される場合にあっては、漏れたガス及び可燃性蒸気に対して防爆構造を有するものであること。

第2　留意事項

1　消防法上の設置の許可に係る事項

(1)　圧縮水素充塡設備設置給油取扱所を設置する場合は、消防法（昭和23年法律第186号）第11条第1項の許可の他に高圧ガス保安法（昭和26年法律第204号）第5条又は第14条の許可を受ける必要がある。その場合、高圧ガス保安法の許可後に消防法の許可を行う必要があること。なお、規則第27条の5第5項第3号に掲げる設備が、一般高圧ガス保安規則第7条の3又は第7条の4中の当該設備に係る規定に適合していることの確認は、高圧ガス保安法の許可を受けていることの確認をもって行うこと。

(2)　高圧ガス保安法に係る設備については、他の行政庁等により完成検査（高圧ガス保安法第20条）が行われることを踏まえ、規則第27条の5第5項第3号に

掲げる設備における完成検査（消防法第11条第5項）においては、他の行政庁等による完成検査の結果の確認をもって行うことができるものとすること。

2　予防規程に定めるべき事項

予防規程の中に、圧縮水素等による災害その他の非常の場合にとるべき措置に関する事項を定めるほか、圧縮水素スタンドのディスペンサー及びガス配管を給油空地に設置する場合は、危険物施設の運転又は操作に関することとして、固定給油設備の1回の連続したガソリン等の給油量の上限を設定することについて定めること（規則第60条の2第11号）。

3　その他

圧縮水素スタンドに係る高圧ガス関連設備については、様々な仕様のものが設置される可能性があることから、消防機関等において、固定給油設備から漏えいしたガソリン火災の輻射熱の影響等の検証を行う際には、輻射熱計算シミュレーションツール（URL：https://www.fdma.go.jp/publication/#tool）を活用されたいこと。

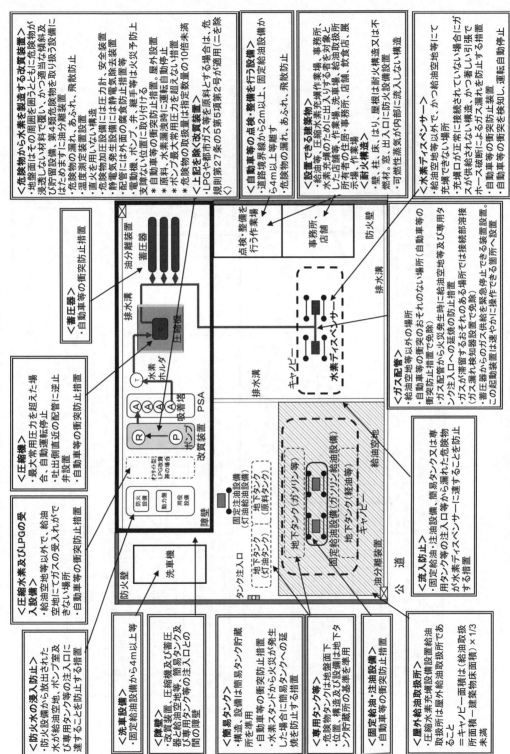

＜危険物から水素を製造する改質装置＞
・地盤面はその周囲を囲うとともに危険物が浸透しない材料で覆い、かつ適当な傾斜及び貯留設備、第4類危険物を取り扱う設備にはためますに油分離装置
・危険物の漏れ、あふれ、飛散防止
・温度測定装置
・直火を用いない構造
・危険物加圧設備には圧力計、安全装置
・危険物発生のおそれのある設備には静電気除去装置等
・静電気発生させる設備には静電気除去装置等
・配管は外面の腐食防止措置
・電動機、ポンプ、弁、継手等は火災予防上支障ない位置。屋外設置
＊自動車等の衝突防止措置
＊ボンベ、水素大常用圧力を超えない措置
＊危険物の取扱量は指定数量の10倍未満
＜上記を除く改質装置＞
・LPGや都市ガス等を原料とする場合は、危規則第27条の5第5項第2号が適用
（）

＜圧縮機＞
・最大常用圧力を超えた場合、自動運転停止
・吐出側直近の配管に逆止弁設置
・自動車等の衝突防止措置

＜蓄圧器＞
・自動車等の衝突防止措置

＜圧縮水素及びLPGの受入設備＞
・給油空地等以外で、給油空地にてガスの受入れが生じさせない場所
・自動車等の衝突防止措置

＜防火水の浸入防止＞
・防火設備から放出された水が給油空地、ボンプ室及び専用タンク等の注入口に達することを防止する措置

＜洗車設備＞
・固定給油設備から4m以上等

＜障壁＞
・改質装置、圧縮機及び蓄圧器と給油空地及び専用タンク、簡易タンクの注入口との間の障壁

＜簡易タンク＞
・構造、設備は簡易タンク貯蔵所に準用
・自動車等の衝突防止措置
・水素スタンドから火災が発生した場合に簡易設備への延焼を防止する措置

＜専用タンク等＞
・危険物の専用タンクは地盤面下
・位置、構造及び設備は地下タンク貯蔵所の基準を準用

＜固定給油・注油設備＞
・自動車等の衝突防止措置

＜屋外給油取扱所＞
・圧縮水素充塡設備設置給油取扱所は屋外給油取扱所であること
＝キャノピー面積は（給油取扱所の建築物床面積＋屋外の貯蔵所面積－建築物床面積）× 1/3 未満

＜自動車等の点検・整備を行う設備＞
・道路境界線から2m以上、固定給油設備から4m以上離す
・危険物の漏れ、あふれ、飛散防止

＜設置できる建築物＞
給油空地、圧縮水素充塡作業場、事務所、水素充塡のために出入りする者を対象とした店舗等、作業場、洗車場、給油取扱所に展示場、作業場、事務所、店舗、飲食店、展示場等

＜耐火構造＞
・壁、柱、床、はり、屋根は耐火構造又は不燃材、窓・出入口に防火設備設置

＜水素ディスペンサー＞
・給油空地等以外で、かつ給油空地にて充塡できない場所
・充塡口が正常に接続されていない場合にガスが漏れない構造、かつ落差によりホース破断によるガス漏れを防止する措置
・自動車等の衝突を検知し、運転自動停止

＜ガス配管＞
・給油空地等以外の場所（自動車等の衝突のおそれのない場所に設置する場合に免除）
・ガス配管からの災害発生時に給油空地等及び専用タンク等への延焼の防止措置
・ガス注入口からの延焼の防止措置
・（ガスが滞留するおそれのある場所では接続部接続口にガス漏れ検知器設置で免除）
・蓄圧器からのガス漏れを緊急停止できる装置設置。この起動装置は速やかに操作できる箇所へ設置

＜流入防止＞
・固定給油・注油設備、簡易タンク又は専用タンク等の注入口から危険物が流出した場合に危険物が水素ディスペンサーに達することを防止する措置

図4　改質装置を設置する圧縮水素充塡設備設置給油取扱所の例

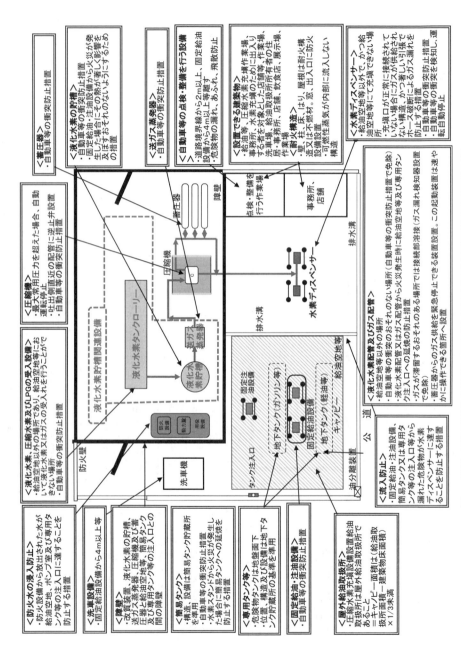

図5　液化水素の貯槽を設置する圧縮水素充填設備設置給油取扱所の例

6 自家用給油取扱所

　　　　自家用給油取扱所とは、当該給油取扱所の所有者、管理者又は占有者が所有し、管理し、又は占有する自動車又は原動機付自転車に給油するものをいい、特定の者及び特定の自動車等のみが出入りし、給油を受けるものである。なお、組合により管理運営されるものも考えられる。

根拠条文　危規則

（自家用給油取扱所の基準の特例）

第28条　令第17条第 3 項第 6 号の総務省令で定める自家用の給油取扱所は、専ら給油設備によつて給油取扱所の所有者、管理者又は占有者が所有し、管理し、又は占有する自動車等（以下この条において「所有者等の自動車等」という。）の燃料タンクに直接給油するため危険物を取り扱う取扱所及び給油設備によつて給油取扱所の所有者等の自動車等に直接給油するため危険物を取り扱うほか、次に掲げる作業を行う取扱所とする。

　⑴　給油設備からガソリンを当該給油取扱所の所有者、管理者若しくは占有者が所有し、管理し、若しくは占有する容器（次号において「所有者等の容器」という。）に詰め替え、又は軽油を当該給油取扱所の所有者、管理者若しくは占有者が所有し、管理し、若しくは占有する車両に固定された容量4,000リットル以下のタンク（容量2,000リットルを超えるタンクにあつては、その内部を2,000リットル以下ごとに仕切つたものに限る。次号において「所有者等のタンク」という。）に注入する作業

　⑵　固定した注油設備から灯油若しくは軽油を当該給油取扱所の所有者等の容器に詰め替え、又は当該給油取扱所の所有者等のタンクに注入する作業

2　前項の給油取扱所に係る令第17条第 3 項の規定による同条第 1 項及び第 2 項に掲げる基準の特例は、次項から第 5 項までに定めるところによる。

3　第 1 項の給油取扱所（次項及び第 5 項に定めるものを除く。）については、令第17条第 1 項第 2 号（間口及び奥行の長さに係る部分に限る。）及び同項第 7 号ただし書（簡易タンクを設けることができる地域に関する制限に係る部分に限る。）並びに第24条の14第 1 号の規定は、適用しない。

4　第 1 項の給油取扱所（圧縮天然ガス等を充てんするための設備を設けるものに限る。）は、屋内給油取扱所以外の給油取扱所にあつては第27条の 3 、屋内給油取扱所にあつては第27条の 4 の規定に適合しなければならない。

5　第 1 項の給油取扱所（電気を動力源とする自動車等に水素を充てんするための設備を設けるものに限る。）は、屋内給油取扱所以外の給油取扱所であつて、かつ、第27条の 5 の規定に適合しなければならない。

留意事項　⑴　危規則第28条の自家用給油取扱所の基準の特例は、自動車用の給油取扱所に適用されるものであり、自動車用以外の航空機給油取扱所、船舶給油取扱所又は鉄道給油取扱所については、営業用と自家用とに基準上の違いがない。

　　　　⑵　自家用給油取扱所は給油空地の間口及び奥行の長さに係る制限がないが、給油する自動車等の一部又は全部がはみ出たままで給油することのない広さを確保するこ

とが必要である。

(3) 自家用給油取扱所における自動車等の出入りする側は、給油取扱所の敷地から4m以上建築物が離れており、かつ、実際に自動車等の出入りが可能な側として運用されている。

(4) 自家用給油取扱所には、自動車等の暖房用として自動車に設けられた灯油タンクに給油するための灯油の専用タンクを設けることができる。

(5) キー式の固定給油設備の設置は、自家用給油取扱所にのみ認められている。

(6) 自家用給油取扱所に圧縮天然ガス等充塡設備を設置する場合は、屋外給油取扱所にあっては危規則第27条の3の規定に、屋内給油取扱所にあっては危規則第27条の4の規定にそれぞれ適合しなければならない。

(7) 自家用給油取扱所に圧縮水素充塡設備を設置する場合は、屋内給油取扱所以外の給油取扱所とし、危規則第27条の5に適合しなければならない。

図6-1 **自家用給油取扱所の例**

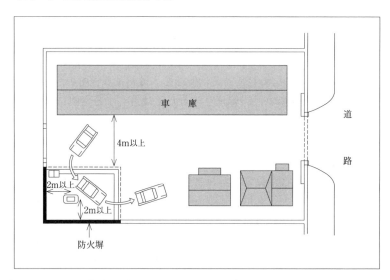

○ **工事現場等の屋外自家用給油取扱所**

　　ダム工事現場、大規模な土地造成場、土砂採取場等（以下「工事現場等」という。）において給油設備を備えたタンク車両又は屋外タンクを専用タンクとして、工事現場等で使用する重機車両等に給油する取扱所については、当該場所が火災予防上支障がなく、かつ、次の各号に適合するときは、工事現場等の特殊性にかんがみ、危政令第17条第1項（第6号を除く。）の規定は適用しないこととして運用されている。

(1) 取り扱う危険物は、軽油又は潤滑油であること。

(2) 給油取扱所の周囲（作業車の出入口を除く。）は、柵等により明確に区画する。

(3) 給油取扱所には、第4類の危険物の火災に適応する第4種及び第5種の消火設備をそれぞれ1個設ける。

(4) 自動車の給油に必要な空地は、自家用給油取扱所の例による。

(5) 給油のための装置は、漏れるおそれがない等火災予防上安全な構造とするとともに先端に弁を設けた給油ホース及び給油ホースの先端に蓄積される静電気を有効に

　　　除去する装置を設ける。

(6)　給油設備を備えた車両は、次による。

　ア　給油設備を備えた車両は、道路運送車両法（昭和26年法律第185号）第11条に定める自動車登録番号標を有しないものであること。

　イ　給油設備は、車両のシャシフレームに堅固に固定されていること。

　ウ　危険物を収納するタンクの構造及び設備は、危政令第15条に定める移動タンク貯蔵所の構造及び設備の基準に適合すること。ただし、潤滑油を収納する専用タンクにあっては、厚さ3.2mm以上の鋼板で気密に造り、かつ、当該タンクの外面は、さび止めのための塗装をすれば足りる。

　エ　潤滑油を収納するタンクの配管の先端には、弁を設けること。

　オ　給油のための装置のエンジン（以下「エンジン」という。）及びエンジンの排気筒は、危険物を収納するタンクとの間に0.5m以上の間隔を保つこと。

　カ　エンジンの排気筒には、引火を防止するための装置を設けること。

　キ　給油設備を備えた車両は、作業車の出入りに支障のない場所に固定し、かつ、接地すること。

(7)　屋外タンクは次によること。

　ア　タンク容量は、20,000L以下であること。

　イ　タンクの位置、構造及び設備は、危政令第11条に規定する屋外タンク貯蔵所の基準の例によること。

図6-2　**工事現場等の屋外自家用給油取扱所の例**

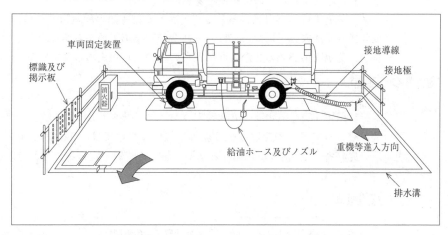

○　**特殊な屋外貯蔵タンクに接続する給油取扱所**

　　自家用給油取扱所に専用タンクを設けず、当該自家用給油取扱所の敷地外に特殊な屋外タンク貯蔵所を設け、当該屋外タンク貯蔵所の屋外貯蔵タンクを固定給油設備と接続する自家用給油取扱所については、平成27年4月24日消防危第91号を参照すること。

図6−3　**特殊な屋外貯蔵タンクに接続する給油取扱所**

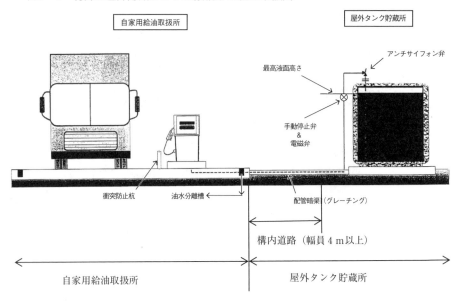

7 メタノール等の給油取扱所

　　メタノール等の給油取扱所とは、第4類の危険物のうちメタノール若しくはエタノール又はこれらを含有するもの（以下「メタノール等」という。）を自動車燃料タンクに直接給油するための取扱所である。

　　メタノール自動車用燃料として使用される第4類の危険物のうち、メタノール等を取り扱う給油取扱所については、危政令第17条第1項から第3項までの基準に対する特例（危規則第28条の2から同第28条の2の3）が定められている。

根拠条文　危政令

> **第17条第4項**　第4類の危険物のうちメタノール若しくはエタノール又はこれらを含有するものを取り扱う給油取扱所については、当該危険物の性質に応じ、総務省令で、前3項に掲げる基準を超える特例を定めることができる。

危規則

> **（メタノール等及びエタノール等の屋外給油取扱所の特例）**
> **第28条の2**　メタノール等を取り扱う給油取扱所に係る令第17条第4項の規定による同条第1項に掲げる基準を超える特例は、次のとおりとする。
> 　⑴　削除
> 　⑵　メタノールを取り扱う専用タンクを設ける場合には、当該専用タンクの位置、構造及び設備は、次によること。
> 　　イ　令第17条第1項第8号イにおいてその例によるものとされる令第13条第1項第13号の規定にかかわらず、専用タンク又はその周囲には、当該専用タンクからのメタノールの漏れを検知することができる装置を設けること。ただし、専用タンクに同条第2項第1号イ又はロに掲げる措置を講じたものにあつては、この限りでない。

ロ　専用タンクの注入口には、弁及び危険物の過剰な注入を自動的に防止する設備を設けること。

ハ　専用タンクの注入口の周囲には、排水溝、切替弁及び漏れた危険物を収容する容量4立方メートル以上の設備を設けること。

ニ　令第17条第1項第8号イにおいてその例によるものとされる令第13条第3項の規定は、適用しないこと。

(3)　第4類の危険物のうちメタノールを含有するものを取り扱う専用タンクを設ける場合には、当該専用タンクの位置、構造及び設備は、前号ハ及びニに適合するものであること。

(4)　メタノールを取り扱う簡易タンクを設ける場合には、当該簡易タンクの注入口に弁を設けること。

2　エタノールを取り扱う給油取扱所に係る令第17条第4項の規定による同条第1項に掲げる基準を超える特例は、前項(第3号を除く。)の例による。

3　第4類の危険物のうちエタノールを含有するものを取り扱う給油取扱所に係る令第17条第4項の規定による同条第1項に掲げる基準を超える特例は、次のとおりとする。

(1)　第4類の危険物のうちエタノールを含有するものを取り扱う専用タンクの注入口の周囲には、排水溝、切替弁及び漏れた危険物を収容する容量4立方メートル以上の設備を設けること。ただし、専用タンクの注入口から当該危険物が漏れた場合において危険物が給油空地及び注油空地以外の部分に流出するおそれのない場合にあつては、この限りではない。

(2)　第23条の3第2号に規定する設備のうち、専用タンクの周囲に4箇所以上設ける管により液体の危険物の漏れを検知する設備を設けるものにあつては、当該設備により当該専用タンクから漏れた危険物を検知することが困難な場合には、令第17条第1項第8号イにおいてその例によるものとされる令第13条第3項の規定は、適用しない。

(メタノール等及びエタノール等の屋内給油取扱所の特例)

第28条の2の2　メタノール等を取り扱う給油取扱所に係る令第17条第4項の規定による同条第2項に掲げる基準を超える特例は、次のとおりとする。

(1)　削除

(2)　メタノールを取り扱う専用タンクを設ける場合には、当該専用タンクの位置、構造及び設備は、前条第2号ハの規定の例によるほか、次によること。

イ　令第17条第2項第2号においてその例によるものとされる令第13条第1項第13号の規定にかかわらず、専用タンク又はその周囲には、当該専用タンクからのメタノールの漏れを検知することができる装置を設けること。ただし、専用タンクに同条第2項第1号イ又はロに掲げる措置を講じたものにあつては、この限りでない。

ロ　専用タンクの注入口には、弁を設けること。

ハ　令第17条第2項第2号においてその例によるものとされる令第13条第3項の規定は、適用しないこと。

(3)　第4類の危険物のうちメタノールを含有するものを取り扱う専用タンクを設ける場合には、当該専用タンクの位置、構造及び設備は、前条第2号ハ及び前号ハに適合するものであること。

2　エタノールを取り扱う給油取扱所に係る令第17条第4項の規定による同条第

2項に掲げる基準を超える特例は、前項（第3号を除く。）の例による。

3　第4類の危険物のうちエタノールを含有するものを取り扱う給油取扱所に係る令第17条第4項の規定による同条第2項に掲げる基準を超える特例は、次のとおりとする。

(1)　第4類の危険物のうちエタノールを含有するものを取り扱う専用タンクの注入口の周囲には、排水溝、切替弁及び漏れた危険物を収容する容量4立方メートル以上の設備を設けること。ただし、専用タンクの注入口から当該危険物が漏れた場合において危険物が給油空地及び注油空地以外の部分に流出するおそれのない場合にあつては、この限りではない。

(2)　第23条の3第2号に規定する設備のうち、専用タンクの周囲に4箇所以上設ける管により液体の危険物の漏れを検知する設備を設けるものにあつては、当該設備により当該専用タンクから漏れた危険物を検知することが困難な場合には、令第17条第1項第8号イにおいてその例によるものとされる令第13条第3項の規定は、適用しない。

（メタノール等及びエタノール等の圧縮天然ガス等充てん設備設置給油取扱所等の基準の特例）

第28条の2の3　メタノール等又はエタノール等を取り扱う給油取扱所（圧縮天然ガス等充てん設備設置給油取扱所、圧縮水素充てん設備設置給油取扱所及び第28条第1項の自家用の給油取扱所に限る。）に係る令第17条第4項の規定による同条第3項に掲げる基準を超える特例は、この条の定めるところによる。

2　前項の給油取扱所（次項に定めるものを除く。）のうち、メタノール等を取り扱うものにあつては第28条の2第1項の規定に、エタノールを取り扱うものにあつては同条第2項の規定に、第4類の危険物のうちエタノールを含有するものを取り扱うものにあつては同条第3項の規定に、それぞれ適合しなければならない。

3　第1項の給油取扱所（屋内給油取扱所に該当するものに限る。）のうち、メタノール等を取り扱うものにあつては前条第1項の規定に、エタノールを取り扱うものにあつては同条第2項の規定に、第4類の危険物のうちエタノールを含有するものを取り扱うものにあつては同条第3項の規定に、それぞれ適合しなければならない。

留意事項　(1)　メタノール等の燃料

ア　危政令第17条第4項に規定する「メタノール」とはメタノール100%（M100）を、「エタノール」とはエタノール100%（E100）をいい、「これらを含有するもの」にはメタノール85%と特殊なガソリン成分15%の混合物（M85）、エタノールを3%を含むガソリン（以下「E3」という。）、エタノールを10%含むガソリン（以下「E10」という。）のほか、メタノール又はエタノールが含まれる他の自動車用燃料が該当するものである。

イ　第4類の危険物のうちメタノールを含有するものには、メタノール自動車の燃料として用いられるもののみでなく、メタノール自動車以外の自動車等の燃料として用いられるものも含まれるものである。

その例として、第1石油類（非水溶性）に該当するガソリン車用のガソリン代替メタノール含有燃料（HEC21）（第1石油類（非水溶性）50%、メタノール50%）がある。

(2)　当該基準が適用される給油取扱所は、メタノール等を取り扱う次の給油取扱所である。

　ア　ガソリン、軽油等を取り扱う給油取扱所にメタノール等を取り扱う給油施設を併設する給油取扱所

　イ　メタノール等のみを取り扱う給油取扱所

(3)　専用タンク

　ア　メタノール等を取り扱う地下貯蔵タンクは、タンク室又は二重殻タンク構造によることとし、危険物の漏れ防止構造は認められないものである。

　イ　メタノール等を取り扱う専用タンクには、危険物の量を自動的に表示する装置を設けることとし、計量口を設けることはできないものである。

　ウ　地下に設ける専用タンクは、メタノール等と灯油が混合するのを防止する必要から、灯油と同一の中仕切りタンクに貯蔵しないことが望ましい。

(4)　給油空地等の収容設備等

　ア　排水溝、切替弁、貯留設備（油分離装置、ためます等）の接続は、次のとおりとする。

　　(ｱ)　(ｲ)以外の給油取扱所（給油空地及び注油空地（以下「給油空地等」という。）の周囲に排水溝、切替弁、貯留設備（油分離装置、ためます等）を設ける給油取扱所）

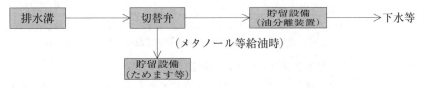

　　(ｲ)　メタノール等のみを取り扱う給油取扱所

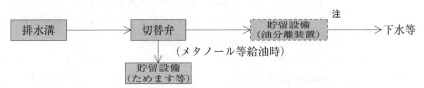

　　　　注　当該給油取扱所においても、メタノール等の給油以外の危険物の取扱いがある場合（オイル交換等）があるため、油分離装置に接続することが望ましい。

　イ　切替弁は、次のとおりとする。

　　(ｱ)　流れ方向が表示されるものであること。

　　(ｲ)　操作しやすい位置に設けられたピット内に設置すること。

　ウ　油分離装置

　　「第1章　第1節　**6** 危険物の滞留及び流出防止措置」（メタノール等のみを取り扱う給油取扱所に設ける油分離装置については、収容能力計算を除く。）によるものとする。

　エ　ためます等

　　(ｱ)　ためますのほか、地盤面下に埋設された鋼製又はFRPのタンク等があるが、いずれも危告示第4条の51に規定する数量以上のメタノール等が収容できる容量を有するものとする。

　　　（イ）ためますには、開閉可能なふたを設けること。

　オ　給油空地のうちメタノール等を取り扱う固定給油設備のホース機器の部分と、給油空地のうちメタノール等以外の危険物を取り扱う固定給油設備のホース機器の周囲の部分及び注油空地（以下「その他の給油空地等」という。）とにそれぞれ専用の排水溝を設ける場合には、メタノール等を取り扱う固定給油設備のホース機器の周囲の部分に設ける専用の排水溝には、切替弁及び収容設備を設け、その他の給油空地等の周囲に設ける専用の排水溝には、油分離装置のみを設けることとして差し支えない。この場合において、固定給油設備及び固定注油設備のホース機器は、それぞれの存する給油空地のうちメタノール等を取り扱う固定給油設備のホース機器の周囲の部分、又はその他の給油空地等に設けられた専用の排水溝（メタノール等を取り扱う固定給油設備のホース機器と、メタノール等以外の危険物を取り扱う固定給油設備又は固定注油設備のホース機器との間に存する部分に限る。）との間に次の距離を保たなければならない。

表 7 － 1

最大給油ホース全長又は最大注油ホース全長	距　離
3 m 以下	4 m 以上
3 m を超え 4 m 以下	5 m 以上
4 m を超え 5 m 以下	6 m 以上

　　注　最大給油ホース全長及び最大注油ホース全長とは、それぞれ危政令
　　　第17条第 1 項第12号イ及び第13号ロに定めるものであること。

(5)　専用タンクの注入口の周囲の収容設備等

　ア　注入口の周囲の排水溝は、メタノール等の専用タンクの注入口のみの周囲に設ける。ただし、当該排水溝に油分離装置を接続する場合にあっては、メタノール等の専用タンクの注入口及びメタノール等以外の危険物の専用タンクの注入口の周囲に排水溝を設けて差し支えない。

　イ　注入口の周囲の排水溝は、移動タンク貯蔵所からのメタノール等の注入時に、当該注入口又は移動タンク貯蔵所の注入ホース若しくは吐出口からメタノール等が漏れた場合、漏れたメタノール等を収容できるように設ける。

　ウ　排水溝、切替弁及び 4 ㎥以上の収容設備等の接続は、次のとおりとする。

　　（ア）メタノール等の専用タンクの注入口のみの周囲に排水溝を設ける場合

(ｲ)　メタノール等の専用タンクの注入口及びメタノール等以外の専用タンクの注入口の周囲に排水溝を設ける場合

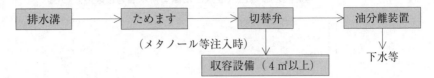

注　ためますは努めて設けることが望ましい。

(ｳ)　切替弁は、次のとおりとする。

a　流れ方向が表示されるものであること。

b　操作しやすい位置に設けられたピット内に設置すること。

(ｴ)　収容設備は、次のとおりとする。

a　地盤面下に埋設された鋼製又はFRP製のタンク等とすること。

b　通気管及び収容設備内の危険物等をくみ上げるためのマンホールその他の設備を設けること。

(ｵ)　危政令第17条第2項第11号の上部に上階を有する屋内給油取扱所においては、危規則第25条の10第2号の設備を排水溝、貯留設備（油分離装置、ためます等）とみなすことができる。

(ｶ)　収容設備等の兼用

注入口の周囲に設ける排水溝、切替弁及び容量4㎡以上の収容設備は、前(4)の給油空地等の周囲に設ける排水溝、切替弁、貯留設備（油分離装置、ためます等）と兼ねることができる。

○　**排水溝、切替弁、油分離装置及び収容設備の接続例**（図7-1～図7-4）

図7-1　**給油空地等の周囲に排水溝等を設ける場合（注入口に係る排水溝と兼用）の例**

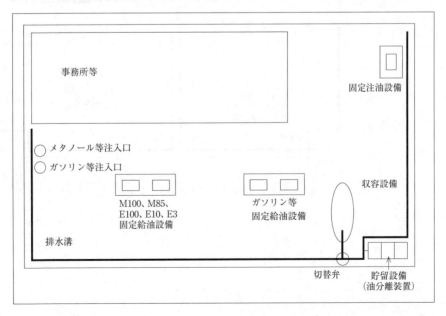

図7-2　メタノール等の給油空地とガソリン等の給油空地等の周囲にそれぞれ排水溝等を設ける場合（注入口に係る排水溝等と兼用）の例

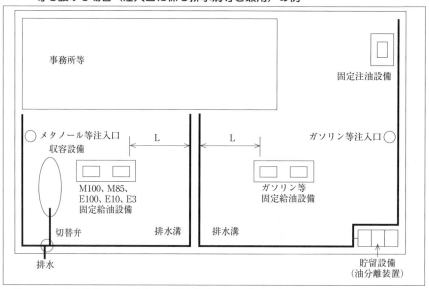

注　Lは、最大給油ホース全長又は最大注油ホース全長に応じた距離とすること

図7-3　メタノール等の給油空地とガソリン等の給油空地等の周囲にそれぞれ排水溝等を設ける場合（注入口に係る排水溝等を別に設置）の例

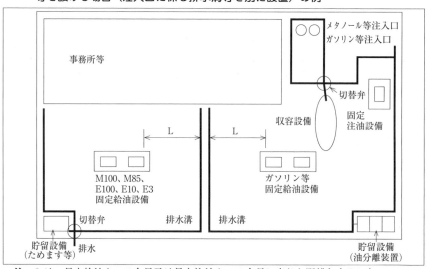

注　Lは、最大給油ホース全長又は最大注油ホース全長に応じた距離とすること。

図7-4　**メタノール等の給油空地とガソリン等の給油空地等の周囲にそれぞれ排水溝等を設ける場合（注入口に係る収容設備を兼用）の例**

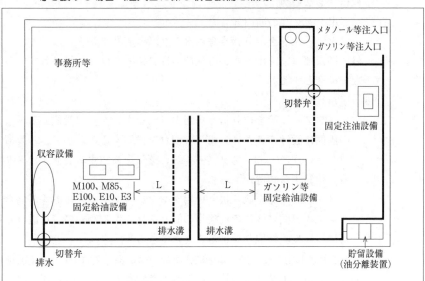

注　Lは、最大給油ホース全長又は最大注油ホース全長に応じた距離とすること。

図7-5　**ガソリン等とメタノール等又はエタノール等を取り扱う給油取扱所の設置例**

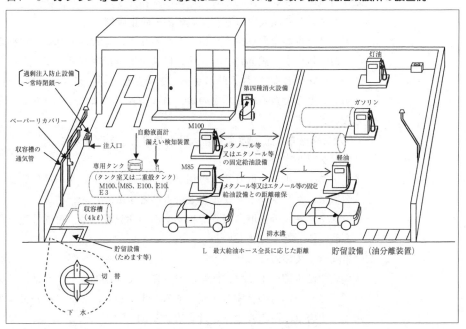

(6)　危規則第28条の2第3項第1号のただし書きに規定する「専用タンクの注入口からエタノールを含有するものが漏れた場合において危険物が給油空地及び注油空地以外の部分に流出するおそれのない場合」とは、専用タンクの注入口からエタノールを含有するものが4,000L漏れた場合において、当該危険物に含まれるエタノール量を当該給油取扱所に設置される油分離装置の収容量で除した値が0.6未満となる場合である（例えば、E10を取り扱う給油取扱所に設置される油分離装置の収容量が1,200Lの場合、4,000Lの当該危険物に含まれるエタノール量400Lを油分離装

置の収容量1,200Lで除した値は約0.3（＜0.6）となることから、収容設備等の設置は要しない。）。

(7) 専用タンク等の開口部

　　メタノール等を取り扱う専用タンク又は簡易タンクに設ける注入口及び通気管以外の開口部（マンホール、点検口等）にあっては、施錠されている等通常開放できない構造とする。

(8) 検知装置

　ア　メタノール等を取り扱う専用タンクをタンク室に設置する場合に、専用タンクの周囲に設けるメタノール等の漏れを検知することができる装置（以下「検知装置」という。）には、メタノール等の蒸気を検知する装置又はメタノール等の水溶液を検知する装置がある。

　イ　メタノール等を取り扱う専用タンクをタンク室に設置する場合であって、専用タンクの周囲に液体の危険物の漏れを検知するための管を設ける場合には、当該管に検知装置を取り付けることができる。

(9) E3及びE10を取り扱う給油取扱所は、危規則第28条の2第3項第2号及び第28条の2の2第3項第2号の規定（危規則第23条の3第2号に規定する設備のうち、専用タンクの周囲に4箇所以上設ける管により液体の危険物の漏れを検知する設備により当該専用タンクから漏れた危険物を検知することが困難な場合）に該当しない。

(10) 専用タンクの注入口の弁及び過剰注入防止設備

　　メタノール等を取り扱う専用タンクの注入口に設けられる危険物の過剰な注入を自動的に防止する設備により、注入口にホースが緊結されていないときに当該注入口が閉鎖状態となり、注入時にホースを結合した場合に開放状態（スタンバイ状態）とすることのできる構造のものは、当該注入口には弁を設けないこととして差し支えない。

　　「第1章　第2節　**5** 過剰注入防止装置」を参照すること。

(11) 専用タンク等の通気管

　ア　メタノール等を取り扱う専用タンク又は簡易タンクの通気管に設ける引火防止装置は、クリンプトメタル方式のものとすること。

　イ　メタノール等を取り扱う専用タンクの通気管には、可燃性蒸気を回収する設備を設けることが望ましい。

(12) 給油ホース等の材質

　　固定給油設備のポンプ、配管、パッキン及び給油ホース等は、メタノール等に対して侵されないものとする必要がある。すなわち、メタノール又はエタノールを使用する場合は、耐アルコール性を有するEPゴム、ブチルゴム、クロロプレンゴム、ハイパロンゴム等が適しており、メタノールを含有するものを使用する場合には、耐アルコール性及び耐油性を有するニトリルゴム、フッ素ゴム、ハイパロンゴム等が適している。

　　なお、金属では、鉛、亜鉛、アルミニウム等は腐食され、ゴム類ではシリコンゴム、ネオプレンゴム等は膨潤劣化するので、使用することはできない。

(13) メタノール等を取り扱う給油取扱所に第4種の消火設備（大型消火器）を設ける場合には、水溶性液体用泡消火薬剤を用いた消火器とすることが望ましい。

(14)　E 3 及び E 10 を取り扱う給油取扱所に泡を放射する消火器を設置する場合、当該消火器の泡消火薬剤は、耐アルコール型のものとする。

(15)　E 10 を取り扱う給油取扱所に設置する第 3 種の固定式の泡消火設備にたん白泡消火薬剤を用いる場合にあっては、耐アルコール型のものとする。

(16)　メタノール又はエタノールを取り扱う給油取扱所には、メタノール又はエタノールの火炎が確認しにくいことから、炎感知器を有する自動火災警報設備を設置することが望ましい。

(17)　メタノール等の給油取扱所に圧縮天然ガス等充塡設備を設置する場合は、屋外給油取扱所にあっては危規則第28条の 2 の規定に、屋内給油取扱所にあっては危規則第28条の 2 の 2 の規定にそれぞれ適合しなければならない。

8 セルフ給油取扱所

　　顧客に自ら給油等をさせる給油取扱所（以下「セルフ給油取扱所」という。）とは、顧客に自ら自動車若しくは原動機付自転車に給油させ、又は灯油若しくは軽油を容器に詰め替えさせることができる給油取扱所とされたものである。なお、自動二輪車は自動車に含まれる。また、当該給油取扱所では、顧客にガソリンを容器に詰め替えさせること及び灯油又は軽油を移動タンク貯蔵所に注入させることはできない。

　　セルフ給油取扱所については、危政令第17条第 1 項から第 4 項までに掲げる基準（屋外給油取扱所、屋内給油取扱所、圧縮天然ガス等充塡設備設置給油取扱所、圧縮水素充塡設備設置給油取扱所、自家用給油取扱所及びエタノール等の給油取扱所に限る。）を「超える」特例が危規則第28条の 2 の 5 から第28条の 2 の 8 までに定められている。

根拠条文　**危政令**

> **第17条第 5 項**　顧客に自ら自動車等に給油させ、又は灯油若しくは軽油を容器に詰め替えさせる給油取扱所として総務省令で定めるもの（第27条第 6 項第 1 号及び第 1 号の 3 において「顧客に自ら給油等をさせる給油取扱所」という。）については、総務省令で、前各項に掲げる基準を超える特例を定めることができる。

危規則

> （顧客に自ら給油等をさせる給油取扱所）
> **第28条の 2 の 4**　令第17条第 5 項の総務省令で定める給油取扱所は、顧客に自ら自動車若しくは原動機付自転車に給油させ、又は灯油若しくは軽油を容器に詰め替えさせることができる給油取扱所とする。
> （顧客に自ら給油等をさせる屋外給油取扱所の特例）
> **第28条の 2 の 5**　前条の給油取扱所に係る令第17条第 5 項の規定による同条第 1 項に掲げる基準を超える特例は、次のとおりとする。
> (1)　顧客に給油等をさせる給油取扱所には、当該給油取扱所へ進入する際見や

すい箇所に顧客が自ら給油等を行うことができる給油取扱所である旨を表示すること。

(2)　顧客に自ら自動車等に給油させるための固定給油設備（以下「顧客用固定給油設備」という。）の構造及び設備は、次によること。

　イ　給油ホースの先端部に手動開閉装置を備えた給油ノズルを設けること。

　ロ　手動開閉装置を開放状態で固定する装置を備えた給油ノズルを設ける顧客用固定給油設備は、次によること。

　　(1)　給油作業を開始しようとする場合において、給油ノズルの手動開閉装置が開放状態であるときは、当該手動開閉装置を一旦閉鎖しなければ給油を開始することができない構造のものとすること。

　　(2)　給油ノズルが自動車等の燃料タンク給油口から脱落した場合に給油を自動的に停止する構造のものとすること。

　　(3)　引火点が40度未満の危険物を取り扱うホース機器にあっては、自動車等の燃料タンクに給油するときに放出される可燃性の蒸気を回収する装置を設けること。

　ハ　引火点が40度未満の危険物を取り扱う給油ノズルは、給油時に人体に蓄積された静電気を有効に除去することができる構造のものとすること。ただし、ロ(3)に規定する可燃性の蒸気を回収する装置を設けた顧客用固定給油設備については、この限りでない。

　ニ　給油ノズルは、自動車等の燃料タンクが満量となったときに給油を自動的に停止する構造のものとするとともに、自動車等の燃料タンク給油口から危険物が噴出した場合において顧客に危険物が飛散しないための措置を講ずること。

　ホ　第25条の2第2号ハの規定にかかわらず、給油ホースは、著しい引張力が加わったときに安全に分離するとともに、分離した部分からの危険物の漏えいを防止することができる構造のものとすること。

　ヘ　ガソリン及び軽油相互の誤給油を有効に防止することができる構造のものとすること。

　ト　1回の連続した給油量及び給油時間の上限をあらかじめ設定できる構造のものとすること。

　チ　地震時にホース機器への危険物の供給を自動的に停止する構造のものとすること。

(3)　顧客に自ら灯油又は軽油を容器に詰め替えさせるための固定注油設備（以下「顧客用固定注油設備」という。）の構造及び設備は、次によること。

　イ　注油ホースの先端部に開放状態で固定できない手動開閉装置を備えた注油ノズルを設けること。

　ロ　注油ノズルは、容器が満量となったときに危険物の注入を自動的に停止する構造のものとすること。

　ハ　1回の連続した注油量及び注油時間の上限をあらかじめ設定できる構造のものとすること。

　ニ　地震時にホース機器への危険物の供給を自動的に停止する構造のものと

すること。

(4)　固定給油設備及び固定注油設備並びに簡易タンクには、次に定める措置を講ずること。ただし、顧客の運転する自動車等が衝突するおそれのない場所に当該固定給油設備若しくは固定注油設備又は簡易タンクが設置される場合にあっては、この限りでない。

　イ　固定給油設備及び固定注油設備並びに簡易タンクには、自動車等の衝突を防止するための措置を講ずること。

　ロ　固定給油設備及び固定注油設備には、当該固定給油設備又は固定注油設備（ホース機器と分離して設置されるポンプ機器を有する固定給油設備及び固定注油設備にあっては、ホース機器。以下この号において同じ。）が転倒した場合において当該固定給油設備又は固定注油設備の配管及びこれらに接続する配管からの危険物の漏えいの拡散を防止するための措置を講ずること。

(5)　固定給油設備及び固定注油設備並びにその周辺には、次に定めるところにより必要な事項を表示すること。

　イ　顧客用固定給油設備及び顧客用固定注油設備には、それぞれ顧客が自ら自動車等に給油することができる固定給油設備又は顧客が自ら危険物を容器に詰め替えることができる固定注油設備である旨を見やすい箇所に表示するとともに、その周囲の地盤面等に自動車等の停止位置又は容器の置き場所等を表示すること。

　ロ　第25条の3の規定にかかわらず、顧客用固定給油設備及び顧客用固定注油設備にあっては、その給油ホース等の直近その他の見やすい箇所に、ホース機器等の使用方法及び危険物の品目を表示すること。この場合において、危険物の品目の表示は、次の表の上〔左〕欄に掲げる取り扱う危険物の種類に応じそれぞれ同表の中欄に定める文字を表示するとともに、文字及び地並びに給油ホース等その他危険物を取り扱うために顧客が使用する設備に彩色を施す場合には、それぞれ同表の下〔右〕欄に定める色とすること。

取り扱う危険物の種類	文　字	色
自動車ガソリン（日本産業規格K 2202「自動車ガソリン」に規定するもののうち1号に限る。）	「ハイオクガソリン」又は「ハイオク」	黄
自動車ガソリン（日本産業規格K 2202「自動車ガソリン」に規定するもののうち1号（E）に限る。）	「ハイオクガソリン（E）」又は「ハイオク（E）」	ピンク
自動車ガソリン（日本産業規格K 2202「自動車ガソリン」に規定するもののうち2号に限る。）	「レギュラーガソリン」又は「レギュラー」	赤
自動車ガソリン（日本産業規格K 2202「自動車ガソリン」に規定するもののうち2号（E）に限る。）	「レギュラーガソリン（E）」又は「レギュラー（E）」	紫
軽油	「軽油」	緑
灯油	「灯油」	青

　ハ　顧客用固定給油設備及び顧客用固定注油設備以外の固定給油設備又は固定注油設備を設置する場合にあっては、顧客が自ら用いることができない固定給油設備又は固定注油設備である旨を見やすい箇所に表示すること。

(6)　顧客自らによる給油作業又は容器への詰替え作業（以下「顧客の給油作業等」という。）を監視し、及び制御し、並びに顧客に対し必要な指示を行う

ための制御卓その他の設備を次に定めるところにより設けること。

イ　制御卓は、給油取扱所内で、かつ、全ての顧客用固定給油設備及び顧客用固定注油設備における使用状況を直接視認できる位置に設置すること。ただし、給油取扱所内で、かつ、全ての顧客用固定給油設備及び顧客用固定注油設備における使用状況を監視設備により視認できる位置に制御卓を設置する場合にあつては、この限りでない。

ロ　給油中の自動車等により顧客用固定給油設備及び顧客用固定注油設備の使用状況について制御卓からの直接的な視認が妨げられるおそれのある部分については、制御卓における視認を常時可能とするための監視設備を設けること。

ハ　制御卓には、それぞれの顧客用固定給油設備及び顧客用固定注油設備のホース機器への危険物の供給を開始し、及び停止するための制御装置を設けること。

ニ　制御卓及び火災その他の災害に際し速やかに操作することができる箇所に、全ての固定給油設備及び固定注油設備のホース機器への危険物の供給を一斉に停止するための制御装置を設けること。

ホ　制御卓には、顧客と容易に会話することができる装置を設けるとともに、給油取扱所内の全ての顧客に対し必要な指示を行うための放送機器を設けること。

(7)　顧客の給油作業等を制御するための可搬式の制御機器を設ける場合にあつては、次に定めるところによること。

イ　可搬式の制御機器には、前号ハに規定する制御装置を設けること。

ロ　可搬式の制御機器には、前号ニに規定する制御装置を設けること。

（顧客に自ら給油等をさせる屋内給油取扱所の特例）

第28条の2の6　第28条の2の4の給油取扱所に係る令第17条第5項の規定による同条第2項に掲げる基準を超える特例は、前条（第4号中簡易タンクに係る部分を除く。）の規定の例によるものとする。

（顧客に自ら給油等をさせる圧縮天然ガス等充填設備設置給油取扱所等の特例）

第28条の2の7　第28条の2の4の給油取扱所（圧縮天然ガス等充填設備設置給油取扱所、圧縮水素充填設備設置給油取扱所及び第28条第1項の自家用の給油取扱所に該当するものに限る。）に係る令第17条第5項の規定による同条第3項に掲げる基準を超える特例は、この条の定めるところによる。

2　前項の給油取扱所（次項から第5項までに定めるものを除く。）は、第28条の2の5（圧縮天然ガス等充填設備設置給油取扱所及び圧縮水素充填設備設置給油取扱所にあつては、第4号イを除く。）の規定に適合しなければならない。

3　第1項の給油取扱所（屋内給油取扱所に該当するものに限り、第5項に定めるものを除く。）は、前条（圧縮天然ガス等充填設備設置給油取扱所にあつては、同条においてその例によるものとされる第28条の2の5第4号イを除く。）の規定に適合しなければならない。

4　第1項の給油取扱所（圧縮天然ガススタンドのディスペンサー及びガス配管を給油空地に設置するもの（次項に定めるものを除く。））は、第28条の2の5

（同条第4号イのほか、固定給油設備（ガソリン、メタノール等又はエタノール等を取り扱う給油ノズル、給油ホース及び配管に限る。以下この項及び次項において同じ。）にあつては、同条第2号イ、ロ(2)、ニ（顧客に危険物が飛散しないための措置に係る部分を除く。）及びホ（手動開閉装置を開放状態で固定する装置を備えた給油ノズルを設ける固定給油設備を設置する場合に限る。）を除く。）の規定に適合しなければならない。

5　第1項の給油取扱所（圧縮天然ガススタンドのディスペンサー及びガス配管を給油空地に設置するもの（屋内給油取扱所に該当するものに限る。））は、前条（同条においてその例によるものとされる第28条の2の5第4号イのほか、固定給油設備にあつては、前条においてその例によるものとされる第28条の2の5第2号イ、ロ(2)、ニ（顧客に危険物が飛散しないための措置に係る部分を除く。）及びホ（手動開閉装置を開放状態で固定する装置を備えた給油ノズルを設ける固定給油設備を設置する場合に限る。）を除く。）の規定に適合しなければならない。

（顧客に自ら給油等をさせるエタノール等の給油取扱所等の特例）

第28条の2の8　第28条の2の4の給油取扱所（エタノール等を取り扱う給油取扱所に限る。）に係る令第17条第5項の規定による同条第4項に掲げる基準を超える特例は、この条の定めるところによる。

2　前項の給油取扱所（次項及び第4項に定めるものを除く。）は、第28条の2の5の規定に適合しなければならない。

3　第1項の給油取扱所（屋内給油取扱所に該当するもの（次項に定めるものを除く。）に限る。）は、第28条の2の6の規定に適合しなければならない。

4　第1項の給油取扱所（圧縮天然ガス等充てん設備設置給油取扱所、圧縮水素充てん設備設置給油取扱所及び第28条第1項の自家用の給油取扱所に該当するものに限る。）は、前条の規定に適合しなければならない。

図8-1 **セルフ給油取扱所の設置例**

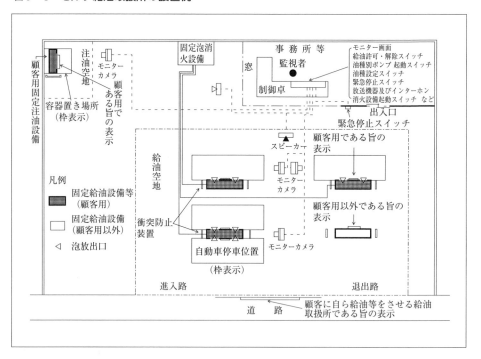

留意事項 (1) セルフ給油取扱所(屋外)の位置、構造及び設備に関する運用基準は、次のとおりである。

　ア　セルフ給油取扱所の表示

　　　セルフ給油取扱所には、当該給油取扱所へ進入する際、見やすい箇所にセルフ給油取扱所である旨を表示すること。この場合の表示の方法は、「セルフ」、「セルフサービス」等の記載、看板の指示等により行うことで差し支えない。なお、一部の時間帯等に限って顧客に自ら給油等をさせる営業形態の給油取扱所にあっては、当該時間帯等にはその旨を表示すること。

　　　看板により表示を行う場合は、「第1章　第1節　**21** 附随設備」(3)イによること。

　イ　顧客用固定給油設備の基準

　　　顧客に自ら自動車等に給油させるための固定給油設備(以下「顧客用固定給油設備」という。)の構造及び設備の基準は、次によること。

　(ｱ) 給油ノズル(手動開閉装置)

　　　　給油ホースの先端部に、手動開閉装置を備えた給油ノズルを設けること。当該給油ノズルには、手動開閉装置を開放状態で固定する装置を備えたもの(ラッチオープンノズル)及び手動開閉装置を開放状態で固定できないもの(非ラッチオープンノズル)の2種類があるが、固定する装置を備えたものにあっては、次のaからcによること。

図8-2　**ラッチオープンノズルの例**

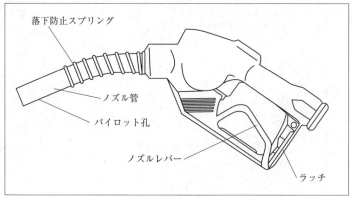

図8-3　**非ラッチオープンノズルの例**

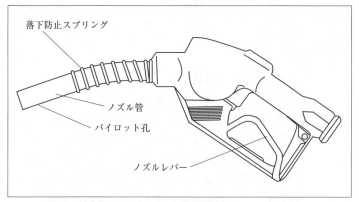

a　給油開始時のノズル起動制御装置

　　給油を開始しようとする場合において、給油ノズルの手動開閉装置が開放状態であるときは、当該手動開閉装置を一旦閉鎖しなければ給油を開始することができない構造のものとすること。これは、ポンプ起動時等における給油ノズルからの危険物の不慮の噴出を防止するものである。構造の具体的な例としては、給油ノズル内の危険物の圧力の低下を感知して自動的に手動開閉装置が閉鎖する構造や、給油ノズルの手動開閉装置が閉鎖していなければポンプ起動ができない構造等がある。

b　脱落時停止制御装置

　　給油ノズルが自動車等の燃料タンク給油口から脱落した場合に、給油を自動的に停止する構造のものとすること。構造の具体的な例としては、給油ノズルの給油口からの離脱又は落下時の衝撃により、手動開閉装置を開放状態で固定する装置が解除される構造等がある。

図8-4　**機能例**

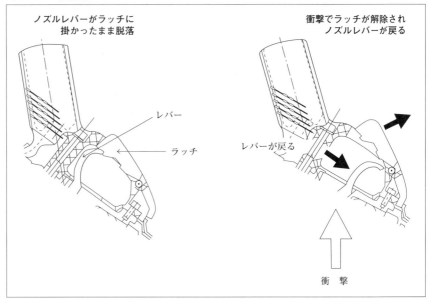

c　可燃性蒸気回収装置

　　引火点が40℃未満の危険物を取り扱うホース機器にあっては、自動車等の
燃料タンクに給油するときに放出される可燃性の蒸気を回収する装置（可燃
性蒸気回収装置）を設けること。当該装置の具体的な例としては、給油ノズ
ルに付帯する配管から可燃性蒸気を吸引した後、専用タンクの気層部への回
収による処理、燃焼による処理又は高所放出による処理を行うことができる
構造を有するものがある。燃焼処理、高所放出等を行うものにあっては、火
災予防上適切な位置及び構造を有する必要がある。

図8-5　**可燃性蒸気回収装置例**

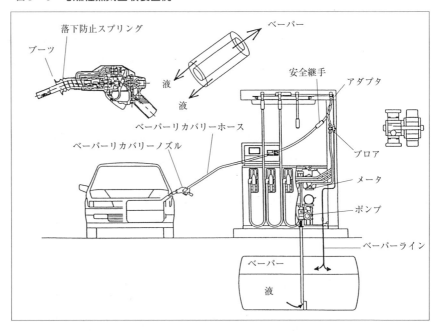

（イ）給油時に人体に蓄積された静電気を有効に除去することができる構造

　　給油時に人体に蓄積された静電気を有効に除去することができる構造等の例としては次のものがある。

　a　給油ノズルの握りの部分、レバー等の金属部が直接手に触れる構造

　b　給油ノズルの握りの部分のカバー、レバー等の部分のカバーのどちらかに導電性がある構造

（ウ）満量停止制御装置

　　給油ノズルは、自動車等の燃料タンクが満量となったときに給油を自動的に停止する構造のものとすること。この場合、給油ノズルの手動開閉装置を開放状態で固定する装置を備えたものにあっては、固定する装置により設定できるすべての吐出量において給油を行った場合に機能するものであること。また、手動開閉装置を開放状態で固定できないものにあっては、15L／min程度（軽油専用で吐出量が60L／minを超える吐出量ものにあっては、25L／min程度）以上の吐出量で給油を行った場合に機能するものであること。

　　なお、当該装置が機能した場合には、給油ノズルの手動開閉装置を一旦閉鎖しなければ、再び給油を開始することができない構造であること。

図8-6　**満量停止装置の構造例**

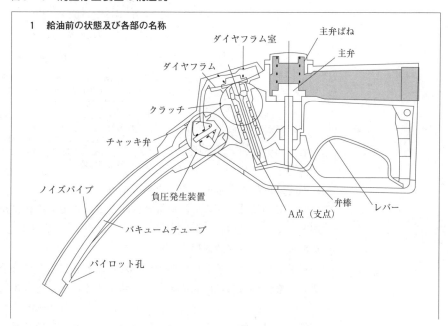

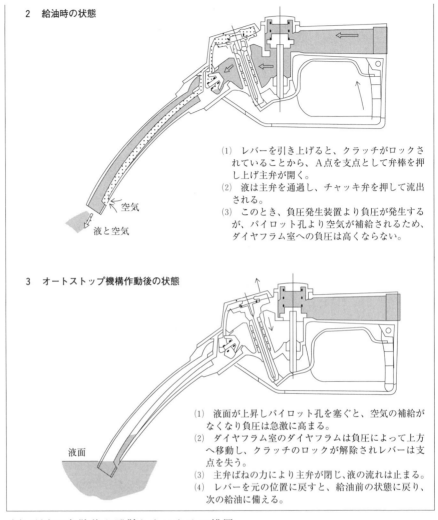

2　給油時の状態

(1) レバーを引き上げると、クラッチがロックされていることから、A点を支点として弁棒を押し上げ主弁が開く。
(2) 液は主弁を通過し、チャッキ弁を押して流出される。
(3) このとき、負圧発生装置より負圧が発生するが、パイロット孔より空気が補給されるため、ダイヤフラム室への負圧は高くならない。

空気
液と空気

3　オートストップ機構作動後の状態

(1) 液面が上昇しパイロット孔を塞ぐと、空気の補給がなくなり負圧は急激に高まる。
(2) ダイヤフラム室のダイヤフラムは負圧によって上方へ移動し、クラッチのロックが解除されレバーは支点を失う。
(3) 主弁ばねの力により主弁が閉じ、液の流れは止まる。
(4) レバーを元の位置に戻すと、給油前の状態に戻り、次の給油に備える。

液面

(エ)　顧客に危険物が飛散しないための措置

　　すべての給油ノズルで、給油時に吹きこぼれても人体にかかるのを防ぐ措置例としては、つば状の部品（スプラッシュガード）を設置したものであること。

(オ)　給油ホース（緊急離脱カプラー）

　　給油ホースは、著しい引張力が加わったときに安全に分離するとともに、分離した部分からの危険物の漏えいを防止することができる構造のものとすること。

　　構造の具体的な例としては、給油ホースの途中に緊急離脱カプラーを設置するものがある。緊急離脱カプラーは、通常の使用時における荷重等では分離しないが、ノズルを給油口に差して発進した場合等には安全に分離し、分離した部分の双方を弁により閉止する構造のものであること。

　　なお、緊急離脱カプラーを効果的に機能させるためには、固定給油設備が堅固に固定されている必要がある。離脱直前の引張力は、一般に地震時に発生する固定給油設備の慣性力よりも大きいことから、当該慣性力だけではなく当該引張力も考慮して、固定給油設備を固定する必要がある。

図8-7　**緊急離脱カプラーの構造例**

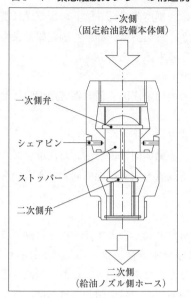

一次側
（固定給油設備本体側）

一次側弁

シェアピン

ストッパー

二次側弁

二次側
（給油ノズル側ホース）

(カ)　誤給油防止制御装置

　　ガソリン及び軽油相互の誤給油を有効に防止することができる構造のものとすること。構造の具体的な例としては、以下のものがある。

　a　給油ノズルに設けられた装置等により、車両の燃料タンク内の可燃性蒸気を測定し油種を判定し（ガソリンと軽油の別を判別できれば足りる。）、給油ノズルの油種と一致した場合に給油を開始することができる構造としたもの（コンタミ（Contaminationの略）防止装置）。

　b　顧客が要請した油種の給油ポンプだけを起動し、顧客が当該油種のノズルを使用した場合に給油を開始することができる構造としたもの（油種別ポンプ起動）。監視者が、顧客の要請をインターホン等を用いて確認し、制御卓で油種設定をする構造や、顧客が自ら固定給油設備で油種設定をする構造がある。

　c　ガソリン又は軽油いずれかの油種のみを取り扱う顧客用固定給油設備（一の車両停止位置において、異なる油種の給油ができないものに限る。）にあっては、ガソリン及び軽油相互の誤給油を有効に防止できる構造を有しているとみなされるものである。

(キ)　定量・定時間制御装置

　　1回の連続した給油量及び給油時間の上限をあらかじめ設定できる構造のものとすること。当該設定は危険物保安監督者の特別な操作により変更が可能となるものとし、顧客又は監視者の操作により容易に変更されるものでないこと。

　　なお、設定値は、大型トラック専用の給油取扱所等以外の給油取扱所にあっては、給油量についてはガソリンの場合100L、軽油の場合200Lを、給油時間については4分を標準とすること。

(ク)　感震自動停止制御装置

　　地震時にホース機器への危険物の供給を自動的に停止する構造のものとする

こと。

　　地震を感知する感震器は、震度階級「5強」の衝撃又は震動を感知した場合に作動するものであること。感震器は、顧客用固定給油設備又は事務所のいずれにも設置することができるものである。

ウ　顧客用固定注油設備の基準

　　顧客に自ら注油させるための固定注油設備（顧客用固定注油設備）の構造及び設備の基準は次によること。

(ア)　注油ノズル（手動開閉装置）

　　注油ホースの先端部に、手動開閉装置を備えた注油ノズルを設けること。当該注油ノズルは、手動開閉装置を開放状態で固定できないもの（非ラッチオープンノズル）とすること。

(イ)　満量停止制御装置

　　注油ノズルは、容器が満量となったときに注油を自動的に停止する構造のものとすること。自動的に停止する構造は、15L／min程度以上の吐出量で注油を行った場合に機能するものであること。なお、当該装置が機能した場合には、注油ノズルの手動開閉装置を一旦閉鎖しなければ、再び注油を開始することができない構造であること。

(ウ)　定量・定時間制御装置

　　1回の連続した注油量及び注油時間の上限をあらかじめ設定できる構造のものとすること。当該設定は危険物保安監督者の特別な操作により変更が可能となるものとし、顧客又は監視者の操作により容易に変更されるものでないこと。

　　なお、設定値は、注油量については100L、注油時間については6分を標準とすること。

(エ)　感震自動停止制御装置

　　地震時にホース機器への危険物の供給を自動的に停止する構造のものとすること。地震を感知する感震器は、震度階級「5強」の衝撃又は震動を感知した場合に作動するものであること。感震器は、顧客用固定注油設備又は事務所のいずれにも設置することができるものであること。

エ　固定給油設備等の衝突防止措置等

　　固定給油設備及び固定注油設備並びに簡易タンクには、顧客の運転する自動車等が衝突するおそれのない場所に設置される場合を除き、次に定める措置を講じること。当該措置は、対象を顧客自ら用いる設備に限るものではない。

(ア)　衝突防止措置

　　固定給油設備及び固定注油設備並びに簡易タンクには、自動車等の衝突を防止するための措置（衝突防止措置）を講ずること。当該措置としては、車両の進入・退出方向に対し固定給油設備等からの緩衝空間が確保されるよう、ガードポール又は150mm以上のアイランドを設置するものがある。なお、必ずしも固定給油設備等をアイランド上に設置することを要するものではない。

図8-8　**ガードポールによる衝突防止措置**

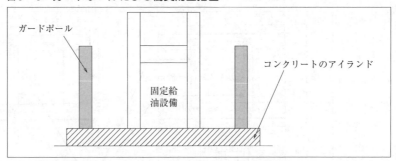

(イ) 転倒時の漏えい拡散防止措置（立ち上がり配管遮断弁又は逆止弁）

　　固定給油設備及び固定注油設備には、当該設備が転倒した場合において当該設備の配管及びこれらに接続する配管からの危険物の漏えいの拡散を防止するための措置を講ずること。

　　当該措置の例としては、立ち上がり配管遮断弁の設置又は逆止弁の設置（ホース機器と分離して設置されるポンプ機器を有する固定給油設備等の場合を除く。）によること。

　　立ち上がり配管遮断弁は、一定の応力を受けた場合に脆弱部がせん断されるとともに、せん断部の双方を弁により遮断することにより、危険物の漏えいを防止する構造のものとし、車両衝突等の応力が脆弱部に的確に伝わるよう、固定給油設備等の本体及び基礎部に堅固に取り付けること。

　　逆止弁は、転倒時にも機能する構造のものとし、固定給油設備等の配管と地下から立ち上げたフレキシブル配管の間に設置すること。

図8-9　**立ち上がり配管遮断弁の構造例**

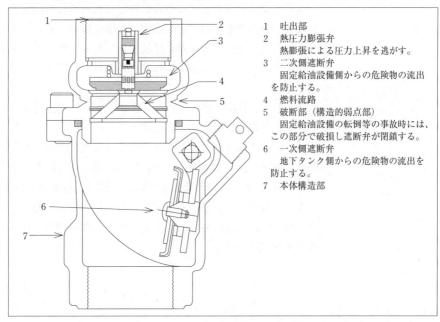

1　吐出部
2　熱圧力膨張弁
　　熱膨張による圧力上昇を逃がす。
3　二次側遮断弁
　　固定給油設備側からの危険物の流出を防止する。
4　燃料流路
5　破断部（構造的弱点部）
　　固定給油設備の転倒等の事故時には、この部分で破損し遮断弁が閉鎖する。
6　一次側遮断弁
　　地下タンク側からの危険物の流出を防止する。
7　本体構造部

図8-10 立ち上がり配管遮断弁とアイランドの固定方法例

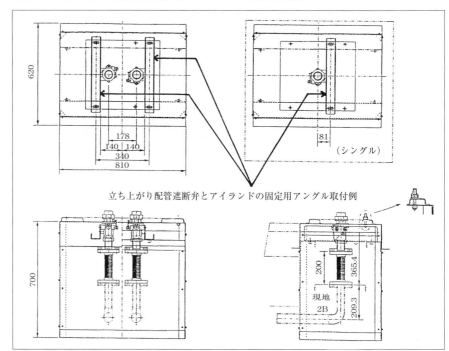

立ち上がり配管遮断弁とアイランドの固定用アングル取付例

オ 固定給油設備等及びその周辺への表示

　固定給油設備及び固定注油設備並びにその周辺には、次に定めるところにより必要な事項を表示すること。

(ｱ) 顧客用固定給油設備等である旨及び車両停車位置の表示

　　顧客用固定給油設備には顧客が自ら自動車等に給油することができる固定給油設備である旨を、顧客用固定注油設備には顧客が自ら容器に灯油又は軽油を詰め替えることができる固定注油設備である旨を見やすい箇所に表示するとともに、その周辺の地盤面等に自動車等の停止位置又は容器の置き場所を表示すること。

　　この場合、顧客用である旨の表示の方法は、固定給油設備又は固定注油設備、アイランドに設置されている支柱等への、「セルフ」、「セルフサービス」等の記載、看板の掲示等により行うことで差し支えない。なお、一部の時間帯等に限って顧客に自ら給油等をさせる固定給油設備等にあっては、当該時間帯等にはその旨を、それ以外の時間帯等には従業者が給油等をする旨を表示すること。

　　また、普通自動車等の停止位置として長さ5m、幅2m程度の枠を、灯油又は軽油の容器の置き場所として2m四方程度の枠を、地盤面等にペイント等により表示すること。

図8-11　**顧客用固定給油設備である旨の表示例**

（イ）使用方法・油種等の表示

　　顧客用固定給油設備及び顧客用固定注油設備にあっては、給油ホース等の直近その他の見やすい箇所に、その使用方法及び危険物の品目を表示すること。

　　使用方法の表示は、給油開始から終了までの一連の機器の操作を示すとともに、「火気厳禁」、「給油中エンジン停止」、「ガソリンの容器への注入禁止」、「静電気除去」等保安上必要な事項を併せて記載すること。なお、懸垂式の固定給油設備等にあっては、近傍の壁面等に記載すること。

図8-12　**使用方法の表示例**

《使い方》	
1　給油口キャップを外し、キャップ置に置いてください。	4　給油中はレバーを引いたままにしてください。
2　選んだ油種のノズルを外してください。	5　給油が終わったら、ノズルを戻してください。
3　ノズルを給油口の奥まで差し込みレバーを引いてください。	6　給油口キャップを締めてください。

《注意》	
1　給油口にノズルを差し込むまではレバーを絶対に引かないでください。	3　給油中にノズルを給油口から引き出さないでください。
2　給油口にノズルを入れてから、レバーを握ってください。安全確認後、係員がポンプを起動します。	4　給油後はキャップを締め忘れないでください。
	5　油がこぼれた場合は危険ですので係員をお呼びください。

図 8 - 13　**保安上必要な事項の表示例**

　危険物の品目の表示は、次の表の左欄に掲げる危険物の種類に応じ、それぞれ同表の中欄に定める文字を表示すること。また、文字、文字の地（背景）又は給油ホース、ノズルカバー、ノズル受け等危険物の品目に対した設備の部分に彩色をする場合には、それぞれ同表の右欄に定めた色とすること。この場合の彩色には無彩色（白、黒又は灰色をいう。）は含まないものであること。なお、これらの部分以外の部分については、彩色の制限の対象とはならないものである。

　また、エンジン清浄剤等を添加した軽油を別品目として販売する場合において、これを軽油の範囲で区分するときには、文字に「プレミアム軽油」を、色に黄緑を用いて差し支えないものであること。

　なお、使用方法及び危険物の品目については、必要に応じて英語の併記等を行うことが望ましい。

表8－1

取り扱う危険物の種類	文　　字	色
自動車ガソリン（JIS K 2202「自動車ガソリン」に規定するもののうち１号に限る。）	「ハイオクガソリン」又は「ハイオク」	黄
自動車ガソリン（JIS K 2202「自動車ガソリン」に規定するもののうち１号（E）に限る。）	「ハイオクガソリン（E）」又は「ハイオク（E）」	ピンク
自動車ガソリン（JIS K 2202「自動車ガソリン」に規定するもののうち２号に限る。）	「レギュラーガソリン」又は「レギュラー」	赤
自動車ガソリン（JIS K 2202「自動車ガソリン」に規定するもののうち２号（E）に限る。）	「レギュラーガソリン（E）」又は「レギュラー（E）」	紫
軽　油	「軽油」「プレミアム軽油」	緑黄緑
灯　油	「灯油」	青

(ウ)　顧客用以外の固定給油設備等の表示

　　顧客用固定給油設備等以外の固定給油設備等を設置する場合にあっては、顧客が自ら用いることができない固定給油設備等である旨を見やすい箇所に表示すること。

　　この場合、表示の方法は、固定給油設備又は固定注油設備、アイランドに設置されている支柱等への、「フルサービス」、「従業員専用」等の記載、看板の掲示等により行うことで差し支えない。

図8－14　**顧客用以外の固定給油設備等の表示例**

カ　制御卓、その他の設備

　　顧客自らによる給油作業又は容器への詰替え作業を監視し、及び制御し、並びに顧客に対し必要な指示を行うための制御卓その他の設備を次により設置すること。

(ア)　制御卓の位置

　　制御卓は、給油取扱所内で、全ての顧客用固定給油設備等における使用状況を直接視認できる位置に設置すること。ただし、給油取扱所内で、全ての顧客用固定給油設備等の使用状況を監視設備により視認できる位置に設置する場合は、この限りでないこと。なお、この場合、直接視認できるとは、給油される

自動車等の不在時において顧客用固定給油設備等における使用状況を目視できることをいうものであること（平成10年消防危第25号　令和5年消防危第251号改正）。

(イ)　監視設備

　　給油中の自動車等により顧客用固定給油設備等の使用状況について制御卓からの直接的な視認が妨げられるおそれのある部分については、制御卓からの視認を常時可能とするための監視設備を設置すること。この場合、監視設備としては、モニターカメラ及びディスプレイが想定されるものであり、視認を常時可能とするとは、必要な時点において顧客用固定給油設備等の使用状況を即座に映し出すことができるものをいうものである。

(ウ)　制御卓の制御装置

　　制御卓には、それぞれの顧客用固定給油設備等への危険物の供給を開始し、及び停止するための制御装置を設置すること。制御装置には、給油等許可スイッチ及び許可解除のスイッチ並びに顧客用固定給油設備等の状態の表示装置が必要である。

　　なお、顧客用固定給油設備等を顧客が要請した油種のポンプだけを起動し、顧客が当該油種のノズルを使用した場合に給油等を開始することができる構造としたもので、制御卓で油種設定をする構造のものにあっては、油種設定のスイッチを併せて設置すること。

(エ)　供給一斉停止制御装置（緊急停止スイッチ）

　　制御卓及び火災その他の災害に際し速やかに操作することができる箇所に、すべての固定給油設備等への危険物の供給を一斉に停止するための制御装置（緊急停止スイッチ）を設けること。火災その他の災害に際し速やかに操作することができる箇所とは、給油空地等に所在する従業者等においても速やかに操作することができる箇所をいうものであり、給油取扱所の事務所の給油空地に面する外壁等が想定されるものである。

(オ)　会話装置及び放送機器

　　制御卓には、顧客と容易に会話することができる装置を設けるとともに、給油取扱所内のすべての顧客に必要な指示を行うための放送機器を設けること。顧客と容易に会話することができる装置としては、インターホンがある。インターホンの顧客側の端末は、顧客用固定給油設備等の近傍に設置すること。なお、懸垂式の固定給油設備等にあっては、近傍の壁面等に設置すること。

(カ)　固定消火設備の制御装置

　　制御卓には、固定消火設備の起動装置を設置すること。起動スイッチは制御卓には、固定消火設備の起動装置を設置すること。起動スイッチは透明なふたで覆う等により、不用意に操作されないものであるとともに、火災時には速やかに操作することができるものであること。

(キ)　制御卓の複数設置

　　制御卓は、顧客用固定給油設備等を分担することにより複数設置して差し支えない。この場合、すべての制御卓に、すべての固定給油設備等への危険物の

供給を一斉に停止するための制御装置を設置すること。

キ　可搬式の制御機器（令和2年消防危第87号）

　(ｱ)　可搬式の制御機器を用いて給油許可を行うことができる場所の範囲は、各給油取扱所のレイアウト等を考慮の上、従業者が適切に監視等を行うことができる範囲となるよう設定することが適当であるため、位置に応じて当該機器の給油許可機能を適切に作動させ、又は停止させるためのビーコン等の機器を配置すること。

　(ｲ)　可搬式の制御機器の給油停止機能及び一斉停止機能は、火災その他災害に際して速やかに作動させること等が必要であることから、(ｱ)の範囲を含め、給油空地、注油空地及びその周辺の屋外において作動させることができるようにすること。

　(ｳ)　可搬式制御機器の規格等については「平成30年消防危第154号」を参照すること。

(2)　顧客に自ら給油等をさせる屋内給油取扱所、圧縮天然ガス等充填設備設置給油取扱所、圧縮水素充填設備設置給油取扱所及び自家用の給油取扱所の位置、構造及び設備の技術上の基準は、以下のとおりとする。

ア　顧客に自ら給油等をさせる屋内給油取扱所の位置、構造及び設備の技術上の基準は、顧客に自ら給油等をさせる屋外給油取扱所の基準（衝突防止措置のうち簡易タンクに係る部分を除く。）の規定の例によること。

イ　顧客に自ら給油等をさせる屋外又は屋内の圧縮天然ガス等充填設備設置給油取扱所、圧縮水素充填設備設置給油取扱所の位置、構造及び設備の技術上の基準は、それぞれ顧客に自ら給油等をさせる屋外又は屋内の給油取扱所の基準（衝突防止措置に係る部分を除く。）の規定の例によること。

ウ　顧客に自ら給油等をさせる屋外又は屋内の自家用の給油取扱所の位置、構造及び設備の技術上の基準は、それぞれ顧客に自ら給油等をさせる屋外又は屋内の給油取扱所の基準の規定の例によること。顧客に自ら給油等をさせる自家用の給油取扱所としては、レンタカー営業所の構内に設置される自家用の給油取扱所等が想定される。

(3)　危険物保安技術協会の型式試験確認制度

　危険物保安技術協会では、「第1章　第1節　**11** 固定給油設備及び固定注油設備」⑾と同様、セルフ給油取扱所に設ける固定給油設備等、固定給油設備等を構成する設備（給油ノズル等、給油ホース等、立ち上がり配管遮断弁、セルフサービスコンソール）、パッケージ型固定泡消火設備についても型式試験確認済証（表8-2参照）を交付する業務を行っている。

表 8 - 2

型式確認等の種類		型式確認済証等の様式例（単位　mm）	
固定給油設備等	セルフサービス用固定給油設備等以外の固定給油設備等	型式試験確認済証 （固定給油設備等） A　000000 KHK 危険物保安技術協会 24／45	地色：黒色 文字、マーク及び番号枠内：消銀色 番号：黒色
	セルフサービス用固定給油設備等		地色：赤色 文字、マーク及び番号枠内：消銀色 番号：黒色
固定給油設備等本体	セルフサービス用固定給油設備等本体以外の固定給油設備等本体	型式試験確認済証 （固定給油設備等本体） A　000000 KHK 危険物保安技術協会 24／45	地色：黒色 文字、マーク及び番号枠内：消銀色 番号：黒色
	セルフサービス用固定給油設備等本体		地色：赤色 文字、マーク及び番号枠内：消銀色 番号：黒色
固定給油設備等を構成する設備（給油ノズル等、給油ホース等、立ち上がり配管遮断弁、セルフサービスコンソール）	セルフサービス用固定給油設備等以外の固定給油設備等に用いることができるもの	型式試験確認済証 （固定給油設備等構成設備） N　000000 KHK 危険物保安技術協会 20／25	地色：黒色 文字、マーク及び番号枠内：消銀色 番号：黒色
	セルフサービス用固定給油設備等に用いることができるもの		地色：赤色 文字、マーク及び番号枠内：消銀色 番号：黒色
パッケージ型固定泡消火設備	パッケージ型固定泡消火設備（水平放出方式、下方放出方式）	型式試験確認済証 （固定泡消火設備） A　000000 KHK 危険物保安技術協会 24／45	地色：黒色 文字、マーク及び番号枠内：消銀色 番号：黒色
	泡放出口（水平放出方式）	KHK　7 放出口試験確認済証	地色：黒色 マーク：消銀色
	泡放出口（下方放出方式）		地色：赤色 マーク：消銀色

第4節　給油取扱所に設ける消火・警報・避難設備

■ セルフ給油取扱所以外の給油取扱所

「第4集　危険物施設の消火設備　警報設備及び避難設備」によるほか、次による。

図1-1　**屋内給油取扱所の消火・警報・避難設備の技術基準フロー**

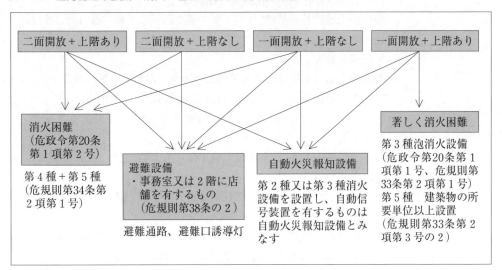

1　第3種泡消火設備

第3種泡消火設備の技術上の基準は、危規則第32条の6及び製造所等の泡消火設備の技術上の基準の細目を定める告示（平成23年総務省告示第559号）の規定によるほか、次による。

(1)　泡消火設備の構造

ア　泡消火設備の泡放出口は、フォームヘッド方式とすること。

イ　フォームヘッドは、防護対象物のすべての表面を有効な射程内に設けること。

(2)　防護対象物

ア　固定給油設備及び固定注油設備を中心とした半径3mの範囲

イ　危規則第25条の10第2号の注入口の漏えい局限化設備の周囲

(3)　放射区域等

ア　フォームヘッドは、防護対象物の表面積9㎡につき1個以上設けること（建築物の場合はその床面積）。

イ　放射量は、防護対象物の表面積1㎡当たり6.5L／min以上とすること。

ウ　一の放射区域は100㎡以上とすること（100㎡未満であるときは当該表面積）。

(4)　放射方式等

ア　原則として全域放射方式とし、防護対象物相互の距離が離れ、かつ、災害発生時延焼推移上支障がない場合は個別放射とすることができる。

イ　泡消火の起動は、閉鎖型スプリンクラーヘッドを感知ヘッドとして自動起動方式と手動起動方式を併用すること。

ウ　感知用ヘッドの警戒面積は20㎡以下に1個以上設けること。

(5) 水源の水量

ヘッドの設置個数が最も多い放射区域におけるすべてのヘッドを同時に使用した場合で、10分間放射できる水量とすること。

(6) 泡消火薬剤

たん白泡消火薬剤、又は水成膜泡消火薬剤とすること。

(7) 呼水装置、操作回路の配線及び配管等

屋内消火栓設備の基準（「第4集　第2章　第1節　屋内消火栓設備」）の例による。

(8) 加圧送水装置

施行規則第18条第4項第9号の基準の例（泡消火設備）のほか送水区域は、

ア　ポンプ始動後、5分以内に有効な泡放出が行えること。

イ　ポンプから泡放出口等までの水平距離が500m以下であること。

(9) 起動装置

泡消火設備の基準（「第4集　第4章　第3節　**6**　3　起動装置」）の例による。

(10) 自動警報設備

スプリンクラー設備の基準（「第4集　第3章　**8**　自動警報装置」）の例による。

(11) 予備動力源

放射時間の1.5倍以上の容量を有すること。その他、屋内消火栓設備の基準（「第4集　第2章　第1節　**8**　予備動力源」）の例による。

図1-2　**泡消火設備のフォームヘッドの設置場所の例**

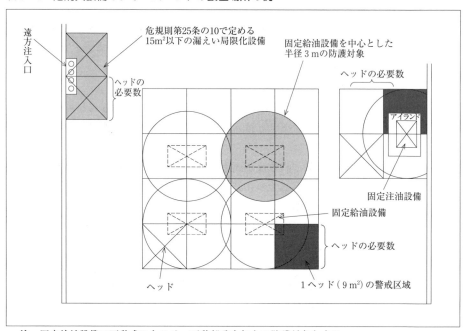

注　固定給油設備で可動式のものは、可動部分を加えて防護対象とする。

2　自動火災報知設備

自動火災報知設備の技術上の基準は、危規則第38条第2項の規定によるほか、次による。

⑴　感知器の設置は、施行規則第23条第4項から第7項までの規定の例によること。

⑵　感知器の防爆範囲は、通気管の周囲1.5m及び懸垂式固定給油設備の周囲0.6mのほか、ポンプ室、油庫が該当する。

図1－3

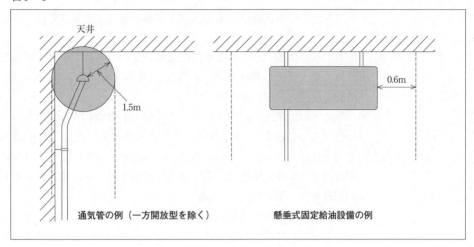

天井

1.5m

0.6m

通気管の例（一方開放型を除く）　　　　懸垂式固定給油設備の例

⑶　感知器の警戒範囲のうち、道路等に面し外気に開放している場所については、開放面からおおむね1m内側からの警戒範囲とすること。

⑷　天井裏については危規則第38条第2項第3号により警戒範囲とするが、当該部分に危険物配管がなく、主要構造部を耐火構造とした建築物にあっては、消防法施行令第21条第2項第3号ただし書の基準にならい、省略して支障ない。

3　可燃性蒸気検知警報設備

　　危規則第25条の9及び危規則第25条の10で規定された可燃性蒸気を検知する警報設備の技術上の基準は、次によること。

⑴　可燃性蒸気検知警報設備は、可燃性蒸気を検知し、信号を発する検知器とその信号を受信し、音響及び表示灯等により報知する受信機と音響を発する警報設備が接続されたものであること。

⑵　警戒区域は、可燃性蒸気が滞留するおそれのある室又はその部分とする。

⑶　検知器は検知箇所からおおむね水平距離2m以内とし、床面から0.15m以内の位置に設けること。ただし、出入口等外部の空気が流通する箇所を除く。

⑷　検知器の検知濃度は、爆発下限界の4分の1の範囲内とすること。

⑸　受信機は常時人がいる場所に設置すること。

⑹　受信機の主音響装置の音圧及び音色は、他の警報設備の警報音と区別できるものとすること。

⑺　警報装置の音量は、その中心から前方1m離れた場所で90dB以上とすること。

⑻　可燃性蒸気検知警報設備には、非常電源を附置すること。

4　避難設備

　　誘導灯の技術上の基準は、危規則第38条の2第2項の規定によるほか、次による。

⑴　誘導灯の基準は、施行令第26条第2項第1号、第2号及び第4号の例によること。

⑵　避難口及び避難口に通ずる出入口の誘導灯は、室内の各部分から容易に見通せるものであること。

(3)　誘導灯は、大型、中型、又は小型のものとすること。

(4)　非常電源は、20分作動できる容量以上のものであること。

2　セルフ給油取扱所

　　　　セルフ給油取扱所に設ける消火設備、警報設備及び避難設備は、次による。

1　消火設備

(1)　一方のみが開放されている屋内給油取扱所のうち、上階を有するセルフ給油取扱所以外の消火設備の基準は次によること（「第4集　第4章　第3節　5　パッケージ型固定泡消火設備の基準」）。

ア　第3種の固定式の泡消火設備を危険物（引火点40℃未満のもので顧客が自ら取り扱うものに限る。）を包含するように設置する。当該泡消火設備には、予備動力源を付置する必要はない。当該泡消火設備の設置に関しては、危規則第32条の6の規定及び製造所等の泡消火設備の技術上の基準の細目を定める告示（平成23年総務省告示第559号）によること。

　　なお、当該泡消火設備の泡放出量及び水源の水量については、上記の告示第18条第1項第2号及び第2項に規定されているが、一の自動車等の停車位置ごとの必要な放出量を確保するため、一の泡放出口の放出量を、水平放出方式にあっては7.4L／min以上、下方放出方式にあっては22.2L／min以上となるようにした場合、告示第18条第2項第1号に定める泡水溶液の量は、水平放出方式の場合にあっては74L以上、下方放出方式の場合にあっては222L以上の量となること。

イ　第4種の消火設備をその放射能力範囲が建築物その他の工作物及び危険物（第3種の泡消火設備により包含されるものを除く。）を包含するように設置するとともに、第5種の消火設備をその能力単位の数値が危険物の所要単位の数値の5分の1以上になるように設置すること。

(2)　一方のみが開放されている屋内給油取扱所のうち上階を有するセルフ給油取扱所の消火設備の技術上の基準は、一般の一方のみが開放されている屋内給油取扱所のうち上階を有するものの消火設備の技術上の基準によること。

2　警報設備及び避難設備

　　　　セルフ給油取扱所の警報設備及び避難設備の技術上の基準は、一般の給油取扱所の警報設備及び避難設備の技術上の基準によること。

第 2 章 販売取扱所の基準

第2章　販売取扱所の基準

第1節　第1種販売取扱所

❶ 区分

根拠条文　危政令

（取扱所の区分）

第3条第2号　店舗において容器入りのままで販売するため危険物を取り扱う取扱所で次に掲げるもの

　イ　指定数量の倍数（法第11条の4第1項に規定する指定数量の倍数をいう。以下同じ。）が15以下のもの（以下「第1種販売取扱所」という。）

　ロ　指定数量の倍数が15を超え40以下のもの（以下「第2種販売取扱所」という。）

留意事項　(1)　販売取扱所における危険物の取扱数量は、保有量で算定するもので、1日の販売量で算定するものではない。また、倍数の算定は、この取扱数量に基づいて行い、倍数により第1種販売取扱所と第2種販売取扱所に区分されている。

　(2)　危険物を容器入りのままで販売する施設としては、塗料店、燃料店、化学薬品店、農薬販売店などがある。

❷ 店舗の位置

根拠条文　危政令

（販売取扱所の基準）

第18条第1項　第1種販売取扱所の位置、構造及び設備の技術上の基準は、次のとおりとする。

　(1)　第1種販売取扱所は、建築物の1階に設置すること。

留意事項　(1)　危政令第18条第1項は、第1種販売取扱所の基準である。

　(2)　第1種販売取扱所に用いられる店舗は、防災上の観点から地階又は2階以上の階に設けることができない。

　(3)　第1種販売取扱所は建築物の一部に設けることができ、当該用途に供する部分以外の部分の用途については特に規定されていない。

　(4)　第1種販売取扱所の位置は、当該取扱所の存する敷地のうち道路等に面する場所を選び、奥まった場所を避けることが望ましい。

　(5)　販売取扱所には、保安距離及び保有空地の規制はない。

図2-1 **販売取扱所**

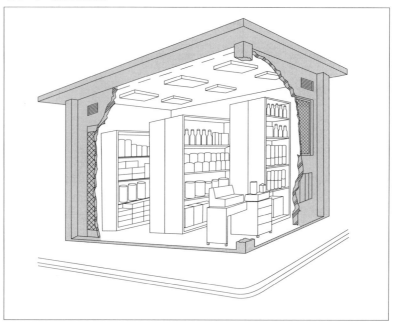

❸ 標識・掲示板

(根拠条文) 危政令

> **第18条第1項第2号** 第1種販売取扱所には、総務省令で定めるところにより、見やすい箇所に第1種販売取扱所である旨を表示した標識及び防火に関し必要な事項を掲示した掲示板を設けること。

(留意事項) 標識は、図3-1のように「危険物第1種販売取扱所」とし、掲示板については、「第1集 第2章 ❻ 標識・掲示板」の例による。

図3-1 **標識**

危険物第一種販売取扱所

30cm 以上
60cm 以上

地　（白　色）
文字（黒　色）

4 建築物の構造

根拠条文　危政令

第18条第1項

(3)　建築物の第1種販売取扱所の用に供する部分は、壁を準耐火構造（建築基準法第2条第7号の2の準耐火構造をいい、耐火構造以外のものにあつては、不燃材料で造られたものに限る。）とすること。ただし、第1種販売取扱所の用に供する部分とその他の部分との隔壁は、耐火構造としなければならない。

(4)　建築物の第1種販売取扱所の用に供する部分は、はりを不燃材料で造るとともに、天井を設ける場合にあつては、これを不燃材料で造ること。

(5)　建築物の第1種販売取扱所の用に供する部分は、上階がある場合にあつては上階の床を耐火構造とし、上階のない場合にあつては屋根を耐火構造とし、又は不燃材料で造ること。

(6)　建築物の第1種販売取扱所の用に供する部分の窓及び出入口には、防火設備を設けること。

(7)　建築物の第1種販売取扱所の用に供する部分の窓又は出入口にガラスを用いる場合は、網入ガラスとすること。

準耐火構造の構造方法を定める件

（平成12年5月24日建設省告示第1358号　最終改正　令和6年3月25日国土交通省告示第221号）

　建築基準法（昭和25年法律第201号）第2条第7号の2の規定に基づき、準耐火構造の構造方法を次のように定める。

第1　壁の構造方法は、次に定めるもの（第1号ハ、第3号ハ及びニ並びに第5号ニ及びホに定める構造方法にあっては、防火被覆の取合いの部分、目地の部分その他これらに類する部分（以下「取合い等の部分」という。）を、当該取合い等の部分の裏面に当て木を設ける等当該建築物の内部への炎の侵入を有効に防止することができる構造とするものに限る。）とする。

1　建築基準法施行令（以下「令」という。）第107条の2第1号及び第2号に掲げる技術的基準に適合する耐力壁である間仕切壁の構造方法にあっては、次に定めるものとする。

　イ　1時間準耐火基準に適合する構造とすること。

　ロ　建築基準法（以下「法」という。）第21条第1項の規定による認定を受けた特定主要構造部の構造又は法第27条第1項の規定による認定を受けた特定主要構造部の構造とすること。

　ハ　次の(1)から(4)までのいずれかに該当するもの

　　(1)　間柱及び下地を木材で造り、かつ、その両側にそれぞれ次の(i)から(v)までのいずれかに該当する防火被覆が設けられたものとすること。

　　　(i)　令和元年国土交通省告示第195号（以下「1時間準耐火構造告示」という。）第1第1号ハ(1)、(3)又は(7)のいずれかに該当するもの

　　　　⑪　厚さが15ミリメートル以上のせっこうボード（強化せっこうボード
　　　　　を含む。以下同じ。）

　　　　⑫　厚さが12ミリメートル以上のせっこうボードの上に厚さが9ミリ
　　　　　メートル以上のせっこうボード又は難燃合板を張ったもの

　　　　⑬　厚さが9ミリメートル以上のせっこうボード又は難燃合板の上に厚
　　　　　さが12ミリメートル以上のせっこうボードを張ったもの

　　　　⑭　厚さが7ミリメートル以上のせっこうラスボードの上に厚さ8ミリ
　　　　　メートル以上せっこうプラスターを塗ったもの

　　⑵　間柱及び下地を木材又は鉄材で造り、かつ、その両側にそれぞれ次
　　　の⒤又は⑪に該当する防火被覆が設けられた構造（間柱及び下地を木材
　　　のみで造ったものを除く。）とすること。

　　　⒤　1時間準耐火構造告示第1第1号ハ⑴又は⑶に該当するもの

　　　⑪　⑴⑪から⑭までのいずれかに該当するもの

　　⑶　間柱及び下地を不燃材料で造り、かつ、その両側にそれぞれ次の⒤か
　　　ら⑬までのいずれかに該当する防火被覆が設けられた構造とすること。

　　　⒤　塗厚さが15ミリメートル以上の鉄網モルタル

　　　⑪　木毛セメント板又はせっこうボードの上に厚さ10ミリメートル以上
　　　　モルタル又はしっくいを塗ったもの

　　　⑬　木毛セメント板の上にモルタル又はしっくいを塗り、その上に金属
　　　　板を張ったもの

　　⑷　間柱若しくは下地を不燃材料以外の材料で造り、かつ、その両側にそ
　　　れぞれ次の⒤から⑱までのいずれかに該当する防火被覆が設けられ
　　　た構造とすること。

　　　⒤～⑱　略

　ニ　1時間準耐火構造告示第1第1号ホに定める構造とすること。この場合
　　において、同号ホ⑴⒤㈠中「4.5センチメートル」とあるのは「3.5センチメー
　　トル」と、同号ホ⑴⒤㈡中「6センチメートル」とあるのは4.5センチメー
　　トル」と読み替えるものとする。第3号ホにおいて同じ。

2　令第107条の2第2号に掲げる技術的基準に適合する非耐力壁である間仕
　切壁の構造方法にあっては、次に定めるものとする。

　イ　1時間準耐火基準に適合する構造とすること。

　ロ　法第21条第1項の規定による認定を受けた特定主要構造部の構造又は法
　　第27条第1項の規定による認定を受けた特定主要構造部の構造とするこ
　　と。

　ハ　前号ハに定める構造とすること。

　ニ　1時間準耐火構造告示第1第2号ニに定める構造とすること。この場合
　　において、同号ニ⑴⒤中「4.5センチメートル」とあるのは「3.5センチメー
　　トル」と、「7.5センチメートル」とあるのは「6.5センチメートル」と、同
　　号ニ⑴⑪中「6センチメートル」とあるのは「4.5センチメートル」と、「9
　　センチメートル」とあるのは「7.5センチメートル」と読み替えるものと
　　する。第4号ニ及び第5号ホにおいて同じ。

3　令第107条の2に掲げる技術的基準に適合する耐力壁である外壁の構造方法にあっては、次に定めるものとする。

イ　1時間準耐火基準に適合する構造とすること。

ロ　法第21条第1項の規定による認定を受けた特定主要構造部の構造又は法第27条第1項の規定による認定を受けた特定主要構造部の構造とすること。

ハ　間柱及び下地を木材で造り、かつ、次に掲げる基準のいずれかに適合する構造とすること。

(1)　屋外側の部分に次の(i)から(vi)までのいずれかに該当する防火被覆が設けられ、かつ、屋内側の部分に第1号ハ(1)(i)から(v)までのいずれかに該当する防火被覆が設けられていること。

(i)　1時間準耐火構造告示第1第3号ハ(1)から(6)までのいずれかに該当するもの

(ii)　厚さが12ミリメートル以上のせっこうボードの上に金属板を張ったもの

(iii)　木毛セメント板又はせっこうボードの上に厚さ15ミリメートル以上モルタル又はしっくいを塗ったもの

(iv)　モルタルの上にタイルを張ったものでその厚さの合計が25ミリメートル以上のもの

(v)　セメント板又は瓦の上にモルタルを塗ったものでその厚さの合計が25ミリメートル以上のもの

(vi)　厚さが25ミリメートル以上のロックウール保温板の上に金属板を張ったもの

(2)　屋外側の部分に次の(i)に該当する防火被覆が設けられ、かつ、屋内側の部分に次の(ii)に該当する防火被覆が設けられていること。

(i)　塗厚さが15ミリメートル以上の鉄網軽量モルタル（モルタル部分に含まれる有機物の量が当該部分の重量の8パーセント以下のものに限る。）

(ii)　厚さが50ミリメートル以上のロックウール（かさ比重が0.024以上のものに限る。以下同じ。）又はグラスウール（かさ比重が0.01以上のものに限る。）を充填した上に、せっこうボードを2枚以上張ったものでその厚さの合計が24ミリメートル以上のもの又は厚さが21ミリメートル以上の強化せっこうボード（ボード用原紙を除いた部分のせっこうの含有率を95パーセント以上、ガラス繊維の含有率を0.4パーセント以上とし、かつ、ひる石の含有率を2.5パーセント以上としたものに限る。）を張ったもの

ニ　間柱及び下地を木材又は鉄材で造り、その屋外側の部分に次の(1)又は(2)に該当する防火被覆が設けられ、かつ、その屋内側の部分に第1号ハ(2)(i)又は(ii)に該当する防火被覆が設けられた構造（間柱及び下地を木材のみで造ったものを除く。）とすること。

(1)　1時間準耐火構造告示第1第3号ハ(1)から(3)までのいずれかに該当するもの

　　　⑵　ハ⑴(ii)から(vi)までのいずれかに該当するもの

　　ホ　1 時間準耐火構造告示第 1 第 1 号ホに定める構造とすること。

　4　令第107条の 2 第 2 号及び第 3 号に掲げる技術的基準に適合する非耐力壁
　　である外壁の延焼のおそれのある部分の構造方法にあっては、次に定めるも
　　のとする。

　　イ　1 時間準耐火基準に適合する構造とすること。

　　ロ　法第21条第 1 項の規定による認定を受けた特定主要構造部の構造又は法
　　　第27条第 1 項の規定による認定を受けた特定主要構造部の構造とするこ
　　　と。

　　ハ　前号ハ又はニに定める構造とすること。

　　ニ　1 時間準耐火構造告示第 1 第 2 号ニに定める構造とすること。

　5　令第107条の 2 第 2 号及び第 3 号に掲げる技術的基準に適合する非耐力壁
　　である外壁の延焼のおそれのある部分以外の部分の構造方法にあっては、次
　　に定めるものとする。

　　イ　耐火構造とすること。

　　ロ　法第21条第 1 項の規定による認定を受けた特定主要構造部の構造又は法
　　　第27条第 1 項の規定による認定を受けた特定主要構造部の構造とするこ
　　　と。

　　ハ　第 3 号ハ又はニに定める構造とすること。

　　ニ　間柱及び下地を木材で造り、その屋外側の部分に第 3 号ハ⑴(i)から(vi)
　　　までのいずれかに該当する防火被覆が設けられ、かつ、その屋内側の部分
　　　に次の⑴又は⑵に該当する防火被覆が設けられた構造とすること。

　　　⑴　厚さが 8 ミリメートル以上のスラグせっこう系セメント板

　　　⑵　厚さが12ミリメートル以上のせっこうボード

　　ホ　間柱及び下地を木材又は鉄材で造り、その屋外側の部分に第 3 号ニ⑴又
　　　は⑵に該当する防火被覆が設けられ、かつ、その屋内側の部分にニ⑴又は
　　　⑵に該当する防火被覆が設けられた構造（間柱及び下地を木材のみで造っ
　　　たものを除く。）とすること。

　　ヘ　1 時間準耐火構造告示第 1 第 2 号ニに定める構造とすること。

留意事項　⑴　第 1 種販売取扱所は、実態上の理由から保安距離等の規定がないが、その反面、
　　　危政令第18条第 1 項第 3 号に定めるとおり壁を準耐火構造とするが、耐火構造以外
　　　のものは不燃材料で造られたものに限定している。なお、スレートを張る程度の不
　　　燃材料のみの構造とはできない。

図4－1　**不燃材料で造られた壁の例**

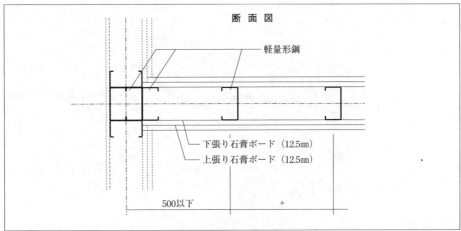

(2)　第1種販売取扱所の用に供する部分とその他の部分との隔壁（以下「他用途部分との隔壁」という。）は、特に耐火構造と規定されており、当該他用途部分との隔壁には開口部を設けることができない。ただし、連絡等のためやむを得ない理由がある場合は、図4－2のごとく自動閉鎖の特定防火設備とした出入口を設けることができる。

(3)　他用途部分との隔壁には、必要最小限ののぞき窓（はめごろしの網入りガラスとし、温度ヒューズ付特定防火設備を設けたもの）を設けることができる。

(4)　建築物の第1種販売取扱所の用に供する部分に柱を設ける場合は、当該柱の構造を危政令第18条第1項第3号に規定する壁の構造に準じたものとすべきである。

(5)　窓及び出入口のガラスは、たとえその外部に防火戸を設けた場合でも、危政令第18条第1項第7号の規定により網入りガラスとしなければならない。

(6)　販売取扱所に雨除け又は日除けを設ける場合、支柱及び枠等は不燃材料とし、覆いは難燃性以上の防火性能を有するものとすることができる。

(7)　耐火構造、不燃材料及び防火戸の構造については、「第1集　第2章　製造所の基準」の例による。

図 4 - 2　**第 1 種販売取扱所の例**

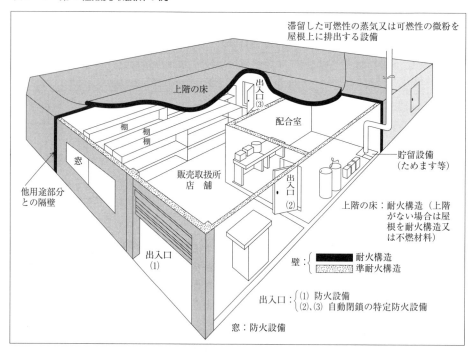

滞留した可燃性の蒸気又は可燃性の微粉を
屋根上に排出する設備

上階の床

出入口
(3)

棚　棚　棚

配合室

窓

他用途部分
との隔壁

販売取扱所
店　舗

貯留設備
（ためます等）

出入口
(2)

上階の床：耐火構造（上階
がない場合は屋
根を耐火構造又
は不燃材料）

出入口
(1)

壁：{ ▬ 耐火構造
　　{ ░ 準耐火構造

出入口：{ (1)　防火設備
　　　　{ (2)、(3)　自動閉鎖の特定防火設備

窓：防火設備

⑤ 電気設備

(根拠条文)　危政令

> **第18条第 1 項第 8 号**　建築物の第 1 種販売取扱所の用に供する部分の電気設備は、
> 　　第 9 条第 1 項第17号に掲げる製造所の電気設備の例によるものであること。
> （製造所の基準）
> **第 9 条第 1 項第17号**　電気設備は、電気工作物に係る法令の規定によること。

(留意事項)　販売取扱所は、危険物を容器入りのまま取り扱うことが前提であるので、店舗部分
には通常可燃性蒸気の滞留するおそれはないが、配合室内はそのおそれがあるものと
考えなければならない。
　　防爆電気機器の構造例は、「第 1 集　第 2 章　⑳ 電気設備」の例による。

⑥ 配合室

(根拠条文)　危政令

> **第18条第 1 項第 9 号**　危険物を配合する室は、次によること。
> 　イ　床面積は、 6 平方メートル以上10平方メートル以下であること。
> 　ロ　壁で区画すること。
> 　ハ　床は、危険物が浸透しない構造とするとともに、適当な傾斜を付け、か
> 　　つ、貯留設備を設けること。

ニ　出入口には、随時開けることができる自動閉鎖の特定防火設備を設けること。

ホ　出入口のしきいの高さは、床面から0.1メートル以上とすること。

ヘ　内部に滞留した可燃性の蒸気又は可燃性の微粉を屋根上に排出する設備を設けること。

留意事項 (1)　危険物を配合する室は壁で区画しなければならないが、この場合の壁は危政令第18条第1項第3号の規定により準耐火構造とする必要がある。また、出入口に設ける「随時開けることができる自動閉鎖の特定防火設備」の例として、ドアチェックと呼ばれる装置等を設けた特定防火設備がある。

(2)　内部に滞留した可燃性蒸気又は可燃性の微粉を屋根上に排出する設備については、「第2集　第1章　**15** 採光・照明・換気及び排出設備」の例による。

(3)　床は、漏えいした危険物が浸透しないコンクリート等とすることが望ましい。

図6-1　**配合室の設置例**

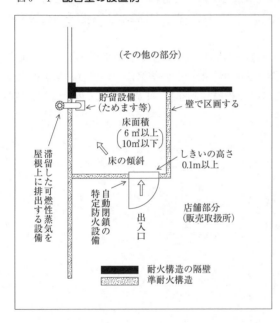

第2節　第2種販売取扱所

■1 建築物の構造

（根拠条文）危政令

> **第18条第2項**　第2種販売取扱所の位置、構造及び設備の技術上の基準は、前項第1号、第2号及び第7号から第9号までの規定の例によるほか、次のとおりとする。
>
> (1)　建築物の第2種販売取扱所の用に供する部分は、壁、柱、床及びはりを耐火構造とするとともに、天井を設ける場合にあつては、これを不燃材料で造ること。
>
> (2)　建築物の第2種販売取扱所の用に供する部分は、上階がある場合にあつては上階の床を耐火構造とするとともに、上階への延焼を防止するための措置を講ずることとし、上階のない場合にあつては屋根を耐火構造とすること。

（留意事項）(1)　危政令第18条第1項第1号店舗の位置、第2号標識・掲示板、第7号網入りガラス、第8号電気設備及び第9号配合室の基準については、第1種販売取扱所のそれぞれの規定の例によるが、標識は、図1－1のように「危険物第2種販売取扱所」としなければならない。

図1－1　**標識**

(2)　第2種販売取扱所の設置位置は、道路に面している場所等とし、敷地の奥まった場所にならないようにすべきである。

(3)　「上階への延焼を防止するための措置」としては、次のような方法がある。

　　ア　上階との間に延焼防止上有効な耐火構造のひさしを設ける。なお、ひさしの突き出し長さを0.9m以上とする（図1－2）。

　　イ　上階の外壁が耐火構造又は防火構造であり、かつ、第2種販売取扱所の開口部に面する側の直上階の開口部に、はめごろしの防火設備を設ける（図1－3）。

図1-2　**上階への延焼を防止するための措置例**

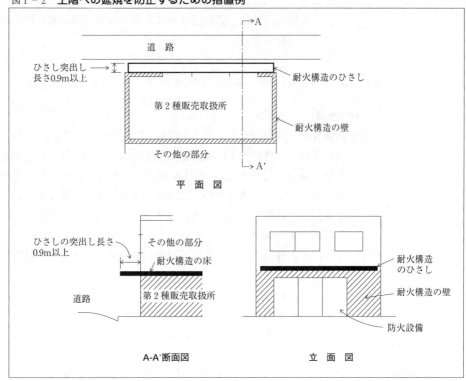

図1-3　**上階への延焼を防止するための措置例**

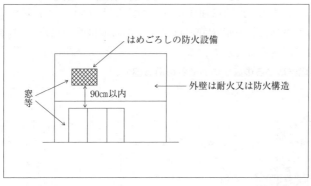

(4)　他用途部分との隔壁は、「第2章　第1節　**4** 建築物の構造」(2)、(3)の例によることができる。

2 出入口等

根拠条文　危政令

第18条第2項

(3)　建築物の第2種販売取扱所の用に供する部分には、当該部分のうち延焼のおそれのない部分に限り、窓を設けることができるものとし、当該窓には防火設備を設けること。

(4)　建築物の第2種販売取扱所の用に供する部分の出入口には、防火設備を設

けること。ただし、当該部分のうち延焼のおそれのある壁又はその部分に設
けられる出入口には、随時開けることができる自動閉鎖の特定防火設備を設
けなければならない。

建基法　（昭和25年5月24日　法律第201号　最終改正　令和5年6月16日法律第63号）

（用語の定義）
第2条第6号　延焼のおそれのある部分　隣地境界線、道路中心線又は同一敷地
　　　内の2以上の建築物（延べ面積の合計が500平方メートル以内の建築物は、一
　　　の建築物とみなす。）相互の外壁間の中心線（ロにおいて「隣地境界線等」
　　　という。）から、1階にあつては3メートル以下、2階以上にあつては5メー
　　　トル以下の距離にある建築物の部分をいう。ただし、次のイ又はロのいずれ
　　　かに該当する部分を除く。
　　　イ　防火上有効な公園、広場、川その他の空地又は水面、耐火構造の壁その
　　　　他これらに類するものに面する部分
　　　ロ　建築物の外壁面と隣地境界線等との角度に応じて、当該建築物の周囲に
　　　　おいて発生する通常の火災時における火熱により燃焼するおそれのないも
　　　　のとして国土交通大臣が定める部分

留意事項　「延焼のおそれのない部分」とは、図2-1、図2-2、図2-3に示す建基法第2
条第6号（かっこ書を除く。）に規定する「延焼のおそれのある部分」以外の部分をい
うものである。ただし、道路に面する側については、図2-4に示すように、当該取
扱所に近接する建築物との間隔が0.9m以上である取扱所の部分は、延焼のおそれのな
い部分として運用することができる。

図2-1　**敷地境界線からの延焼のおそれのある部分**

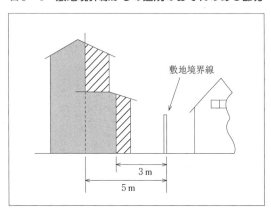

図2-2　**道路中心線からの延焼のおそれのある部分**

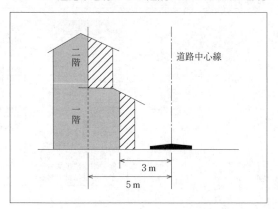

図2-3　**同一敷地内建築物の外壁間中心線からの延焼のおそれのある部分**

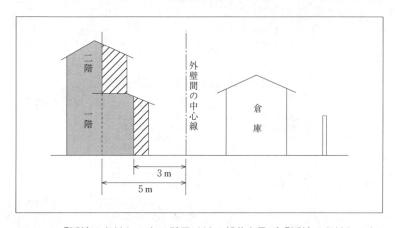

図2-4　**「延焼のおそれのある壁又はその部分」及び「延焼のおそれのない 部分」の例**

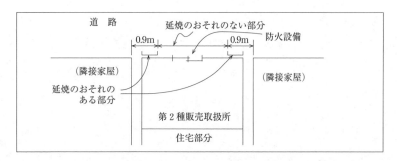

3 第２種販売取扱所と第１種販売取扱所との建築物の規制の相違

　　第２種販売取扱所は、第１種販売取扱所に比べ危険物の取扱量が多く火災時に被害が拡大するおそれが大きいので、建築物に対する規制は、第１種販売取扱所の用に供する建築物に対する規制に比べ、厳しい内容とされている。

　　なお、第２種販売取扱所と第１種販売取扱所の建築物に対する規制の内容を比較すると次のようになる。

図 3 − 1　**建築物の構造規制の相違**

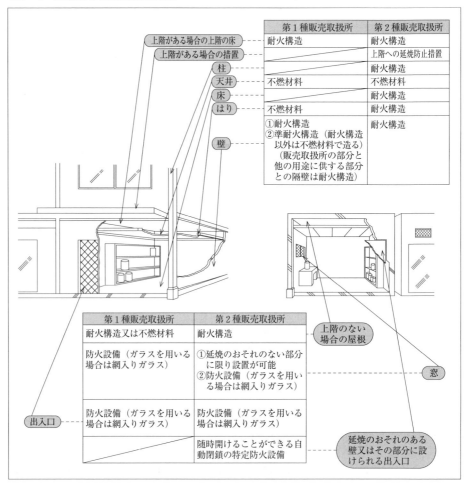

	第 1 種販売取扱所	第 2 種販売取扱所
上階がある場合の上階の床	耐火構造	耐火構造
上階がある場合の措置		上階への延焼防止措置
柱		耐火構造
天井	不燃材料	不燃材料
床		耐火構造
はり	不燃材料	耐火構造
壁	①耐火構造 ②準耐火構造（耐火構造以外は不燃材料で造る） （販売取扱所の部分と他の用途に供する部分との隔壁は耐火構造）	耐火構造

	第 1 種販売取扱所	第 2 種販売取扱所
上階のない場合の屋根	耐火構造又は不燃材料	耐火構造
窓	防火設備（ガラスを用いる場合は網入りガラス）	①延焼のおそれのない部分に限り設置が可能 ②防火設備（ガラスを用いる場合は網入りガラス）
出入口	防火設備（ガラスを用いる場合は網入りガラス）	防火設備（ガラスを用いる場合は網入りガラス）
延焼のおそれのある壁又はその部分に設けられる出入口		随時開けることができる自動閉鎖の特定防火設備

第3章 移送取扱所の基準

◎ 第3章　移送取扱所の基準 ◎

■ 移送取扱所の定義

根拠条文　危政令

> **第3条第3号**　配管及びポンプ並びにこれらに附属する設備（危険物を運搬する
> 船舶からの陸上への危険物の移送については、配管及びこれに附属する設備）
> によつて危険物の移送の取扱いを行う取扱所（当該危険物の移送が当該取扱
> 所に係る施設（配管を除く。）の敷地及びこれとともに一団の土地を形成する
> 事業所の用に供する土地内にとどまる構造を有するものを除く。以下「移
> 送取扱所」という。）

留意事項　(1)　移送取扱所とは、配管により危険物を移送する、いわゆる「パイプライン施設」で
あり、当該配管が第三者の敷地等を通過するものである（図1-1、図1-2参照）。

図1-1　**移送取扱所の概略**

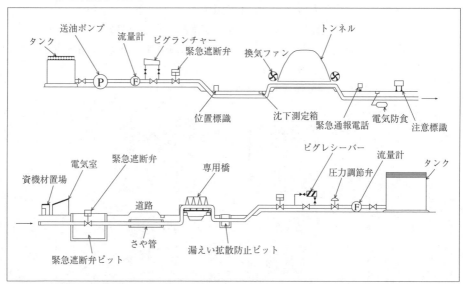

図1-2　**船舶から受け入れる移送取扱所**

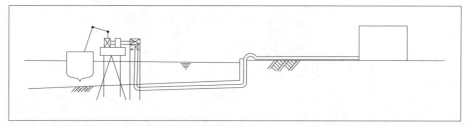

(2)　移送取扱所の規制範囲は、移送が始まる設備から移送が完了する設備までである
（図1-3参照）。

図1-3　**移送取扱所の規制範囲**

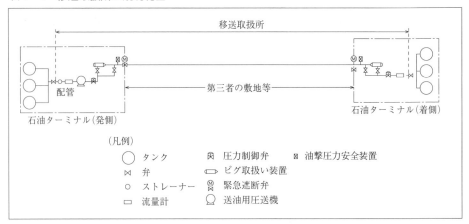

(3)　配管及びポンプ並びにこれらに附属する設備（危険物を運搬する船舶から陸上への危険物の移送については、配管及びこれらに附属する設備。以下同じ。）が次の各号に掲げる構造を有するものは、移送取扱所に該当しないものである。

　ア　危険物の送出し施設から受入れ施設までの間の配管が一の道路又は第三者（危険物の送出し施設又は受入れ施設の存する事業所と関連し、又は類似する事業を行うものに限る。以下同じ。）の敷地を通過するもので、次の(ア)又は(イ)の要件を満足するもの（図1-4参照）。

　(ア)　道路にあっては、配管が横断するものであること。

　(イ)　第三者の敷地にあっては、当該敷地を通過する配管の長さがおおむね100m以下のものであること。

図1-4　**移送取扱所に該当しない例**（その1）

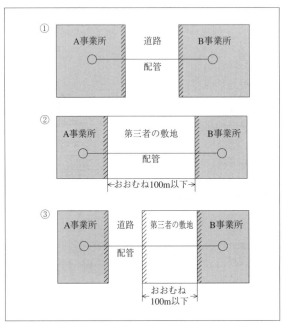

　イ　危険物の送出し施設又は受入れ施設が桟橋に設けられるもので、岸壁からの配管（第1石油類を移送する配管の内径が300mm以上のものを除く。）の長さがお

おむね30m以下のもの（図1－5参照）。

図1－5　**移送取扱所に該当しない例**（その2）

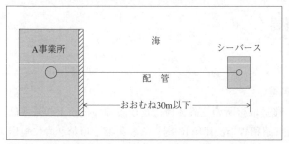

ウ　ア及びイの要件を満たすもの（図1－6参照）。

図1－6　**移送取扱所に該当しない例**（その3）

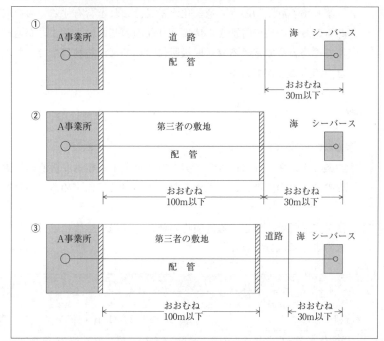

(4) 前(3)に掲げる取扱所並びに危険物の移送が当該移送に係る施設（配管を除く。）の敷地及びこれとともに一団の土地を形成する事業所の用に供する土地内にとどまる構造を有する取扱所は、一般取扱所としての規制を受けるか、又は他の製造所等の附属設備として規制される。

(5) 石油パイプライン事業法（昭和47年法律第105号）の適用を受ける事業用施設としてのパイプライン施設は、消防法第3章の適用を受けない。

　なお、石油パイプライン事業法の対象となるパイプラインは、タンク、ポンプ及び配管並びにこれらの附属設備によって石油類（原油、揮発油、灯油、軽油及び重油）を輸送し、一般の需要に応ずる営利を目的とした事業で、配管の延長が15kmを超えるものである。

❷ 移送取扱所の危険物最大取扱量の算定

(1) 1日に移送する量をもって危険物最大取扱量とする。

(2)　複数の配管で1件許可をしたものにおいては、それぞれの配管で移送される危険物の量を合算した数量とする。

3 移送取扱所の基準の概要

根拠条文 危政令

（移送取扱所の基準）

第18条の2　移送取扱所の位置、構造及び設備の技術上の基準は、石油パイプライン事業法（昭和47年法律第105号）第5条第2項第2号に規定する事業用施設に係る同法第15条第3項第2号の規定に基づく技術上の基準に準じて総務省令で定める。

2　第6類の危険物のうち過酸化水素又はこれを含有するものを取り扱うものであることその他の特別な事情により前項の基準によることが適当でないものとして総務省令で定める移送取扱所については、総務省令で、同項の基準の特例を定めることができる。

危規則

（移送取扱所の基準）

第28条の2の9　令第18条の2第1項に規定する移送取扱所の位置、構造及び設備の技術上の基準は、次条から第28条の51までに定めるとおりとする。

留意事項 (1)　移送取扱所は、移送する危険物の種類、移送形態等に応じ、技術上の基準が法令上次のように区分される。

表3-1

区　　　分	危　政　令	危　規　則
移送取扱所	第18条の2第1項	第28条の3～第28条の51
過酸化水素を取り扱うもの等	第18条の2第2項	第28条の52、第28条の53

(2)　危政令第18条の2第2項に規定する移送取扱所は、危規則第28条の52に規定する特定移送取扱所以外の移送取扱所である。

なお、特定移送取扱所は、次のア又はイに該当するものである。

ア　配管延長>15km

イ　最大常用圧力≧0.95MPaで、かつ、15km≧配管延長≧7km

4 移送取扱所の設置場所

根拠条文 危規則

（移送取扱所の設置場所）

第28条の3　移送取扱所は、次の各号に掲げる場所に設置してはならない。

(1)　災害対策基本法（昭和36年法律第223号）第40条に規定する都道府県地域防

　　災計画又は同法第42条に規定する市町村地域防災計画において定められている震災時のための避難空地
　⑵　鉄道及び道路の隧道内
　⑶　高速自動車国道及び自動車専用道路の車道、路肩及び中央帯並びに狭あいな道路
　⑷　河川区域及び水路敷
　⑸　利水上の水源である湖沼、貯水池等
　⑹　急傾斜地の崩壊による災害の防止に関する法律（昭和44年法律第57号）第３条第１項の規定により指定された急傾斜地崩壊危険区域
　⑺　地すべり等防止法（昭和33年法律第30号）第３条第１項の規定により指定された地すべり防止区域及び同法第４条第１項の規定により指定されたぼた山崩壊防止区域
　⑻　海岸法（昭和31年法律第101号）第２条に規定する海岸保全施設及びその敷地
２　前項の規定にかかわらず、前項第３号から第８号までに掲げる場所については、地形の状況その他特別の理由によりやむを得ない場合であつて、かつ、保安上適切な措置を講ずる場合は、当該移送取扱所を当該場所に設置することができる。
３　移送取扱所を第１項第３号若しくは第４号に掲げる場所に横断して設置する場合又は第８号に掲げる場所に架空横断して設置する場合は、第１項の規定は適用しない。

災害対策基本法　（昭和36年11月15日　法律第223号　最終改正　令和５年６月16日法律第58号）

（都道府県地域防災計画）
第40条　都道府県防災会議は、防災基本計画に基づき、当該都道府県の地域に係る都道府県地域防災計画を作成し、及び毎年都道府県地域防災計画に検討を加え、必要があると認めるときは、これを修正しなければならない。この場合において、当該都道府県地域防災計画は、防災業務計画に抵触するものであつてはならない。
２　都道府県地域防災計画は、おおむね次に掲げる事項について定めるものとする。
　⑴　当該都道府県の地域に係る防災に関し、当該都道府県の区域の全部又は一部を管轄する指定地方行政機関、当該都道府県、当該都道府県の区域内の市町村、指定公共機関、指定地方公共機関及び当該都道府県の区域内の公共的団体その他防災上重要な施設の管理者（次項において「管轄指定地方行政機関等」という。）の処理すべき事務又は業務の大綱
　⑵　当該都道府県の地域に係る防災施設の新設又は改良、防災のための調査研究、教育及び訓練その他の災害予防、情報の収集及び伝達、災害に関する予報又は警報の発令及び伝達、避難、消火、水防、救難、救助、衛生その他の災害応急対策並びに災害復旧に関する事項別の計画

(3)　当該都道府県の地域に係る災害に関する前号に掲げる措置に要する労務、施設、設備、物資、資金等の整備、備蓄、調達、配分、輸送、通信等に関する計画

3　都道府県防災会議は、都道府県地域防災計画を定めるに当たつては、災害が発生し、又は発生するおそれがある場合において管轄指定地方行政機関等が円滑に他の者の応援を受け、又は他の者を応援することができるよう配慮するものとする。

4　都道府県防災会議は、第1項の規定により都道府県地域防災計画を作成し、又は修正したときは、速やかにこれを内閣総理大臣に報告するとともに、その要旨を公表しなければならない。

5　内閣総理大臣は、前項の規定により都道府県地域防災計画について報告を受けたときは、中央防災会議の意見を聴くものとし、必要があると認めるときは、当該都道府県防災会議に対し、必要な助言又は勧告をすることができる。

（市町村地域防災計画）

第42条　市町村防災会議（市町村防災会議を設置しない市町村にあつては、当該市町村の市町村長。以下この条において同じ。）は、防災基本計画に基づき、当該市町村の地域に係る市町村地域防災計画を作成し、及び毎年市町村地域防災計画に検討を加え、必要があると認めるときは、これを修正しなければならない。この場合において、当該市町村地域防災計画は、防災業務計画又は当該市町村を包括する都道府県の都道府県地域防災計画に抵触するものであつてはならない。

2　市町村地域防災計画は、おおむね次に掲げる事項について定めるものとする。

(1)　当該市町村の地域に係る防災に関し、当該市町村及び当該市町村の区域内の公共的団体その他防災上重要な施設の管理者（第4項において「当該市町村等」という。）の処理すべき事務又は業務の大綱

(2)　当該市町村の地域に係る防災施設の新設又は改良、防災のための調査研究、教育及び訓練その他の災害予防、情報の収集及び伝達、災害に関する予報又は警報の発令及び伝達、避難、消火、水防、救難、救助、衛生その他の災害応急対策並びに災害復旧に関する事項別の計画

(3)　当該市町村の地域に係る災害に関する前号に掲げる措置に要する労務、施設、設備、物資、資金等の整備、備蓄、調達、配分、輸送、通信等に関する計画

3　市町村地域防災計画は、前項各号に掲げるもののほか、市町村内の一定の地区内の居住者及び当該地区に事業所を有する事業者（以下この項及び次条において「地区居住者等」という。）が共同して行う防災訓練、地区居住者等による防災活動に必要な物資及び資材の備蓄、災害が発生した場合における地区居住者等の相互の支援その他の当該地区における防災活動に関する計画（同条において「地区防災計画」という。）について定めることができる。

4　市町村防災会議は、市町村地域防災計画を定めるに当たつては、災害が発生し、又は発生するおそれがある場合において当該市町村等が円滑に他の者の応援を受け、又は他の者を応援することができるよう配慮するものとする。

　5　市町村防災会議は、第1項の規定により市町村地域防災計画を作成し、又は修正
　　したときは、速やかにこれを都道府県知事に報告するとともに、その要旨を公表し
　　なければならない。
　6　都道府県知事は、前項の規定により市町村地域防災計画について報告を受けたと
　　きは、都道府県防災会議の意見を聴くものとし、必要があると認めるときは、当該
　　市町村防災会議に対し、必要な助言又は勧告をすることができる。

急傾斜地の崩壊による災害の防止に関する法律

（昭和44年7月1日　法律第57号　最終改正　令和5年5月26日法律第34号）

（急傾斜地崩壊危険区域の指定）
第3条第1項　都道府県知事は、この法律の目的を達成するために必要があると
　　認めるときは、関係市町村長（特別区の長を含む。以下同じ。）の意見をきいて、
　　崩壊するおそれのある急傾斜地で、その崩壊により相当数の居住者その他の者
　　に危害が生ずるおそれのあるもの及びこれに隣接する土地のうち、当該急傾斜
　　地の崩壊が助長され、又は誘発されるおそれがないようにするため、第7条第
　　1項各号に掲げる行為が行なわれることを制限する必要がある土地の区域を急
　　傾斜地崩壊危険区域として指定することができる。

地すべり等防止法　（昭和33年3月31日　法律第30号　最終改正　令和5年5月26日法律第34号）

（地すべり防止区域の指定）
第3条第1項　主務大臣は、この法律の目的を達成するため必要があると認める
　　ときは、関係都道府県知事の意見をきいて、地すべり区域（地すべりしている
　　区域又は地すべりするおそれのきわめて大きい区域をいう。以下同じ。）及びこ
　　れに隣接する地域のうち地すべり区域の地すべりを助長し、若しくは誘発し、
　　又は助長し、若しくは誘発するおそれのきわめて大きいもの（以下これらを「地
　　すべり地域」と総称する。）であつて、公共の利害に密接な関連を有するもの
　　を地すべり防止区域として指定することができる。
（ぼた山崩壊防止区域の指定）
第4条第1項　主務大臣は、この法律の目的を達成するため必要があると認める
　　ときは、関係都道府県知事の意見をきいて、ぼた山の存する区域であつて、公
　　共の利害に密接な関連を有するものをぼた山崩壊防止区域として指定すること
　　ができる。

海岸法（昭和31年 5 月12日　法律第101号　最終改正　令和 5 年 5 月26日法律第34号）

（定義）

第 2 条第 1 項　この法律において「海岸保全施設」とは、第 3 条の規定により指定される海岸保全区域内にある堤防、突堤、護岸、胸壁、離岸堤、砂浜（海岸管理者が、消波等の海岸を防護する機能を維持するために設けたもので、主務省令で定めるところにより指定したものに限る。）その他海水の侵入又は海水による侵食を防止するための施設（堤防又は胸壁にあつては、津波、高潮等により海水が当該施設を越えて侵入した場合にこれによる被害を軽減するため、当該施設と一体的に設置された根固工又は樹林（樹林にあつては、海岸管理者が設けたもので、主務省令で定めるところにより指定したものに限る。）を含む。）をいう。

留意事項　(1)　移送取扱所の配管は、第三者の敷地等に設置するため、万一災害が発生した場合、その地域に与える影響が大きいことから、安全上、技術上、環境保全上等の理由により、その設置について禁止又は制限場所を定めたものである。

(2)　「高速自動車国道」については、高速自動車国道法（昭和32年法律第79号）第 4 条第 1 項に規定されており、東北縦貫自動車道、中央自動車道、第一東海自動車道等が該当する。

(3)　「自動車専用道路」については、道路法（昭和27年法律第180号）第48条の 2 第 1 項及び第 2 項に規定されており、一般に、高速道路と呼ばれる首都高速道路、阪神高速道路、観光ルートの自動車専用道路等が該当する。

(4)　道路の「車道」、「路肩」及び「中央帯」については、図 4 - 1 を参照。

図 4 - 1　**道路の横断構成**

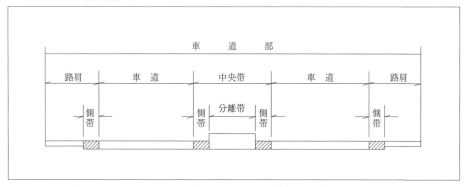

(5)　「河川区域」については、河川法（昭和39年法律第167号）第 6 条第 1 項に規定されており、その概要については図 4 - 2 を参照。

(6)　「水路敷」については、危規則第 1 条第 3 号に規定する「水路」の用に供する用地と考えられる。

図４-２　河川区域

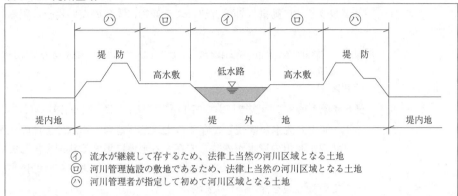

- ㋑　流水が継続して存するため、法律上当然の河川区域となる土地
- ㋺　河川管理施設の敷地であるため、法律上当然の河川区域となる土地
- ㋩　河川管理者が指定して初めて河川区域となる土地

参考法令　**高速自動車国道法**　（昭和32年４月25日　法律第79号　最終改正　令和４年６月17日法律第68号）

（高速自動車国道の意義及び路線の指定）

第４条第１項　高速自動車国道とは、自動車の高速交通の用に供する道路で、全国的な自動車交通網の枢要部分を構成し、かつ、政治・経済・文化上特に重要な地域を連絡するものその他国の利害に特に重大な関係を有するもので、次の各号に掲げるものをいう。

⑴　国土開発幹線自動車道の予定路線のうちから政令でその路線を指定したもの

⑵　前条第３項の規定により告示された予定路線のうちから政令でその路線を指定したもの

道路法　（昭和27年６月10日　法律第180号　最終改正　令和５年５月26日法律第34号）

（自動車専用道路の指定）

第48条の２　道路管理者は、交通が著しくふくそうして道路における車両の能率的な運行に支障のある市街地及びその周辺の地域において、交通の円滑を図るために必要があると認めるときは、まだ供用の開始（他の道路と交差する部分について第18条第２項ただし書の規定によりあつたものとみなされる供用の開始及び自動車のみの一般交通の用に供する供用の開始を除く。次項において同じ。）がない道路（高速自動車国道を除く。）について、自動車のみの一般交通の用に供する道路を指定することができる。この場合において、当該道路に２以上の道路管理者（当該道路と交差する道路の道路管理者を除く。）があるときは、それらの道路管理者が共同して当該指定をするものとする。

２　道路管理者は、交通が著しくふくそうし、又はふくそうすることが見込まれることにより、車両の能率的な運行に支障があり、若しくは道路交通騒音により生ずる障害があり、又はそれらのおそれがある道路（高速自動車国道及び前項の規定により指定された道路を除く。以下この項において同じ。）の区間内において、交通の円滑又は道路交通騒音により生ずる障害の防止を図るために必要があると認めるときは、当該道路（まだ供用の開始がないものに限る。）又は道路の部分について、区域を定めて、自動車のみの一般交通の用に供する道路

又は道路の部分を指定することができる。ただし、通常他に道路の通行の方法があつて、自動車以外の方法による通行に支障のない場合に限る。

河川法 （昭和39年 7 月10日　法律第167号　最終改正　令和 5 年 5 月26日法律第34号）

（河川区域）

第 6 条第 1 項　この法律において「河川区域」とは、次の各号に掲げる区域をいう。

(1)　河川の流水が継続して存する土地及び地形、草木の生茂の状況その他その状況が河川の流水が継続して存する土地に類する状況を呈している土地（河岸の土地を含み、洪水その他異常な天然現象により一時的に当該状況を呈している土地を除く。）の区域

(2)　河川管理施設の敷地である土地の区域

(3)　堤外の土地（政令で定めるこれに類する土地及び政令で定める遊水地を含む。第 3 項において同じ。）の区域のうち、第 1 号に掲げる区域と一体として管理を行う必要があるものとして河川管理者が指定した区域

危規則

（定義）

第 1 条

(2)　「河川」とは、河川法（昭和39年法律第167号）第 4 条第 1 項に規定する一級河川及び同法第 5 条第 1 項に規定する二級河川並びに同法第100条第 1 項に規定する河川をいう。

(3)　「水路」とは、次のイからハまでの一に該当するものをいう。

イ　運河法（大正 2 年法律第16号）による運河

ロ　下水道法（昭和33年法律第79号）による排水施設のうち開渠構造のもの

ハ　イ及びロに定めるもののほか、告示で定める重要な水路

危告示

（重要な水路）

第 2 条　規則第 1 条第 3 号ハに規定する重要な水路は、同条第 2 号に規定する河川以外の河川（公共の水流及び水面をいう。）であつて、移送取扱所が設置される地点からの流域面積が 2 平方キロメートル以上のものとする。

5 材料

根拠条文　危規則

（材料）

第28条の4　配管、管継手及び弁（以下「配管等」という。）の材料は、告示で定める規格に適合するものでなければならない。ただし、配管の設置場所の状況等からこれによることが困難であると認められる場合は、これと同等以上の機械的性質を有するものとすることができる。

危告示

（配管等の材料の規格）

第5条　規則第28条の4に規定する配管等の材料の規格は、次のとおりとする。

　(1)　配管にあつては、日本産業規格 G 3454「圧力配管用炭素鋼鋼管」、日本産業規格 G 3455「高圧配管用炭素鋼鋼管」、日本産業規格 G 3456「高温配管用炭素鋼鋼管」又は日本産業規格 G 3459「配管用ステンレス鋼鋼管」

　(2)　溶接式管継手にあつては、日本産業規格 B 2312「配管用鋼製突合せ溶接式管継手」

　(3)　フランジ式管継手にあつては、日本産業規格 B 2220「鋼製管フランジ」（遊合形フランジ及びねじ込み式フランジに係る規格を除く。）

　(4)　弁にあつては、日本産業規格 B 2071「鋼製弁」（鋳鋼フランジ形弁に係る規格に限る。）

留意事項　(1)　「同等以上の機械的性質を有するもの」の判断基準として次のことが考えられる。

　　ア　引っ張り強さ、降伏点の強度及び耐圧性が十分あり、かつ、これらの性質に相応する延性を有する。

　　イ　衝撃荷重、繰返し荷重等に対する抵抗が十分である。

　　ウ　使用温度において必要な破壊靭性を有する。

　　エ　フランジにあっては継手としての強度、漏れに対する抵抗が十分である。

　　オ　前ア〜エの条件に相応する化学成分のものである。

　(2)　危告示第5条の内容を表にすると次のようになる。

表5−1

配管等の区分	規格番号		種　類
配　管	JIS	G 3454 G 3455 G 3456 G 3459	圧力配管用炭素鋼鋼管（STPG） 高圧配管用炭素鋼鋼管（STS） 高温配管用炭素鋼鋼管（STPT） 配管用ステンレス鋼鋼管（SUS）
溶接式管継手	JIS	B 2312	配管用鋼製突合せ溶接式管継手
フランジ式管継手	JIS	B 2220	鋼製管フランジ（遊合形フランジ及びねじ込み式フランジに係る規格を除く。）
弁	JIS	B 2071	鋼製弁（鋳鋼フランジ形弁に係る規格に限る。）

❻ 配管等の構造

根拠条文　危規則

（配管等の構造）

第28条の5　配管等の構造は、移送される危険物の重量、配管等の内圧、配管等及びその附属設備の自重、土圧、水圧、列車荷重、自動車荷重、浮力等の主荷重並びに風荷重、雪荷重、温度変化の影響、振動の影響、地震の影響、投錨による衝撃の影響、波浪及び潮流の影響、設置時における荷重の影響、他工事による影響等の従荷重によつて生ずる応力に対して安全なものでなければならない。

2　配管は、次の各号に定める基準に適合するものでなければならない。

(1)　主荷重及び主荷重と従荷重との組合せによつて生ずる配管（鋼製のものに限る。以下この項において同じ。）の円周方向応力度及び軸方向応力度が当該配管のそれぞれの許容応力度を超えるものでないこと。

(2)　配管の内圧によつて生じる当該配管の円周方向応力度が当該配管の規格最小降伏点（配管の材料の規格に最小降伏点の定めがないものにあつては、材料試験成績等により保証される降伏点とする。ただし、当該降伏点が、当該材料の規格に定める引つ張りの強さの最小の値の0.6倍を超える場合にあつては、当該値とする。以下この条において同じ。）の40パーセント以下であること。

(3)　主荷重と従荷重の組合せによつて生じる配管の円周方向応力度、軸方向応力度及び管軸に垂直方向のせん断応力度を合成した応力度が当該配管の規格最小降伏点の90パーセント以下であること。

(4)　橋に設置する配管は、橋のたわみ、伸縮、振動等に対し安全な構造であること。

(5)　配管の最小厚さは、告示で定める基準に適合するものであること。ただし、告示で定める方法により破損試験を行つたとき破損しないものは、この限りでない。

3　前項第1号の「許容応力度」とは、許容引張応力度、許容圧縮応力度、許容せん断応力度及び許容支圧応力度をいう。この場合において、「許容引張応力度」及び「許容圧縮応力度」とは配管の規格最小降伏点に告示で定める長手継手の継手効率を乗じた値を2.0で除した値（主荷重と従荷重との組合せに係る許容引張応力度及び許容圧縮応力度にあつては、当該2.0で除した値に告示で定める従荷重に係る割増係数を乗じた値）、「許容せん断応力度」とは許容引張応力度に0.6を乗じた値、「許容支圧応力度」とは許容引張応力度に1.4を乗じた値をそれぞれいうものとする。

4　前3項に規定するもののほか、配管等の構造に関し必要な事項は、告示で定める。

危告示

（配管の最小厚さ）

第6条　規則第28条の5第2項第5号本文に規定する配管の最小厚さの基準は、

次の表の上〔左〕欄に掲げる配管の外径に応じて、それぞれ同表の下〔右〕欄に掲げる値とする。

配管の外径（単位　mm）	配管の最小厚さ（単位　mm）
114.3 未満	4.5
114.3 以上 139.8 未満	4.9
139.8 以上 165.2 未満	5.1
165.2 以上 216.3 未満	5.5
216.3 以上 355.6 未満	6.4
355.6 以上 508.0 未満	7.9
508.0 以上	9.5

（破損試験の方法）

第7条　規則第28条の5第2項第5号ただし書に規定する破損試験の方法は、次の各号に掲げる方法又はこれと同等以上の衝撃力を配管に与える方法とする。

(1)　配管の頂部と地表面との距離が1.5メートルとなる掘さく溝の中に配管を設置し、配管の上部は露出しておくこと。

(2)　配管は、次号の衝撃力を加えた場合に位置が移動しないように固定しておくこと。

(3)　バケット容量が0.6立方メートルの機械ロープ式バックホー型掘さく機のバケットを配管に最大の衝撃力を与える位置から落下させること。

（長手継手の継手効率）

第8条　規則第28条の5第3項に規定する長手継手の継手効率は、次の各号に掲げる鋼管に係る長手継手の非破壊検査に応じて、それぞれ当該各号に掲げる値とする。

(1)　全数非破壊検査を行つたもの　　　　　　　　　　　　　　　　　　1.0

(2)　長手継手の両端については全数、その他の部分については抜取りによる非破壊検査を行つたもの　　　　　　　　　　　　　　　　　　　　　　0.9

(3)　前2号の非破壊検査を行つていないもの　　　　　　　　　　　　0.7

（割増係数）

第9条　規則第28条の5第3項に規定する従荷重に係る割増係数は、次表の上〔左〕欄に掲げる従荷重の区分に応じ、それぞれ同表の下〔右〕欄に掲げる数値とする。

従　荷　重	割　増　係　数
風荷重	1.25
雪荷重	1.25
温度変化の影響	1.25
波浪及び潮流の影響	1.25
他工事の影響	1.50
地震の影響	1.70
設置時における荷重の影響	1.80

（配管等の構造に関し必要な事項）

第10条　規則第28条の5第4項に規定する配管等の構造に関し必要な事項は、次

条から第17条までに定めるとおりとする。

（配管に係る主荷重等の計算方法）

第11条　配管に係る主荷重等の計算方法は、次の各号に掲げるとおりとする。

(1)　内圧は、配管内の最大常用圧力とすること。

(2)　地表からの掘さくにより埋設する配管の頂部に作用する土圧は、鉛直方向の等分布荷重とし、第13条第 2 項第 7 号に規定する場合を除き、次の式イにより求めること。ただし、くい等で支持されている配管の頂部に作用する土圧は、次の式ロにより求めるものとする。

イ　$W_s = \gamma_s \cdot h \cdot D$

ロ　$W_s = \dfrac{1}{K}(e^{K \cdot \frac{h}{D}} - 1) \cdot \gamma_s \cdot D^2$

　　W_sは、土圧（単位　N／mm）

　　　γ_sは、土の湿潤単位体積重量（単位　N／mm³）

　　　hは、配管の埋設の深さ、ただし、道路下に埋設する場合は、配管の頂部と路面との距離（単位　mm）

　　　Dは、配管の外径（単位　mm）

　　　eは、自然対数の底

　　　Kは、配管の周辺の地盤が砂質土の場合は0.4、粘性土の場合は0.8

(3)　水圧は、静水圧とすること。

(4)　列車荷重は、次の式により求めること。この場合において、 2 線以上の列車荷重を同時に受けるときは、各線の列車荷重を加算するものとする。

　　$W_t = \dfrac{P_t \cdot D}{B_t \cdot (B_s + 2h \cdot \tan\theta)} \cdot (1 + i)$

　　　W_tは、列車荷重（単位　N／mm）

　　　P_tは、軸重（単位　N）

　　　Dは、配管の外径（単位　mm）

　　　B_tは、軸距（単位　mm）

　　　B_sは、枕木長（単位　mm）

　　　hは、配管の頂部と施工基面との距離（単位　mm）

　　　θは、軸重の分布角（単位　度）

　　　iは、次の表の上〔左〕欄に掲げる配管の頂部と施工基面との距離に応じたそれぞれ同表の下〔右〕欄に掲げる衝撃係数

配管の頂部と施工基面との距離（単位　mm）	衝撃係数
h＜1,500	0.75
1,500 ≦ h ≦ 9,000	0.9 － 0.0001 h
9,000 ＜ h	0

(5)　自動車荷重は、次の式により求めること。

　　$W_m = \dfrac{29.1D}{100 + h \cdot \tan\theta} \cdot (1 + i)$

　　　W_mは、自動車荷重（単位　N／mm）

　　　Dは、配管の外径（単位　mm）

hは、配管の頂部と路面との距離（単位　mm）

θは、自動車の後輪荷重の分布角（単位　度）

iは、次の表の上〔左〕欄に掲げる配管の頂部と路面との距離に応じた
それぞれ同表の下〔右〕欄に掲げる衝撃係数

配管の頂部と路面との距離（単位　mm）	衝 撃 係 数
h ＜ 1,500	0.5
1,500 ≦ h ≦ 6,500	0.65 － 0.0001 h
6,500 ＜ h	0

(6)　風荷重は、配管に対し水平方向に作用し、かつ、配管の垂直投射面に対し
1平方メートルにつき1,500ニュートンの等分布荷重とすること。

(7)　温度変化の影響の計算における温度差は、平均温度と予想される最高又は
最低の温度との差とすること。

(8)　道路下に埋設する配管に係る他工事の影響は、配管の頂部と路面との距離
を0.5メートルとして計算した自動車荷重と等しいものとすること。

（配管に係る応力度の計算方法）

第12条　配管に係る応力度は、次の各号に掲げるところを基礎として計算するも
のとする。

(1)　内圧によつて配管に生じる円周方向応力度は、次の式により求めること。

$$\sigma_{ci} = \frac{P_i \cdot (D - t + C)}{2 (t - C)}$$

σ_{ci}は、内圧によつて配管に生じる円周方向応力度（単位　N／mm²）

P_iは、最大常用圧力（単位　MPa）

Dは、配管の外径（単位　mm）

tは、配管の実際の厚さ（単位　mm）

Cは、内面くされ代（単位　mm）

(2)　土圧又は列車荷重若しくは自動車荷重によつて配管に生じる円周方向応力
度は、次の式により求めること。

$$\sigma_{co} = \frac{D_1 \cdot K_B \cdot W \cdot R \cdot E \cdot I_t + \alpha \cdot W \cdot K_H \cdot R^5 + 2\beta \cdot D_1 \cdot K_x \cdot W \cdot P_i \cdot R^4}{E \cdot I_t + 0.061 K_H \cdot R^4 + 2 P_i \cdot D_1 \cdot R^3 \cdot K_x} \cdot \frac{1}{Z_t}$$

σ_{co}は、土圧又は列車荷重若しくは自動車荷重によつて配管に生じる円周
方向応力度（単位　N／mm²）

D_1は、たわみ時間係数（十分締め固まつた砂若しくは砂質土の地盤に埋
設する場合又は配管の側面が配管の半径以上の幅にわたり砂若しくは
砂質土で置換されて十分締め固めてある場合は1.0、その他の場合は1.5
とする。）

K_Bは、次の表の上〔左〕欄に掲げる基床の状況に応じたそれぞれ同表の
中欄に掲げる値

Wは、土圧又は列車荷重若しくは自動車荷重（単位　N／mm）

Rは、配管の半径（単位　mm）

Eは、配管のヤング係数（単位　N／mm²）

I_tは、配管の管壁の断面二次モーメント（単位　mm⁴／mm）

α は、次の式により求めること。

$$\alpha = 0.061 \cdot D_1 \cdot K_B - 0.082 \cdot K_x$$

K_Hは、水平方向地盤反力係数（単位　N / mm^2）

β は、次の式により求めること。

$$\beta = D_1 \cdot K_B - 0.125$$

P_iは、最大常用圧力（単位　MPa）

K_xは、次の表の上〔左〕欄に掲げる基床の状況に応じたそれぞれ同表の下〔右〕欄に掲げる値

Z_tは、配管の管壁の断面係数（単位　mm^3 / mm）

基 床 の 状 況	K B	K x
締め固めが十分な基床	0.125	0.083
普　通　の　基　床	0.138	0.089

(3) 内圧によつて配管に生じる軸方向応力度は、軸方向の変位が拘束されない配管にあつては次の式イ、軸方向の変位が拘束される配管にあつては次の式ロにより求めること。

イ　$$\sigma_{li} = \frac{P_i \cdot (D - t + C)}{4 \ (t - C)}$$

ロ　$$\sigma_{li} = \nu \cdot \frac{P_i \cdot (D - t + C)}{2 \ (t - C)}$$

σ_{li}は、内圧によつて配管に生じる軸方向応力度（単位　N / mm^2）

P_iは、最大常用圧力（単位　MPa）

Dは、配管の外径（単位　mm）

t は、配管の実際の厚さ（単位　mm）

Cは、内面くされ代（単位　mm）

ν は、配管のポアソン比

(4) 列車荷重又は自動車荷重によつて配管に生じる軸方向応力度は、次の式により求めること。

$$\sigma_{lo} = \frac{0.322W}{Z_p} \cdot \sqrt{\frac{E \cdot I_p}{K_v \cdot D}}$$

σ_{lo}は、列車荷重又は自動車荷重によつて配管に生じる軸方向応力度（単位　N / mm^2）

Wは、列車荷重又は自動車荷重（単位　N / mm）

Z_pは、配管の断面係数（単位　mm^3）

Eは、配管のヤング係数（単位　N / mm^2）

I_pは、配管の断面二次モーメント（単位　mm^4）

K_vは、鉛直方向盤反力係数（単位　N / mm^2）

Dは、配管の外径（単位　mm）

(5) 温度変化の影響によつて配管に生じる軸方向応力度は、管体が全面的に拘束されている配管にあつては次の式により、その他の配管にあつては配管の伸縮吸収部分に生ずる応力度及び伸縮吸収部分の反力によつて直管部分に生ずる応力度を考慮して求めること。

$$\sigma_{1t} = E \cdot \alpha \cdot \varDelta t$$

σ_{1t}は、温度変化の影響によつて配管に生じる軸方向応力度（単位　N／㎟）

Eは、配管のヤング係数（単位　N／㎟）

α は、配管の線膨張係数（単位　1／℃）

$\varDelta t$ は、温度変化（単位　℃）

（地震の影響）

第13条　規則第28条の5第1項に規定する地震の影響は、地震動による慣性力、土圧、動水圧、浮力、地盤の変位等によつて生じる影響をいうものとする。

2　地震の影響に関する配管に係る応力度等の計算方法は、前2条に規定するもののほか、次の各号に掲げるとおりとする。ただし、地盤の性状等を特に考慮して行う場合は、これによらないことができる。

(1)　設計基盤面における水平震度は次の式により求め、設計基盤面における鉛直震度はその2分の1とすること。

$$koh = 0.15 \nu_1 \cdot \nu_2$$

kohは、設計基盤面における水平震度

ν_1は、地域別補正係数

ν_2は、土地利用区分別補正係数（次の表の上〔左〕欄に掲げる土地利用区分に応じたそれぞれ同表の下〔右〕欄に掲げる値とする。）

土 地 利 用 区 分	土地利用区分別補正係数
山 林 原 野	0.80
山林原野以外の区域	1.00

(2)　設計水平震度は次の式により求め、設計鉛直震度はその2分の1とすること。

$$kh = \nu_3 \cdot koh$$

khは、設計水平震度

ν_3は、地盤別補正係数（次の表の上〔左〕欄に掲げる配管が設置される地盤の種別に応じたそれぞれ同表の下〔右〕欄に掲げる値とする。）

kohは、設計基盤面における水平震度

地 盤 の 種 別	地盤別補正係数
一 種 地 盤	1.20
二 種 地 盤	1.33
三 種 地 盤	1.47
四 種 地 盤	1.60

(3)　表層地盤面より上方に配管を設置するときは、次号及び第5号に掲げるところにより計算すること。

(4)　地震動による慣性力は、配管等及び危険物の自重に設計水平震度又は設計鉛直震度を乗じて求めること。この場合において、慣性力の作用位置は、当該自重の重心位置とし、その作用方向は、水平二方向及び鉛直方向とする。

(5)　地震動による動水圧等は、次の式イ及び式ロにより求めること。

イ　$P_{w1} = 0.785kh \cdot \gamma w \cdot D^2$

ロ　$P_{w2} = 0.785kv \cdot \gamma w \cdot D^2$

P_{w1}は、地震動による水平方向の動水圧等（単位　N／m）

P_{w2}は、地震動による鉛直方向の動水圧等（単位　N／m）

khは、設計水平震度

kvは、設計鉛直震度

γwは、水の単位体積重量又は土の湿潤単位体積重量（単位　N／㎥）

Dは、配管の外径（単位　m）

(6) 表層地盤面より下方に配管を設置するときは、次号から第10号までに掲げるところにより計算すること。

(7) 地震時の土圧は、次の式イにより求めること。ただし、くい等で支持されている配管に作用する地震時の土圧は、次の式ロにより求めるものとする。

イ　$W_s = \gamma_s \cdot h \cdot D \cdot (1 + kv)$

ロ　$W_s = \dfrac{1}{K} (e^{K \cdot \frac{h}{D}} - 1) \cdot \gamma_s \cdot D^2 \cdot (1 + kv)$

W_s、γ_s、h、D、e及びKは、それぞれ第11条第2号のW_s、γ_s、h、D、e及びKと同じ。

kvは、設計鉛直震度

(8) 表層地盤の固有周期は、次の式により求めること。

$$T = C \cdot \dfrac{H}{V_s}$$

Tは、表層地盤の固有周期（単位　s）

Cは、表層地盤が粘性土の場合は4.0、砂質土の場合は5.2

Hは、表層地盤の厚さ（単位　m）

V_sは、表層地盤のせん断弾性波速度（単位　m／s）

(9) 表層地盤面の水平変位振幅は、次の式により求めること。

$U_h = 0.203 T \cdot S_v \cdot koh$

U_hは、表層地盤面の水平変位振幅（単位　㎜）

Tは、表層地盤の固有周期（単位　s）

S_vは、応答速度の基準値（Tが0.5秒以上の地盤の場合は1秒につき800ミリメートルとし、Tが0.5秒未満の地盤の場合はTに応じて減らすことができる。）

kohは、設計基盤面における水平震度

(10) 地盤の変位によつて配管に生じる軸方向応力度は、次の式により求めること。

$$\sigma_{1e} = \sqrt{3.12 \sigma L^2 + \sigma B^2}$$

σ_{1e}は、地盤の変位によつて配管に生じる軸方向応力度（単位　N／㎟）

σLは、次の式イにより求めた値（単位　N／㎟）

σBは、次の式ロにより求めた値（単位　N／㎟）

イ　$\sigma L = \dfrac{3.14 U_h \cdot E}{L} \cdot \dfrac{1}{1 + (\dfrac{4.44}{\lambda_1 \cdot L})^2}$

ロ　$\sigma B = \dfrac{19.72D \cdot Uh \cdot E}{L^2} \cdot \dfrac{1}{1 + \left(\dfrac{6.28}{\lambda_2 \cdot L}\right)^4}$

Uhは、表層地盤面の水平変位振幅（単位　mm）

Eは、配管のヤング係数（単位　N／mm²）

Lは、表層地盤の地表面近傍における地震動の波長（単位　mm）

Dは、配管の外径（単位　mm）

λ_1は、次の式(1)により求めた値（単位 1／mm）

λ_2は、次の式(2)により求めた値（単位 1／mm）

(1)　$\lambda_1 = \sqrt{\dfrac{K_1}{E \cdot A_p}}$

(2)　$\lambda_2 = \sqrt[4]{\dfrac{K_2}{E \cdot I_p}}$

K_1及びK_2は、それぞれ軸方向及び軸直角方向の変位に関する地盤の剛性係数（単位　N／mm²）

A_pは、配管の断面積（単位　mm²）

I_pは、配管の断面二次モーメント（単位　mm⁴）

（配管に係る合成応力度）

第14条　規則第28条の5第2項第3号に規定する円周方向応力度、軸方向応力度及び管軸に垂直方向のせん断応力度を合成した応力度は、次の式により求めなければならない。

$\sigma e = \sqrt{\sigma_{cs}^2 + \sigma_{ls}^2 - \sigma_{cs} \cdot \sigma_{ls} + 3\tau^2}$

σeは、合成応力度（単位　N／mm²）

σ_{cs}は、円周方向応力度（単位　N／mm²）

σ_{ls}は、軸方向応力度（単位　N／mm²）

τは、管軸に垂直方向のせん断応力度（単位　N／mm²）

（管継手の設計等）

第15条　配管に使用する管継手は、次の各号に掲げるところにより設けなければならない。

(1)　管継手の設計は、配管の設計に準じて行うほか、管継手のたわみ性及び応力集中を考慮して行うこと。

(2)　配管を分岐させる場合は、あらかじめ製作された分岐用管継手又は分岐構造物を用いること。この場合において、分岐構造物には、原則として補強板を取り付けるものとする。

(3)　分岐用管継手、分岐構造物及びレジューサは、原則として移送基地又は専用敷地内に設けること。

（曲り部の設計等）

第16条　配管の曲り部は、次の各号に掲げるところにより設けなければならない。ただし、現場における施工条件その他の特別の理由によりやむを得ない場合であつて、3度を超えない角度で配管の切り合わせを行うときは、第2号及び第

　3号の規定は、適用しない。

(1)　曲り部の設計は、配管の設計に準じて行うほか、曲り部のたわみ性及び応力集中を考慮して行うこと。

(2)　曲り部には、次号に定める場合を除き、あらかじめ製作された曲り管（マイターベンド管は、内圧によつて生じる円周方向応力度が配管の規格最小降伏点（配管の材料の規格に最小降伏点の定めがないものにあつては、材料試験成績等により保証される降伏点とする。ただし、当該降伏点が、当該材料の規格に定める引つ張り強さの最小の値の0.6倍を超える場合にあつては、当該値とする。）の20パーセント以下の場合に限る。）を用いること。

(3)　現場において冷間曲げを行う場合は、最小曲率半径は、次の表の上〔左〕欄に掲げる配管の外径に応じたそれぞれ同表の下〔右〕欄に掲げる値とする。この場合において、配管の内径は、配管の外径の2.5パーセント以上減少してはならないものとする。

配管の外径（単位　mm）	最小曲率半径（単位　mm）
D ≦ 318.5	18 D
318.5 ＜ D ≦ 355.6	21 D
355.6 ＜ D ≦ 406.4	24 D
406.4 ＜ D ＜ 508.0	27 D
508.0 ≦ D	30 D

　Dは、配管の外径（単位　mm）

（弁の設計等）

第17条　配管に取り付ける弁は、次の各号に掲げるところにより設けなければならない。

(1)　弁は、配管の強度と同等以上の強度を有すること。

(2)　弁（移送基地内の配管に取り付けられるものを除く。）は、ピグの通過に支障のない構造のものとすること。

(3)　弁（移送基地又は専用敷地内の配管に取り付けられるものを除く。）と配管との接続は、原則として突き合わせ溶接によること。

(4)　弁を溶接により配管に接続する場合は、接続部の肉厚が急変しないように施工すること。

(5)　弁は、当該弁の自重等により配管に異常な応力を発生せしめないように取り付けること。

(6)　弁は、配管の膨張及び収縮、地震力等による異常な力が直接弁に作用しないよう考慮して取り付けること。

(7)　弁の開閉速度は、油撃作用等を考慮した速度とすること。

(8)　フランジ付き弁のフランジ、ボルト及びガスケットの材料の規格は、第5条第3号の規定に準じること。

留意事項　(1)　配管等は、工事完了後の運転中に作用する主荷重及び従荷重のほか、工事中における荷重の影響に対しても十分な安全性を有する必要がある。

(2)　「主荷重」とは常時連続的、長期的に作用する荷重のことであり、「従荷重」と

は一時的、短期的に作用する荷重のことである。また、「主荷重と従荷重の組合せ」については、配管に作用する全主荷重と一の従荷重の組合せとして差し支えないとされているが、それぞれの場合について応力度の検討を行わなければならない。

表6-1 **主荷重及び従荷重の例（危規則第28条の5第1項による）**

主 荷 重	従 荷 重
危険物の重量	風荷重
配管等の内圧	雪荷重
配管等及びその附属設備の自重	温度変化の影響
土　圧	振動の影響
水　圧	地震の影響
列車荷重	投錨による衝撃の影響
自動車荷重	波浪及び潮流の影響
浮　力	設置時における荷重の影響
	他工事における影響

(3) 配管の「許容応力度」については、危規則第28条の5第3項に規定されており、配管ごとに次式によって算定することとされている。

$$
\left.\begin{array}{l}\text{ア　許容引張応力度}\\\text{イ　許容圧縮応力度}\end{array}\right\} = \frac{\left(\begin{array}{c}\text{配　　管　　の}\\\text{規格最小降伏点}\end{array}\right) \times \left(\begin{array}{c}\text{長手継手の}\\\text{継 手 効 率}\end{array}\right)}{2.0} \times \left(\begin{array}{c}\text{従荷重に係る}\\\text{割 増 係 数}\end{array}\right)
$$

ウ　許容せん断応力度＝許容引張応力度×0.6

エ　許容支圧応力度＝許容引張応力度×1.4

(4) 主荷重及び主荷重と従荷重の組合せ並びに配管の内圧によって生じる配管の各種応力度については、危規則第28条の5第2項第1号、第2号及び第3号に、それぞれの応力度に応じた許容値が定められており、その概要は次のとおりである。

ア　(主荷重＋従荷重)による
　　円周方向応力度　≦組み合わせる従荷重の種類に応じた許容引張応力度

イ　(主荷重＋従荷重)による
　　軸方向応力度
　　　{ 軸方向の変位が拘束されない場合　≦組み合わせる従荷重の種類に応じた許容引張応力度
　　　 軸方向の変位が拘束される場合　≦組み合わせる従荷重の種類に応じた許容圧縮応力度

ウ　内圧による円周方向応力度≦規格最小降伏点×0.4

エ　(主荷重＋従荷重) による合成応力度≦規格最小降伏点×0.9

(5) 配管の厚さは、危告示第12条に基づく応力度計算により配管ごとに求めなければならないが、応力度計算により求めた厚さであっても、危告示第6条に規定する「最小厚さ」未満とすることはできない。この場合において、「配管の最小厚さ」の「厚さ」は、日本産業規格で用いられる呼び厚さと同様に考えて差し支えない。

(6) 危告示第11条第1号に規定する「最大常用圧力」とは、正常運転時における移送取扱所の「最高運転圧力」をいい、圧力的に独立な配管の全区間の各点で最大値をとるものである（図6-1参照）。

　なお、圧力的に独立な区間とは原則として、発ターミナルから下流側の最も近い着ターミナル又は中間の昇圧ステーションまでの配管の区間とする。ただし、区間の途中に圧力安全装置を設ける場合又は標高の高いところがあり、周囲の地形の状況からその部分を切り離して扱う必要がある場合には、当該装置又は周囲の地形に

より圧力が制御されている部分を1つの独立な区間とすることができる（図6－2参照）。

図6－1 **最高圧力に対応する水頭**

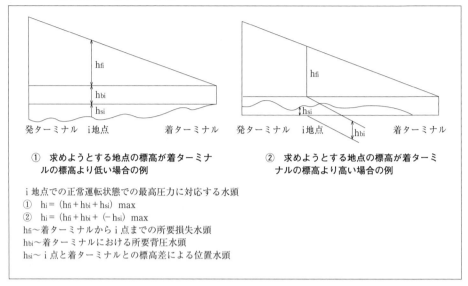

① 求めようとする地点の標高が着ターミナルの標高より低い場合の例
② 求めようとする地点の標高が着ターミナルの標高より高い場合の例

i 地点での正常運転状態での最高圧力に対応する水頭
① $h_i = (h_{fi} + h_{bi} + h_{si})$ max
② $h_i = (h_{fi} + h_{bi} + (-h_{si}))$ max
h_{fi}〜着ターミナルからi点までの所要損失水頭
h_{bi}〜着ターミナルにおける所要背圧水頭
h_{si}〜i点と着ターミナルとの標高差による位置水頭

図6－2 **常用圧力を求める方法**

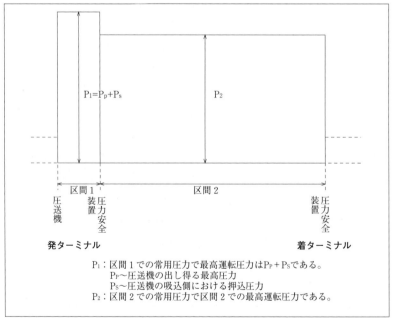

P_1：区間1での常用圧力で最高運転圧力は$P_P + P_S$である。
　P_P〜圧送機の出し得る最高圧力
　P_S〜圧送機の吸込側における押込圧力
P_2：区間2での常用圧力で区間2での最高運転圧力である。

(7) 配管を地表面に設置した後、盛土を施工する場合は溝を掘削して配管を設置する場合と同様に取り扱う。

(8) 配管を道路下に埋設する場合は、配管の埋設後に道路の拡幅等により盛土を行い土被りが増加することがあるので、計算に当たっての埋設の深さは実際の埋設の深さではなく、配管の頂部と路面との距離とする（図6－3参照）。

図6-3　**道路下埋設の場合の配管埋設の深さ**

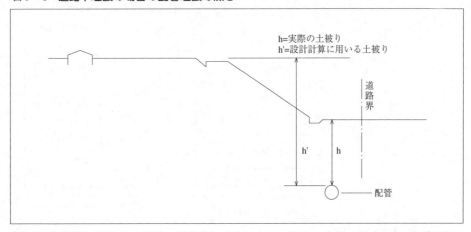

(9)　列車荷重に係る θ（軸重の分布角）のとり方は、粘性土地盤の場合45°、砂質地盤の場合は30°と考えて支障ない（図6-4参照）。

図6-4　**列車荷重に係るθ（軸重の分布角）**

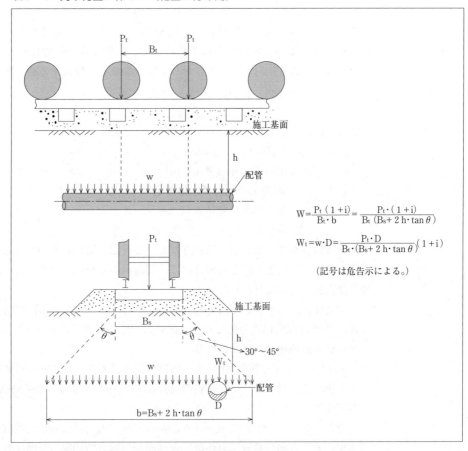

$$W = \frac{P_t\,(1+i)}{B_t \cdot b} = \frac{P_t \cdot (1+i)}{B_t\,(B_s + 2\,h \cdot \tan\theta)}$$

$$W_t = w \cdot D = \frac{P_t \cdot D}{B_t \cdot (B_s + 2\,h \cdot \tan\theta)}(1+i)$$

（記号は危告示による。）

$$b = B_s + 2\,h \cdot \tan\theta$$

(10)　自動車荷重に係る θ（自動車の後輪荷重の分布角）のとり方は、前(9)と同様である（図6-5参照）。

図6-5　**自動車の後輪荷重の分布角**

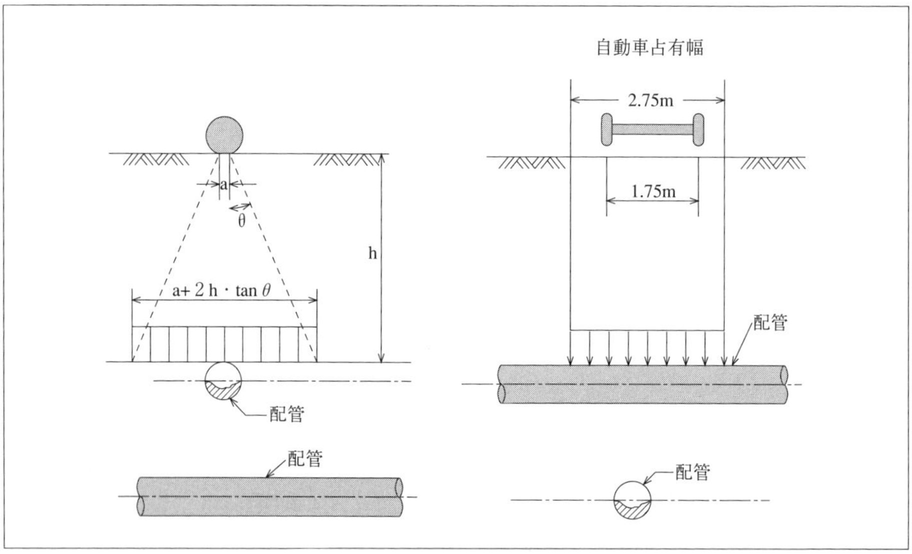

⑾　浮力

　　埋設配管では、地下水位が高く埋設深さが浅いと鉛直土圧や配管側面の土との摩擦に打ち勝って浮上するおそれがあるので、配管空虚時に管体が浮上しないかどうかを次式により検討し、浮上に対して安全な深さに埋設する必要がある。

$$H > \frac{\pi \, D_c}{4} \cdot \frac{(1,000 \times 9.8)\,S - \left\{ 1 - \left(\frac{d}{D_c} \right)^2 \right\}\,W}{W_s - (1,000 \times 9.8)}$$

　　ここに、H：浮上しないための埋設深さ（単位　m）

　　　　　　　D_c：配管の外径（単位　m）

　　　　　　　d：配管の内径（単位　m）

　　　　　　　W_s：埋戻土の飽和単位体積重量（単位　N／㎥）

　　　　　　　W：配管の単位体積重量（単位　N／㎥）

　　　　　　　S：安全率＞1.2

　　上式は地表面まで地下水で飽和されているとした場合のものである。現地の地下水位が確かで、地表面以下の場合には、別途検討しなければならないが、その他の場合は上式によって行われている。

⑿　土圧又は列車荷重若しくは自動車荷重によって配管に生じる円周方向応力度に係るK_H（水平方向地盤反力係数）、I_t（配管の管壁の断面二次モーメント）及びZ_t（配管の管壁の断面係数）は次による。

　ア　K_Hは配管と同じ載荷面積、水平変位のときに相当する値を実測するか、「道路橋下部構造設計指針ケーソン基礎の設計篇」（昭和45年3月日本道路協会）等により推定する。

　　　なお、推定に当たって、K_{HO}（直径30㎝の剛体円板による平板載荷試験の値に相当する水平方向の地盤反力係数）の側面の分担分の20％の割増は行ってはならない。

　イ　I_t及びZ_tは配管を扁平化させようとする力に対応すべきものであり、管軸を含む平面によって切断された管壁断面の単位長さ当たりの値とし、次式により求め

る（図 6 - 6 参照）。

図 6 - 6　**I t 及び Z t の求め方**

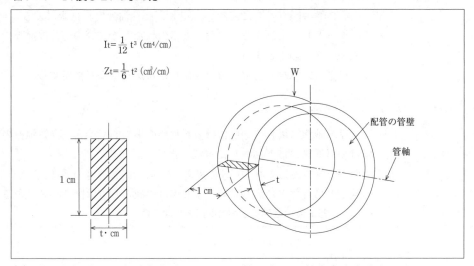

$$I_t = \frac{1}{12} t^3 \ (cm^4/cm)$$

$$Z_t = \frac{1}{6} t^2 \ (cm^3/cm)$$

⒀　「列車荷重又は自動車荷重によつて配管に生じる軸方向応力度」は、図 6 - 7 に
　示すように弾性床の上に配管を置き、その一部に列車荷重又は自動車荷重が載る場
　合の値を求めたものである。

図 6 - 7　**軸方向応力度**

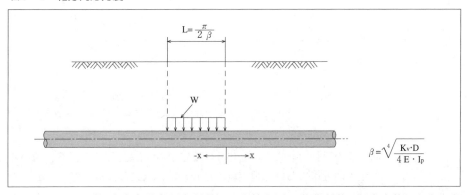

$$L = \frac{\pi}{2} \frac{1}{\beta}$$

$$\beta = \sqrt[4]{\frac{K_v \cdot D}{4 \ E \cdot I_p}}$$

　　なお、K_v（鉛直方向地盤反力係数）は配管と同じ載荷面積、鉛直変位のときに相
当する値を実測するか、又は推定するものとする。当該係数の推定方法は「道路橋
下部構造設計指針ケーソン基礎の設計篇」又は「建造物設計基準〔基礎構造物及び
抗土圧構造物〕」（昭和49年 6 月日本国有鉄道）によるものとする。

⒁　「設計基盤面」とは、表層に比べて相対的に硬い下方の上面をいい、せん断弾性
　波速度が300ｍ／ s 以上又は標準貫入試験のＮ値が50以上の地盤の上面をいう。

⒂　「表層地盤面」とは、表層地盤の上面（一般的には「地表面」）をいう。

⒃　「表層地盤面より上方に配管を設置するとき」とは、地上敷設の場合又は耐震設
　計上支持力を無視する必要がある地盤中に設置する場合をいう。

⒄　慣性力の作用する水平二方向とは、水平面内の管軸方向及び管軸直角方向とする。

⒅　「動水圧」とは、水又は流動化した土層により配管に作用する動的な力であり、配
　管の受ける浮力に水平又は鉛直震度を乗じたものである。

　　この場合、P_{w1}（地震動による水平方向の動水圧）の方向は管軸直角の水平方向、

P w₂（地震動による鉛直方向の動水圧）の方向は管軸直角の鉛直方向とし、その向きは慣性力の向きに一致させる。

⒆　表層地盤の固有周期に係るVs（せん断弾性波速度）は次による。

　ア　原則として実測する。なお、通常の板たたき法等の弾性波探査による場合は実測値の2分の1とする。

　イ　標準貫入試験の打撃回数（N値）から次式により推定する。

$$V_s = 20 \times \sqrt{N}\ （m／s）$$

　ウ　粘性地盤の場合にあっては表層地盤の平均的Vsとし、砂質地盤の場合にあっては表層地盤の最下部のVsとする。

⒇　危告示第13条第2項第9号に規定するSv（応答速度の基準値）の「Tが0.5秒未満の地盤の場合はTに応じて減らす」場合の減らし方は図6－8によるものとする。

図6－8　**応答速度の基準値と固有周期との関係値**

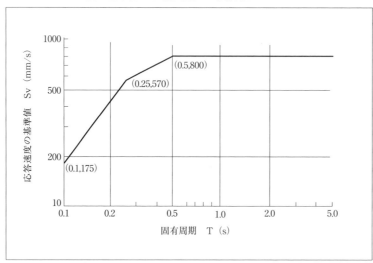

㉑　危告示第13条第2項第10号に規定するσL及びσBの計算に用いるL（表層地盤の地表面近傍における地震動の波長）は、次式によるものとする。

$$L = \frac{2 \cdot L_1 \cdot L_2}{L_1 + L_2}$$

　ここに、L₁＝T・Vs

　　　　　　L₂＝T・Vos

　　　　　　T ：表層地盤の固有周期（危告示第13条第2項第8号に規定するもの）

　　　　　　Vs：表層地盤のせん断弾性波速度（危告示第13条第2項第8号に規定するもの）

　　　　　　Vos：基盤面のせん断弾性波速度で実測によるものを原則とする（板たたき法等通常の弾性波探査による場合でも実測値そのものでよい。）。またN値から推定する場合はVos＝40・√N₀（m／s）（N₀は基盤面のN値）とする。

㉒　危告示第13条第2項第10号に規定するλ₁及びλ₂の計算に用いるK₁及びK₂（それぞれ軸方向及び軸直角方向の変位に関する地盤の剛性係数（単位　N／㎟））は実測によることを原則とするが、次式により求めてもよい。

$$K_1 = K_2 = 3 \cdot \frac{\gamma_s}{g} \cdot V_{sp}^2$$

ここに、γ_s　：土の湿潤単位体積重量（N／㎥）

V_{sp}　：配管位置での表層地盤のせん断弾性波速度（m／s）

g　　：重力加速度（9.8 m／s²）

7 伸縮吸収措置

(根拠条文) 危規則

（伸縮吸収措置）

第28条の6　配管の有害な伸縮が生じるおそれのある箇所には、告示で定めるところにより当該有害な伸縮を吸収する措置を講じなければならない。

危告示

（伸縮吸収措置）

第18条　規則第28条の6の規定により、配管には、次の各号に掲げるところにより有害な伸縮を吸収するための措置を講じなければならない。

（1）原則として曲り管を用いること。

（2）曲り管等の種類、配置及び固定の方法は、配管に異常な応力を発生せしめないよう考慮したものとすること。

(留意事項) (1)「有害な伸縮」とは、温度変化に伴う伸縮のほか、不等沈下のおそれのある部分又は伏越部等の敷設条件の急変部分において生じる圧縮、引張、曲げ及びせん断の各応力度並びに合成応力度のいずれかが許容応力度を超える場合をいう。

(2)「有害な伸縮を吸収するための措置」としては、曲り管によることを原則とするが、配管中にエルボを使用し配管ループを形成する方法も考えられる（図7−1、図7−2参照）。また、低圧の場合、特に移送基地内においてはベローズ形伸縮継手を用いても支障ない。

図7−1　**曲り管による伸縮吸収措置**　　図7−2　**エルボを用いた配管ループ**

による伸縮吸収措置

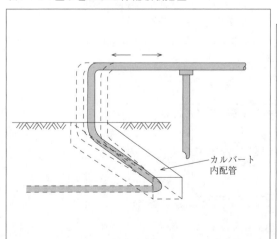

カルバート
内配管

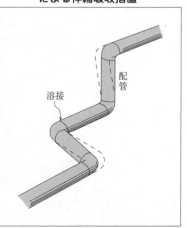

配管

溶接

8 配管等の接合

根拠条文　危規則

> （配管等の接合）
> **第28条の7**　配管等の接合は、溶接によつて行わなければならない。ただし、溶
> 　接によることが適当でない場合は、安全上必要な強度を有するフランジ接合を
> 　もつて代えることができる。
> 2　前項ただし書の場合においては、当該接合部分の点検を可能とし、かつ、危
> 　険物の漏えい拡散を防止するための措置を講じなければならない。

留意事項　フランジ接合とする場合は、次によること。

(1) フランジ接合部は地上又は地下にあっては点検箱内とし、漏えい拡散防止及び保
　守管理に支障のないように措置する（図8-1及び図8-2参照）。

図8-1　**地上接合**

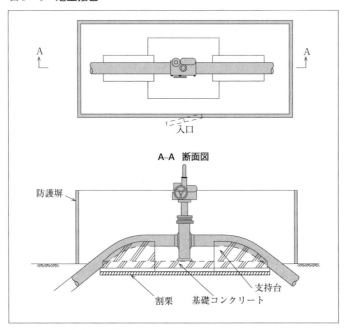

図8-2　**点検箱内接合**

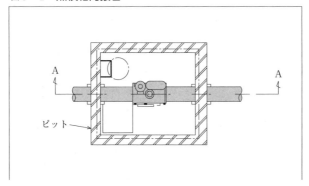

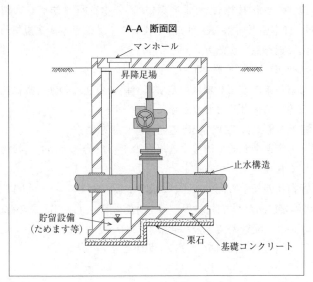

A–A　断面図

マンホール

昇降足場

止水構造

貯留設備
（ためます等）

栗石

基礎コンクリート

(2)　フランジ接合部は油撃作用等の衝撃力に対して十分な強度を有するとともに、ガスケットの破損及びガスケットからの吹出しのおそれがないものとする。

❾ 溶接

(根拠条文)　危規則

（溶接）

第28条の8　配管等の溶接は、アーク溶接その他の告示で定める溶接方法によつて行わなければならない。

2　配管等の溶接に使用する溶接機器及び溶接材料は、告示で定める規格に適合するもの又はこれと同等以上の性能を有するものでなければならない。

3　前2項に規定するもののほか、溶接の方法その他溶接に関し必要な事項は、告示で定める。

危告示

（溶接方法）

第19条　規則第28条の8第1項に規定する溶接方法は、アーク溶接又はこれと同等以上の溶接効果を有する方法とする。

（溶接機器及び溶接材料の規格）

第20条　規則第28条の8第2項に規定する溶接機器及び溶接材料の規格は、次のとおりとする。

(1)　溶接機器にあつては、日本産業規格 C 9300-1「アーク溶接装置-第1部：アーク溶接電源」（交流アーク溶接機及び垂下特性形整流器式直流アーク溶接機に係る規格に限る。）、日本産業規格 C 9300-11「アーク溶接装置-第11部：溶接棒ホルダ」又は日本産業規格 C 3404「溶接用ケーブル」

(2)　溶接材料にあつては、日本産業規格 Z 3211「軟鋼、高張力鋼及び低温用

鋼用被覆アーク溶接棒」、日本産業規格　Z 3221「ステンレス鋼被覆アーク
溶接棒」、日本産業規格　K 1105「アルゴン」又は日本産業規格　K 1106「液
化二酸化炭素（液化炭酸ガス）」

（溶接の方法その他溶接に関し必要な事項）

第21条　規則第28条の8第3項に規定する溶接の方法その他溶接に関し必要な事
項は、次の各号に掲げるとおりとする。

⑴　溶接継手の位置は、次に掲げるところによること。

イ　配管を突き合わせて溶接する場合の平行な突き合わせ溶接の間隔は、原
則として管径以上とすること。

ロ　配管相互の長手方向の継手は、原則として50ミリメートル以上離すこと。

⑵　配管の溶接にあたつては、位置合わせ治具を用い、しん出しを正確に行うこと。

⑶　管厚の異なる配管の突き合わせ継手においては、管厚を徐々に変化させる
とともに長手方向の傾斜を3分の1以下とすること。

留意事項　⑴　溶接方法には、手動、半自動、自動溶接等がある。

⑵　固定管を溶接するときは、溶接配管が動かず、溶接部に過大な荷重がかからない
よう適当な台等で支持しなければならない。

⑶　クレーン等で吊って溶接するときは、クランプの取外し時期、仮付方法等に注意
しなければならない。

⑷　溶接機器は、溶接電流値を確かめるための電流計を用意するとともに、シールド
用ガスを用いるものにあっては、それぞれのガスに対して流量計を用意しなければ
ならない。

⑸　溶接材料は、溶接方法、配管の材質、継手構造等に応じて適当なものを選定し、
取扱いに当たっては、種別ごとの管理、損傷・汚損・吸湿の防止等に注意しなけれ
ばならない。

なお、溶接棒及びフラックスは、使用に先立ち適当な時間と温度で乾燥炉に保持
する等十分な乾燥状態で使用する。

⑹　位置合わせ治具には、インナークランプ及びアウタークランプがあるが、外面か
らの溶接がしやすく仮付けを要しないことからインナークランプが適当である。

⑺　管厚さを急激に変えると応力集中が大となるので、3分の1以下の傾斜をつける
ことが必要である。

⑻　溶接配管の配列、芯出し、溶接等の一連の溶接工法に係る施工概念図を図9-1～
図9-3に示す。

図9－1　**道路下埋設の場合の施工図**

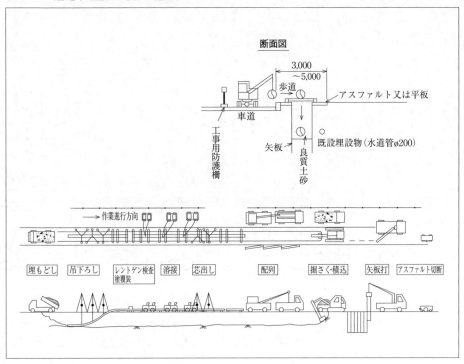

図9－2　**河川敷埋設の場合の施工図**

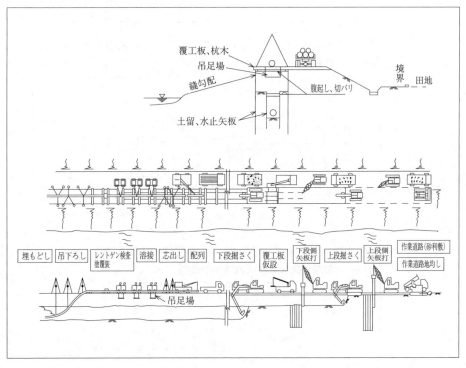

図9-3 **水路上設置の場合の施工図**

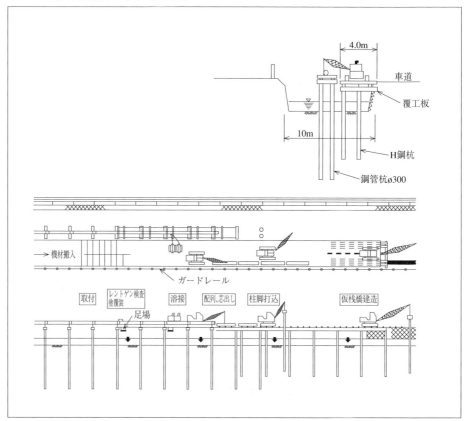

(9) 危告示第21条第1号イ及びロを図9-4で説明する。

図9-4 **溶接継手の位置**

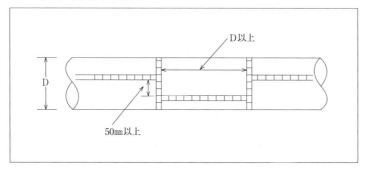

(10) 危告示第21条第3号の継手の長手方向の傾斜は図9-5で説明する。

図9-5 **管厚が異なる場合の継手の傾斜**

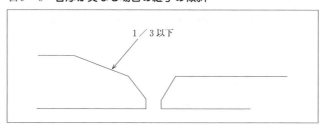

🔟 防食被覆

根拠条文 危規則

（防食被覆）

第28条の9　地下又は海底に設置する配管等には、告示で定めるところにより、耐久性があり、かつ、電気絶縁抵抗の大きい塗覆装材により外面腐食を防止するための措置を講じなければならない。

2　地上又は海上に設置する配管等には、外面腐食を防止するための塗装を施さなければならない。

危告示

（外面腐食を防止するための措置）

第22条　規則第28条の9第1項の規定により、配管等には、次に掲げるところにより外面腐食を防止するための措置を講じなければならない。

(1) 塗覆装材は、次に掲げるもの又はこれと同等以上の防食効果を有するものを用いること。

イ　塗装材にあつては、アスファルトエナメル又はブローンアスファルトであつて、配管に塗装した場合において、十分な強度を有し、かつ、配管と塗覆装との間に間げきが生じないための配管との付着性能を有するもの

ロ　覆装材にあつては、日本産業規格 L 3405「ヘッシャンクロス」に適合するもの又は耐熱用ビニロンクロス、ガラスクロス若しくはガラスマットであつて、イの塗装材による塗装を保護又は補強するための十分な強度を有するもの

(2) 防食被覆の方法は、次に掲げるもの又はこれと同等以上の防食効果を有する被覆を作るものとすること。

イ　配管の外面にプライマーを塗装し、その表面に前号イの塗装材を塗装した後、当該塗装材を含浸した前号ロの覆装材を巻き付けること。

ロ　塗覆装の厚さは、配管の外面から厚さ3.0ミリメートル以上とすること。

留意事項 (1) 防食塗覆装において、単層で十分な絶縁性能及び強度のある被膜が得られ難い場合は、重層で使用すること。だたし、過防食により被膜の剥離を起こす場合があるので注意する。

(2) 塗覆装材の性能を判断する場合、次のような特性について検討を要する。

ア　被膜の絶縁性、耐久性、耐水性、遮水性等

イ　被膜の密着性、強度、延性等

ウ　工事及び現場における作業性

なお、防食塗覆装の具体例は「第1集　第2章　**24** 配管」(5)、(6)、(7)及び(9)を参照すること。

🔢 電気防食

根拠条文 危規則

（電気防食）

第28条の10　地下又は海底に設置する配管等には、告示で定めるところにより電気防食措置を講じなければならない。

2　前項の措置を講ずる場合は、近接する埋設物その他の構造物に対し悪影響を及ぼさないための必要な措置を講じなければならない。

危告示

（電気防食措置）

第23条　規則第28条の10第1項の規定により、配管等には、次の各号に掲げるところにより電気防食措置を講じなければならない。

(1)　地下又は海底に設置する配管等の対地電位平均値は、飽和硫酸銅電極基準による場合にあつてはマイナス0.85ボルト、飽和カロメル電極基準による場合にあつてはマイナス0.77ボルトより負の電位であつて、かつ、過防食による悪影響を生じない範囲内とすること。

(2)　地下に設置する配管等には、適切な間隔で電位測定端子を設けること。

(3)　電気鉄道の線路敷下等漏えい電流の影響を受けるおそれのある箇所に設置する配管等には、排流法等による措置を講じること。

留意事項　(1)　電気防食の施工例を図11-1に示す。

図11-1　**電気防食の施工例**

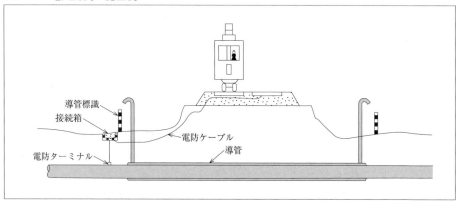

(2)　電気防食措置を講ずる場合は、付近に設置されている他の地中金属構造物に干渉して、悪影響を与えないように注意するとともに、当該金属構造物に電気防食措置が施されている場合はその影響を受ける可能性があるので、他の構造物の電気防食の状態についてもあらかじめ調査しておく必要がある。

(3)　電位測定端子の配置間隔は電食を受けるおそれの強い場所等腐食環境の悪い場所では200m程度とし、腐食環境がよくなるに従って、その間隔を広げることができる

　が、一般には500m以内にする。

　なお、電気防食措置の具体的例は「第1集　第2章　24 配管」(8)及び(10)を参照すること。

12 加熱及び保温のための設備

(根拠条文) 危規則

（加熱及び保温のための設備）

第28条の11　配管等に加熱又は保温のための設備を設ける場合は、火災予防上安全で、かつ、他に悪影響を与えないような構造としなければならない。

(留意事項)　高粘性油を対象とする重質油パイプラインは、配管等を加熱、保温し、十分な流動が得られるまで温度を上げて送油する。この場合、加熱方法としては、電気加熱及びスチーム加熱が一般的である。

(1)　電気加熱方式

　　ア　SECT法（Skin Electric Current Thermo systems）

　　　　発熱用小口径パイプを配管に溶接併設し、当該小口径パイプの中に耐熱電線を通し、末端で当該小口径パイプと接続し、交流電流を流す。電流は管表皮を流れ、表皮電流効果により小口径管全体が発熱し、この熱を本管に伝える（図12-1参照）。

図12-1　**表皮電流による配管の保温（フランジ部における接続例）**

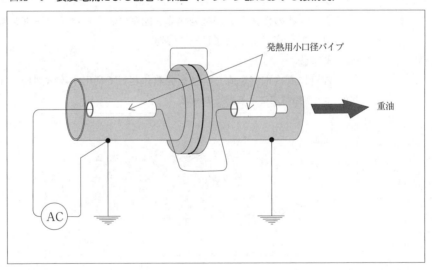

　　イ　発熱電線法

　　　　数本のMIケーブルを配管に抱かせ、この上を断熱材で保温する。MIケーブルの発熱を本管に伝える（図12-2参照）。

図12-2 **発熱電線又はテープヒーターによる配管の保温**

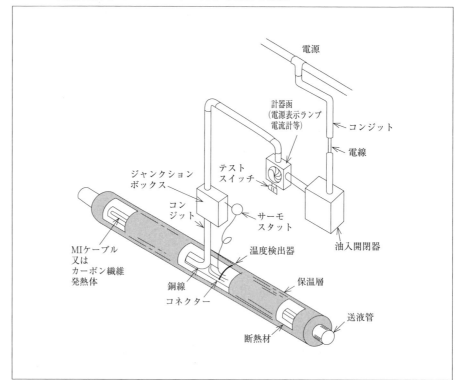

ウ テープヒーター法

テープ状のカーボン繊維発熱体を配管に巻き付け、カーボン繊維の導電性及び
電気抵抗を利用する（図12-2参照）。

エ 直接法

配管に直接電流を流し、管を発熱体として利用する（図12-3参照）。

図12-3 **直接電流による配管の保温**

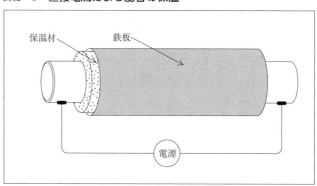

（2） スチームトレース法

スチーム管（二重管又はトレース管）にスチームを通ずる（図12-4参照）。

図12-4　**スチーム管による配管の保温**

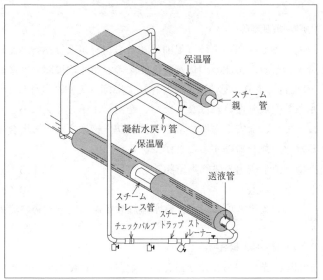

保温層

スチーム
親　　管

凝結水戻り管

保温層

送液管

スチーム
トレース管

チェックバルブ　スチーム　スト
　　　　　　　トラップ　レーナー

　　なお、その他加熱及び保温のための設備に関しては「第1集　第2章　24 配管」
(12)及び(13)を参照すること。

13 地下埋設

根拠条文　危規則

（地下埋設）

第28条の12　配管を地下に埋設する場合は、次の各号に掲げるところによらなけ
ればならない。

(1)　配管は、その外面から建築物、地下街、隧道その他の告示で定める工作物
に対し告示で定める水平距離を有すること。

(2)　配管は、その外面から他の工作物に対し0.3メートル以上の距離を保たせ、
かつ、当該工作物の保全に支障を与えないこと。ただし、配管の外面から他の
工作物に対し0.3メートル以上の距離を保たせることが困難な場合であつて、
かつ、当該工作物の保全のための適切な措置を講じる場合は、この限りでない。

(3)　配管の外面と地表面との距離は、山林原野にあつては0.9メートル以下、そ
の他の地域にあつては1.2メートル以下としないこと。ただし、当該配管を告
示で定める防護構造物の中に設置する場合は、この限りでない。

(4)　配管は、地盤の凍結によつて損傷を受けることのないよう適切な深さに埋
設すること。

(5)　盛土又は切土の斜面の近傍に配管を埋設する場合は、告示で定める安全率
以上のすべり面の外側に埋設すること。

(6)　配管の立ち上がり部、地盤の急変部等支持条件が急変する箇所については、
曲り管のそう入、地盤改良その他必要な措置を講じること。

(7)　掘さく及び埋めもどしは、告示で定める方法によつて行うこと。

危告示

（工作物に対する水平距離等）

第24条 規則第28条の12第1号（規則第28条の14（規則第28条の20において準用する場合を含む。）、第28条の15及び第28条の21第4項において準用する場合を含む。）の規定により、配管は、次の各号に掲げる工作物に対し、当該各号に掲げる水平距離を有しなければならない。ただし、第2号又は第3号に掲げる工作物については、保安上適切な漏えい拡散防止措置を講ずる場合は、当該各号に掲げる水平距離を短縮することができる。

(1) 建築物（地下街内の建築物を除く。） 1.5メートル以上

(2) 地下街及び隧道 10メートル以上

(3) 水道法第3条第8項に規定する水道施設であつて危険物の流入のおそれのあるもの 300メートル以上

（地下埋設の配管に係る防護構造物）

第25条 規則第28条の12第3号ただし書（第28条の15において準用する場合を含む。）に規定する防護構造物は、同号本文に規定する配管の外面と地表面との距離により確保されるのと同等以上の安全性が確保されるよう、堅固で耐久力を有し、かつ、配管の構造に対し支障を与えない構造のものとする。

（斜面のすべりに対する安全率）

第26条 規則第28条の12第5号（規則第28条の14（規則第28条の20において準用する場合を含む。）、第28条の15及び第28条の21第4項において準用する場合を含む。）に規定する安全率は、1.3とする。

（地下埋設の配管に係る掘さく及び埋めもどしの方法）

第27条 規則第28条の12第7号（規則第28条の14（規則第28条の20において準用する場合を含む。）及び第28条の15において準用する場合を含む。）に規定する掘さく及び埋めもどしの方法は、次の各号に掲げるとおりとする。

(1) 配管をできるだけ均一かつ連続に支持するように施工すること。

(2) 道路その他の工作物の構造に対し支障を与えないように施工すること。

(3) 配管の外面から掘さく溝の側壁に対し15センチメートル以上の距離を保たせるように施工すること。

(4) 掘さく溝の底面は、配管等に損傷を与えるおそれのある岩石等を取り除き、砂若しくは砂質土を20センチメートル（列車荷重又は自動車荷重を受けるおそれのない場合は、10センチメートル）以上の厚さに敷きならし、又は砂袋を10センチメートル以上の厚さに敷きつめ、平坦に仕上げること。

(5) 道路の車道に埋設する場合は配管の底部から路盤の下までの間を、その他の場合は配管の底部から配管の頂部の上方30センチメートル（列車荷重又は自動車荷重を受けるおそれのない場合は、20センチメートル）までの間を、砂又は砂質土を用いて十分締め固めること。

(6) 配管等又は当該配管等に係る塗覆装に損傷を与えるおそれのある大型締め固め機を用いないこと。

水道法（昭和32年 6 月15日　法律第177号　最終改正　令和 5 年 5 月26日法律第36号）

> **（用語の定義）**
> **第 3 条第 8 項**　この法律において「水道施設」とは、水道のための取水施設、貯
> 　水施設、導水施設、浄水施設、送水施設及び配水施設（専用水道にあつては、
> 　給水の施設を含むものとし、建築物に設けられたものを除く。以下同じ。）であ
> 　つて、当該水道事業者、水道用水供給事業者又は専用水道の設置者の管理に属
> 　するものをいう。

留意事項　(1)　「危険物の流入のおそれのあるもの」とは、取水施設、貯水施設、浄水施設、導
　　水施設及び配水施設（配水池に限る。）のうち、密閉されたもの以外のものをいう。

(2)　配管を地下埋設する場合であっても、危険物の漏えいその他の事故が発生した場
　　合等を考慮して、建築物、地下街等に接近して設置することはできない。また、危
　　規則第28条の12第 2 号に規定する「他の工作物」とは、他の危険物配管（一の移送
　　取扱所が 2 以上の配管によって構成される場合の他方の配管も含む。）、下水管、建
　　築物の基礎等であり、同時に埋設する配管附属設備は含まれないものである（図13
　　- 1 参照）。

　　なお、水平距離0.3mは、各埋設物の検査、修理、取替作業の施工上の理由、電食
　　の影響等から設定されたものであり、当該距離を保たせることが困難な場合には、
　　絶縁等他の工作物の保全措置を講じることにより当該距離を緩和できるものである。

図13- 1　**配管と建築物等との水平距離**

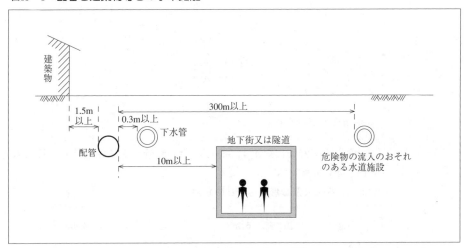

(3)　「山林原野」とは、高度の土地利用ができない地域であるが、現在の土地利用の
　　状況が山林原野であっても、国土利用計画法第 9 条第 2 項の都市地域、農業地域等
　　のように高度の土地利用計画が計画されている場合には、「その他の地域」として取
　　り扱うものである。

　　なお、図13- 2 に配管の外面と地表面との距離を示す。

図13-2　**配管の外面と地表面との距離**

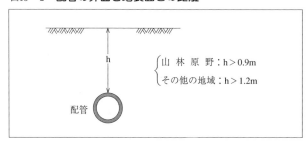

（4）盛土又は切土の斜面における安全率1.3以上のすべり面は、危告示第 4 条の15によって求めることができる（図13-3 参照）。

$$F = \frac{\Sigma\ (1.3C \cdot l + W \cdot \cos\theta \cdot \tan\phi)}{\Sigma W_0 \cdot \sin\theta}$$

　F：安全率

　C：粘着力（単位　kN ／ ㎡）

　l：分割片におけるすべり面の長さ（単位　m）

　W：分割片における幅 1 m 当たりの有効重量（単位　kN ／ m）

　θ：分割片でのすべり面と水平面のなす角（単位　度）

　ϕ：内部摩擦角（単位　度）

　W_0：分割片における幅 1 m 当たりの全重量（単位　kN ／ m）

図13-3　**盛土又は切土の斜面近傍の配管の埋設**

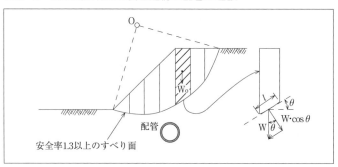

（5）危告示第27条に規定する地下埋設の配管に係る掘さく及び埋めもどしの方法を図13-4 に示す。

図13-4　**掘さく及び埋めもどしの方法**

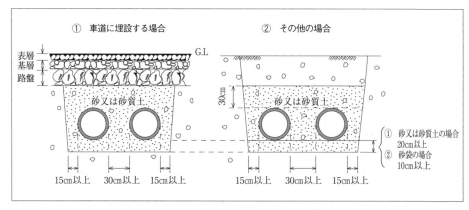

14 道路下埋設

根拠条文　危規則

（道路下埋設）

第28条の13　配管を道路下に埋設する場合は、前条（第2号及び第3号を除く。）の規定の例によるほか、次の各号に掲げるところによらなければならない。

(1)　配管は、原則として自動車荷重の影響の少ない場所に埋設すること。

(2)　配管は、その外面から道路の境界に対し1メートル以上の水平距離を有すること。

(3)　配管（防護工又は防護構造物により配管を防護する場合は、当該防護工又は防護構造物。以下この号、第6号及び第7号において同じ。）は、その外面から他の工作物に対し0.3メートル以上の距離を保たせ、かつ、当該工作物の保全に支障を与えないこと。ただし、配管の外面から他の工作物に対し0.3メートル以上の距離を保たせることが困難な場合であつて、かつ、当該工作物の保全のための適切な措置を講ずる場合は、この限りでない。

(4)　市街地の道路下に埋設する場合は、当該道路に係る工事によつて配管が損傷を受けることのないよう告示で定める防護工を設けること。ただし、配管を告示で定める防護構造物の中に設置する場合は、この限りでない。

(5)　市街地の道路の路面下に埋設する場合は、配管（告示で定める防護構造物の中に設置するものを除く。）の外面と路面との距離は、1.8メートル以下と、告示で定める防護工又は防護構造物により防護された配管の当該防護工又は防護構造物の外面と路面との距離は、1.5メートル以下としないこと。

(6)　市街地以外の道路の路面下に埋設する場合は、配管の外面と路面との距離は、1.5メートル以下としないこと。

(7)　舗装されている車道に埋設する場合は、当該舗装部分の路盤（しや断層がある場合は、当該しや断層。以下同じ。）の下に埋設し、配管の外面と路盤の最下部との距離は、0.5メートル以下としないこと。

(8)　路面下以外の道路下に埋設する場合は、配管の外面と地表面との距離は、1.2メートル（告示で定める防護工又は防護構造物により防護された配管にあつては、0.6メートル（市街地の道路下に埋設する場合は、0.9メートル））以下としないこと。

(9)　電線、水管、下水道管、ガス管その他これらに類するもの（各戸に引き込むためのもの及びこれが取り付けられるものに限る。）が埋設されている道路又は埋設する計画のある道路に埋設する場合は、これらの上部に埋設しないこと。

危告示

（**市街地の道路下埋設の配管に係る防護工**）

第28条　規則第28条の13第4号及び第5号（規則第28条の19第4項において準用する場合を含む。）に規定する防護工は、配管の外径に10センチメートル以上を

加えた幅の堅固で耐久力を有する板であつて、配管の頂部から30センチメートル以上離して当該配管の直上に設置されたものとする。

（市街地の道路下埋設の配管に係る防護構造物）

第29条 規則第28条の13第4号及び第5号（規則第28条の19第4項において準用する場合を含む。）に規定する防護構造物は、堅固で耐久力を有し、かつ、道路及び配管の構造に対し支障を与えない構造のものとする。この場合において、保安上必要がある場合には両端を閉そくしたものとする。

（路面下以外の道路下埋設の配管に係る防護工又は防護構造物）

第30条 規則第28条の13第8号（規則第28条の19第4項において準用する場合を含む。）に規定する防護工又は防護構造物は、同号に規定する配管の外面と地表面との距離を1.2メートルとした場合に確保されるのと同等以上の安全性が確保されるよう、堅固で耐久力を有し、かつ、道路及び配管の構造に対し支障を与えない構造のものとする。この場合において、保安上必要がある場合には両端を閉そくしたものとする。

留意事項 （1）「自動車荷重の影響の少ない場所」とは、通常の土圧以外の外力が加わる頻度の少ない歩道、路肩、分離帯、停車帯、法敷等が該当する（図14-1参照）。

図14-1 **自動車荷重の影響の少ない場所**

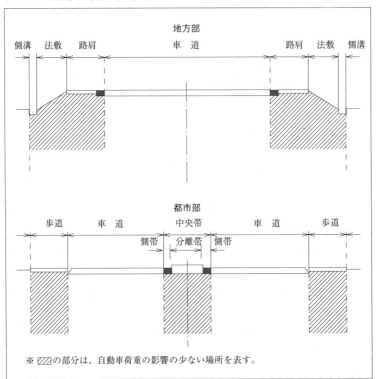

※ の部分は、自動車荷重の影響の少ない場所を表す。

（2）「防護工」とは、他工事による配管の損傷防止の一方策として設けるものであり、「防護構造物」とは、列車、自動車などの荷重及び不等沈下による荷重を配管が直接受けることを防止するために設けるものである。

（3）「防護工」には、鋼板又は鉄筋コンクリート板等が該当する。

(4)　「防護構造物」には、鋼鉄製さや管、鉄筋コンクリート製カルバート等が該当する。

　　なお、防護構造物は、土砂の流入防止、両端部の地崩れ防止、地盤沈下防止、配管の防食、漏えい拡散防止等のために、その両端を閉塞するものである。

(5)　「路面下以外の道路下」とは、法敷、側溝等の場所が該当する（図14-2参照）。

図14-2　**路面下及び道路下**

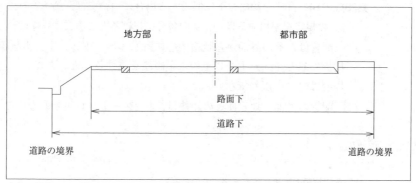

(6)　市街地の道路下に埋設する場合及び市街地以外の道路下に埋設する場合の埋設方法をそれぞれ図14-3及び図14-4に示す。

図14-3　**市街地の道路の路面下埋設**

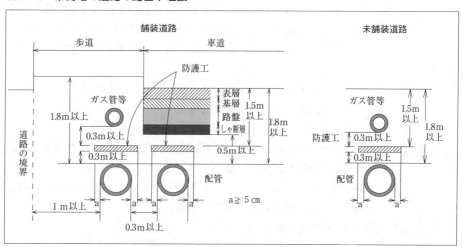

図14-4　**市街地以外の道路下埋設**

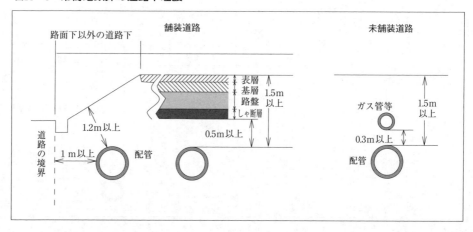

🔢 線路敷下埋設

根拠条文 危規則

（線路敷下埋設）

第28条の14 配管を線路敷下に埋設する場合については、第28条の12（第3号を除く。）の規定を準用するほか、次の各号に掲げるところによらなければならない。

(1) 配管は、その外面から軌道中心に対し4メートル以上、当該線路敷の用地境界に対し1メートル以上の水平距離を有すること。ただし、告示で定める場合は、この限りでない。

(2) 配管の外面と地表面との距離は、1.2メートル以下としないこと。

危告示

（線路敷下埋設の配管に係る水平距離の特例）

第31条 規則第28条の14第1号ただし書に規定する告示で定める場合は、軌道中心に対する水平距離にあつては第1号から第3号までの一に該当する場合とし、線路敷の用地境界に対する水平距離にあつては第4号に掲げる場合とする。

(1) 配管が列車荷重の影響を受けない位置に埋設されている場合

(2) 配管が列車荷重の影響を受けないよう適切な防護構造物で防護されている場合

(3) 配管の構造が列車荷重を考慮したものである場合

(4) 線路敷が道路と隣接する場合

留意事項 (1) 常時繰り返される列車荷重の影響は、荷重分布を45°分布で考えると、軌道中心から4m以上離し、深さ1.2m以上に埋設すれば避けられるものと考えられる。また、鉄道敷地内での杭打ち工事等の影響を避けるため、線路敷の用地境界から1m以上離すことが必要である（図15-1参照）。

図15-1 **線路敷下埋設**

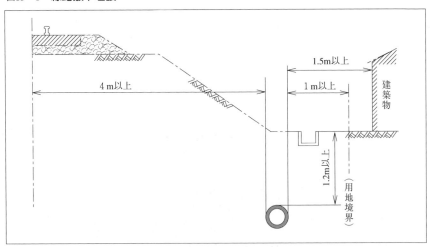

(2)　線路間埋設等、線路に近接して埋設する場合には、さや管又は鋼製コンクリート製の溝型プレキャスト材等の防護構造物を用い、列車荷重の影響を受けないようにすること。

　　なお、危告示第31条の規定により、配管の外面と軌道中心線及び用地境界との水平距離を短縮できる場合の例を図15-2に示す。

図15-2　**線路敷下埋設の特例**

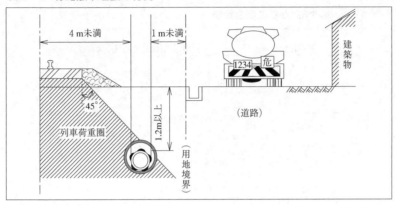

16 河川保全区域内埋設

根拠条文　危規則

（河川保全区域内埋設）

第28条の15　配管を河川に沿つて河川保全区域（河川法第54条に規定する河川保全区域をいう。）内に埋設する場合については、第28条の12の規定を準用するほか、当該配管は、堤防法尻又は護岸法肩に対し河川管理上必要な距離を有しなければならない。

河川法　（昭和39年7月10日　法律第167号　最終改正　令和5年5月26日法律第34号）

（河川保全区域）

第54条　河川管理者は、河岸又は河川管理施設（樹林帯を除く。第3項において同じ。）を保全するため必要があると認めるときは、河川区域（第58条の2第1項の規定により指定したものを除く。第3項において同じ。）に隣接する一定の区域を河川保全区域として指定することができる。

2　国土交通大臣は、河川保全区域を指定しようとするときは、あらかじめ、関係都道府県知事の意見をきかなければならない。これを変更し、又は廃止しようとするときも、同様とする。

3　河川保全区域の指定は、当該河岸又は河川管理施設を保全するため必要な最小限度の区域に限つてするものとし、かつ、河川区域（樹林帯区域を除く。）の境界から50メートルをこえてしてはならない。ただし、地形、地質等の状況により必要やむを得ないと認められる場合においては、50メートルをこえて指定することができる。

> 4　河川管理者は、河川保全区域を指定するときは、国土交通省令で定めるところにより、その旨を公示しなければならない。これを変更し、又は廃止するときも、同様とする。

留意事項　河川の洪水等の影響を防止するために、堤防法尻又は護岸法肩に対して所要の距離を確保しなければならない（図16−1、図16−2参照）。

図16−1　**堤防法尻からの保全距離**

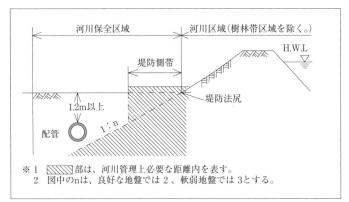

図16−2　**護岸法肩からの保全距離**

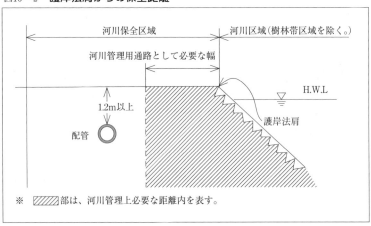

17 地上設置

根拠条文　危規則

> （地上設置）
> **第28条の16**　配管を地上に設置する場合は、次の各号に掲げるところによらなければならない。
> (1)　配管は、地表面に接しないようにすること。
> (2)　配管（移送基地（ポンプにより危険物を送り出し、又は受け入れを行う場所をいう。以下同じ。）の構内に設置されるものを除く。）は、住宅、学校、病院、鉄道その他の告示で定める施設に対し告示で定める水平距離を有すること。

(3) 配管（移送基地の構内に設置されるものを除く。）の両側には、当該配管に係る最大常用圧力に応じ、次の表に掲げる幅（工業専用地域に設置する配管にあつては、その3分の1）の空地を保有すること。ただし、保安上必要な措置を講じた場合はこの限りでない。

配管に係る最大常用圧力	空地の幅
0.3メガパスカル未満	5メートル以上
0.3メガパスカル以上1メガパスカル未満	9メートル以上
1メガパスカル以上	15メートル以上

(4) 配管は、地震、風圧、地盤沈下、温度変化による伸縮等に対し安全な構造の支持物により支持すること。

(5) 前号の支持物は、鉄筋コンクリート造又はこれと同等以上の耐火性を有するものとすること。ただし、火災によつて当該支持物が変形するおそれのない場合は、この限りでない。

(6) 自動車、船舶等の衝突により配管又は配管の支持物が損傷を受けるおそれのある場合は、告示で定めるところにより防護設備を設置すること。

(7) 配管は、他の工作物（当該配管の支持物を除く。）に対し当該配管の維持管理上必要な間隔を有すること。

危告示

（施設に対する水平距離等）

第32条 規則第28条の16第2号（規則第28条の19第4項及び第28条の21第4項において準用する場合を含む。）の規定により、配管は、次の各号に掲げる施設に対し、当該各号に定める水平距離を有しなければならない。

(1) 鉄道又は道路（第13号に掲げる避難道路を除く。）　　　25メートル以上

(2) 高圧ガス保安法（昭和26年法律第204号）第5条第1項の規定により都道府県知事の許可を受けなければならない高圧ガスの製造のための施設（高圧ガスの製造のための設備が移動式製造設備（一般高圧ガス保安規則（昭和41年通商産業省令第53号）第2条第1項第12号又は液化石油ガス保安規則（昭和41年通商産業省令第52号）第2条第1項第9号の移動式製造設備をいう。）である高圧ガスの製造のための施設にあつては、移動式製造設備が常置される施設（貯蔵設備を有しない移動式製造設備に係るものを除く。）をいう。以下この号において同じ。）及び同条第2項第1号の規定により都道府県知事に届け出なければならない高圧ガスの製造のための施設であって、圧縮、液化その他の方法で処理することができるガスの容積が1日30立方メートル以上である設備を使用して高圧ガスの製造（容器に充てんすることを含む。）をするもの、同法第16条第1項の規定により都道府県知事の許可を受けなければならない貯蔵所及び同法第17条の2の規定により都道府県知事に届け出て設置する貯蔵所又は同法第24条の2第1項の規定により都道府県知事に届け出なければならない液化酸素の消費のための施設（これらの施設の配管の

うち移送取扱所の存する敷地と同一の敷地内に存するものを除く。)

35メートル以上

(3)　液化石油ガスの保安の確保及び取引の適正化に関する法律（昭和42年法律第149号）第 3 条第 1 項の規定により経済産業大臣又は都道府県知事の登録を受けなければならない販売所であつて300キログラム以上の貯蔵施設を有するもの（当該施設の配管のうち移送取扱所の存する敷地と同一の敷地内に存するものを除く。)

35メートル以上

(4)　学校教育法（昭和22年法律第26号）第 1 条に規定する幼稚園、小学校、中学校、義務教育学校、高等学校、中等教育学校、特別支援学校又は高等専門学校

45メートル以上

(5)　次に掲げる施設であつて、20人以上の人員を収容することができるもの

45メートル以上

　　イ　児童福祉法（昭和22年法律第164号）第 7 条第 1 項に規定する児童福祉施設

　　ロ　身体障害者福祉法（昭和24年法律第283号）第 5 条第 1 項に規定する身体障害者社会参加支援施設

　　ハ　生活保護法（昭和25年法律第144号）第38条第 1 項に規定する保護施設（授産施設及び宿所提供施設を除く。)

　　ニ　老人福祉法（昭和38年法律第133号）第 5 条の 3 に規定する老人福祉施設又は同法第29条第 1 項に規定する有料老人ホーム

　　ホ　母子及び父子並びに寡婦福祉法（昭和39年法律第129号）第39条第 1 項に規定する母子・父子福祉施設

　　ヘ　職業能力開発促進法（昭和44年法律第64号）第15条の 7 第 1 項第 5 号に規定する障害者職業能力開発校

　　ト　地域における医療及び介護の総合的な確保の促進に関する法律（平成元年法律第64号）第 2 条第 4 項（第 4 号を除く。）に規定する特定民間施設

　　チ　介護保険法（平成 9 年法律第123号）第 8 条第28項に規定する介護老人保健施設及び同条第29項に規定する介護医療院

　　リ　障害者の日常生活及び社会生活を総合的に支援するための法律（平成17年法律第123号）第 5 条第 1 項に規定する障害福祉サービス事業（同条第 7 項に規定する生活介護、同条第12項に規定する自立訓練、同条第13項に規定する就労移行支援又は同条第14項に規定する就労継続支援を行う事業に限る。）の用に供する施設、同条第11項に規定する障害者支援施設、同条第27項に規定する地域活動支援センター又は同条第28項に規定する福祉ホーム

(6)　医療法（昭和23年法律第205号）第 1 条の 5 第 1 項に規定する病院

45メートル以上

(7)　都市計画法第11条第 1 項第 2 号に規定する公共空地（同法第 4 条第 6 項に規定する都市計画施設に限る。）又は都市公園法（昭和31年法律第79号）第 2 条第 1 項に規定する都市公園（第13号に掲げる避難空地を除く。)

45メートル以上

(8)　劇場、映画館、演芸場、公会堂その他これらに類する施設であつて300人以上の人員を収容することができるもの　　　　　　　　　45メートル以上

(9)　百貨店、マーケット、公衆浴場、ホテル、旅館その他不特定多数の者を収容することを目的とする建築物（仮設建築物を除く。）であつて、その用途に供する部分の床面積の合計が1000平方メートル以上のもの　45メートル以上

(10)　1日に平均2万人以上の者が乗降する駅の母屋及びプラットホーム　　　　　　　　　　　　　　　　　　　　　　　　　　　45メートル以上

(11)　文化財保護法（昭和25年法律第214号）の規定により、重要文化財、重要有形民俗文化財、史跡若しくは重要な文化財として指定され、又は旧重要美術品等の保存に関する法律（昭和8年法律第43号）の規定により、重要美術品として認定された建造物　　　　　　　　　　　65メートル以上

(12)　水道法第3条第8項に規定する水道施設であつて危険物の流入のおそれのあるもの　　　　　　　　　　　　　　　　　　　　300メートル以上

(13)　災害対策基本法（昭和36年法律第223号）第40条に規定する都道府県地域防災計画又は同法第42条に規定する市町村地域防災計画において定められている震災時のための避難空地又は避難道路　　　　　　300メートル以上

(14)　住宅（前各号に掲げるもの又は仮設建築物を除く。）又は前各号に掲げる施設に類する施設であつて多数の者が出入りし、若しくは勤務しているもの　　　　　　　　　　　　　　　　　　　　　　　　　25メートル以上

（地上設置の配管又はその支持物に係る防護設備）

第33条　規則第28条の16第6号（規則第28条の19第4項及び第28条の21第4項において準用する場合を含む。）の規定により、配管又は配管の支持物が損傷を受けるおそれのある場合は、自動車、船舶等の衝突に対し配管又は配管の支持物の安全が確保されるよう、堅固で耐久力を有し、かつ、配管又は配管の支持物の構造に対し支障を与えない構造の防護設備を適切な位置に設置しなければならない。

都市計画法　（昭和43年6月15日　法律第100号　最終改正　令和6年5月29日法律第40号）

（都市施設）

第11条第1項第2号　公園、緑地、広場、墓園その他の公共空地

都市公園法　（昭和31年4月20日　法律第79号　最終改正　令和6年5月29日法律第40号）

（定義）

第2条　この法律において「都市公園」とは、次に掲げる公園又は緑地で、その設置者である地方公共団体又は国が当該公園又は緑地に設ける公園施設を含むものとする。

(1)　都市計画施設（都市計画法（昭和43年法律第100号）第4条第6項に規定する都市計画施設をいう。次号において同じ。）である公園又は緑地で地方公共団体が設置するもの及び地方公共団体が同条第2項に規定する都市計画区域内において設置する公園又は緑地

留意事項 (1) 配管を地上に設置する場合には、地面からの湿気の影響、腐食等を考慮し、配管を地表面から離すことが必要である。また、石油の漏えいその他の災害が発生したとき、地下埋設に比べ他の施設への被害が直接的で急速に及ぶおそれがあるので、配管の両側に空地を設け、他の施設から十分な保安距離を有することが義務付けられている。

なお、危告示第32条の内容は、次表のとおりである。

表17-1

保　安　対　象　物	保安距離
鉄道又は道路	25m 以上
住宅等	
高圧ガス、液化石油ガス施設等	35m 以上
学校、福祉施設、特別支援学校、病院、都市公園等	45m 以上
劇場、百貨店、旅館等	
乗降2万人／日以上の駅の母屋及びプラットホーム	
文化財	65m 以上
水道施設で危険物流入のおそれのあるもの	300m 以上
避難空地、避難道路	

(2) 配管の両側に保有すべき空地

2以上の移送取扱所を隣接して敷設する場合、危規則第28条の16第3号の規定により配管の両側に保有すべき空地は、図17-1の例によりその幅を確保すれば足りるものである。

図17-1　**配管の両側に保有すべき空地**

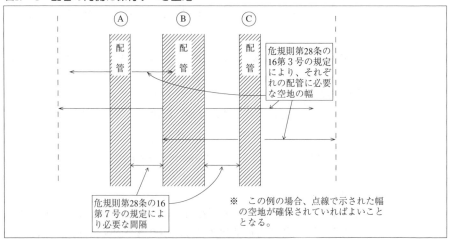

(3) 危規則第28条の16第3号ただし書に規定する「保安上必要な措置」としては、水密構造で両端を閉塞した防護構造物、危険物の流出拡散を防止することができる防火上有効な塀等の工作物を周囲の状況に応じて設置した場合等が考えられる（図17-2、図17-3参照）。

図17-2 **保有空地の短縮**（その1）

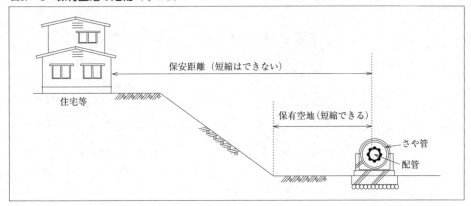

図17-3 **保有空地の短縮**（その2）

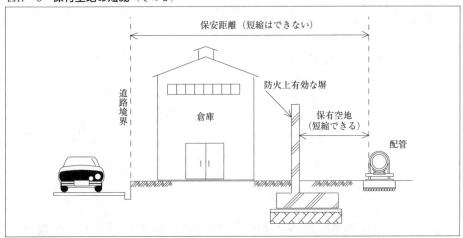

(4) 配管の支持物は、配管の口径等を考慮して選定しなければならない。例えば、呼径が250A～1000Aの大口径配管の場合にはサドル型の支持物（図17-4参照）が適当であり、呼径が50A～600Aの配管で軸方向の移動が大きいと認められる場合には、ローラースタンド（図17-5参照）を使用することが望ましい。また、地震動等により配管が軸直角方向に移動するおそれがある場合には、適当な位置にリングガーター（図17-6参照）等を設けることが必要である。

図17-4 **サドルサポート**

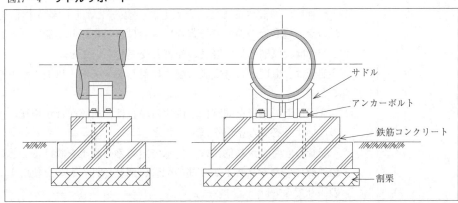

図17- 5　**ローラースタンド**

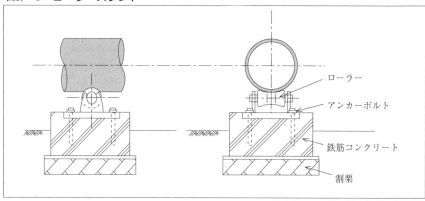

ローラー

アンカーボルト

鉄筋コンクリート

割栗

図17- 6　**リングガーター**

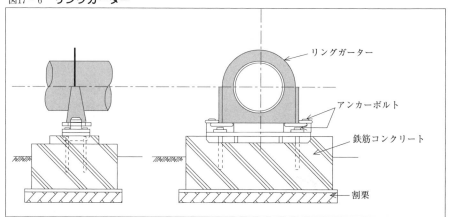

リングガーター

アンカーボルト

鉄筋コンクリート

割栗

(5)　危規則第28条の16第6号に規定する「防護設備」については、**20** (2)及び **22** (4)を参照。

18 海底設置

根拠条文 **危規則**

(海底設置)

第28条の17　配管を海底に設置する場合は、次の各号に掲げるところによらなければならない。

(1)　配管は、埋設すること。ただし、投錨等により配管が損傷を受けるおそれのない場合その他やむを得ない場合は、この限りでない。

(2)　配管は、原則として既設の配管と交差しないこと。

(3)　配管は、原則として既設の配管に対し30メートル以上の水平距離を有すること。

(4)　2本以上の配管を同時に設置する場合は、当該配管が相互に接触することのないよう必要な措置を講ずること。

(5)　配管の立ち上がり部には、告示で定める防護工を設けること。ただし、係船浮標にいたる立ち上がり部の配管に鋼製以外のものを使用する場合は、この限りでない。

(6)　配管を埋設する場合は、配管の外面と海底面との距離は、投錨^{びょう}試験の結果、土質、埋めもどしの材料、船舶交通事情等を勘案して安全な距離とすること。この場合において、当該配管を埋設する海底についてしゅんせつ計画がある場合は、しゅんせつ計画面（当該しゅんせつ計画において計画されているしゅんせつ後の海底面をいう。）下0.6メートルを海底面とみなすものとする。

(7)　洗掘のおそれがある場所に埋設する配管には、当該洗掘を防止するための措置を講ずること。

(8)　掘さく及び埋めもどしは、告示で定める方法によつて行うこと。

(9)　配管を埋設しないで設置する場合は、配管が連続して支持されるよう当該設置に係る海底面をならすこと。

(10)　配管が浮揚又は移動するおそれがある場合は、当該配管に当該浮揚又は移動を防止するための措置を講ずること。

危告示

（海底設置の配管に係る防護工）

第34条　規則第28条の17第5号に規定する防護工は、次の各号に適合するものとする。

(1)　船舶、波浪及び木材等の浮遊物による外力に対し配管の安全が確保されるよう、堅固で耐久力を有し、かつ、配管の構造に対し支障を与えない構造であること。

(2)　船舶及び木材等の浮遊物の衝突による防護工の損傷を防ぐため必要な箇所に衝突予防措置が講じてあること。

（海底設置の配管に係る掘さく及び埋めもどしの方法）

第35条　規則第28条の17第8号に規定する掘さく及び埋めもどしの方法は、次の各号に掲げるとおりとする。

(1)　配管をできるだけ均一かつ連続に支持するよう、土質、水深、海象条件等を考慮して施工すること。

(2)　埋めもどしは、配管及び当該配管に係る塗履装に損傷を与えないように施工すること。

留意事項　(1)　海底配管の敷設工法には、海底曳航法、レイバージ（敷設船）工法等がある。

　　　　ア　「海底曳航法」は、水深が浅く作業船も近寄れないいわゆる砕波帯部に用いる工法で、レイバージをアンカーにより海上に固定し、陸上の反力装置を利用してレイバージ上で接合された配管をウインチで陸の方向へ引き出して敷設する方法である（図18-1参照）。

　　　　イ　「レイバージ工法」は、水深5m以深の沖合部に用いる工法で、砕波帯部の敷設完了後引き続き、アンカー操作によりレイバージを沖の方向へ移動させながら配管を下ろしていく方法である（図18-2参照）。

図18-1　**海底曳航法**

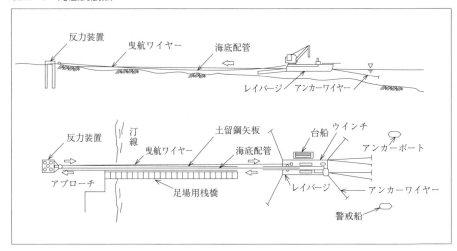

図18-2　**レイバージ工法**

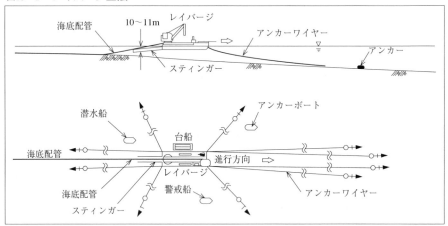

(2)　「既設の配管」には、危険物配管の他に高圧ガス配管等の海底設置管が該当する。

(3)　配管の立ち上がり部に設ける「防護工」及び当該防護工の損傷を防ぐために必要な箇所に講じる「衝突予防措置」については、図18-3から図18-5にその施工例を示す。

　　　注1　「防護工」としては、鋼管杭を用いたものや、配管の支持物を兼ねた鉄筋コンクリートケーソン、鉄骨アングル等が該当するが、いずれの場合にも、船舶、波浪等の外力から配管の安全を確保することができるものでなければならない。

　　　注2　「衝突予防措置」としては、フェンダー（防舷工）を用いるのが普通である。フェンダーは、船舶又は木材等の浮遊物が衝突した場合緩衝装置として働くものであり、防護工の保全、安全のために必要なものである。フェンダーの材料としては、一般に、木、ゴム、ばね、ロープコイル等を用い、そのひずみによって緩衝させることとなるが、これらは損耗しやすいものであるため、その維持管理には特に注意を払い、常に良好な緩衝状態にしておかなければならない。また、フェンダー・パイプと称して、防護工の前面に2～3m間隔で杭を打ち、そのたわみを利用して緩衝させる場合もある。

図18-3　タワータイプ　オフ・ショアターミナル

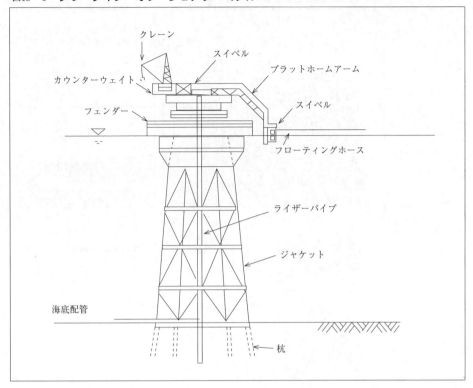

図18-4　テレスコピック　ケーソンタイプ　オフ・ショアターミナル

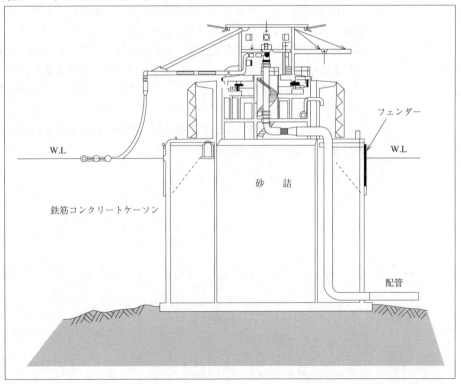

図18－5 **防護工とフェンダーパイプ**

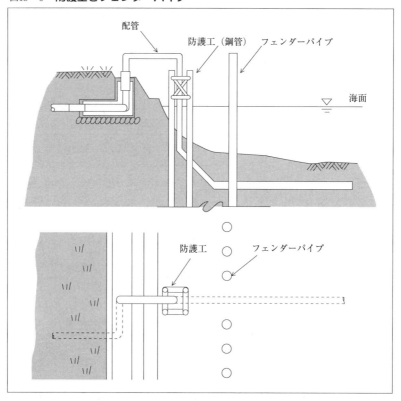

(4) 「係船浮標」とは、十分な浮力及び強度を持った鋼板製円形ブイで、海面に浮かび、数個のアンカー及びチェーンにより海底に固定されている。ブイには係船装置、液体貨物荷役用フレキシブルホース等が装備されており、これらはいずれもブイを中心に360°回転することができる。フレキシブルホースの末端を、係留中のタンカーはマニホールドに連結することによって直ちに荷役を行うことができるほか、風及び潮流によってタンカーはブイの回りを自由に回転し、それらの抵抗が最小になるように方向付けられるので、相当な強風、強潮流のもとにおいても安全に係船及び荷役を行うことができる（図18－6参照）。

図18-6　**係船浮標（イモドコブイの場合）及びパイプラインエンドマニホールド**

PLEM

PLEM（パイプラインエンドマニホールド）

分岐管　弁　ホース

海底配管

ホース

一点けい留ブイベースへ

盲フランジ

海底配管　弁　ホース

海底面

45°　30°

架台

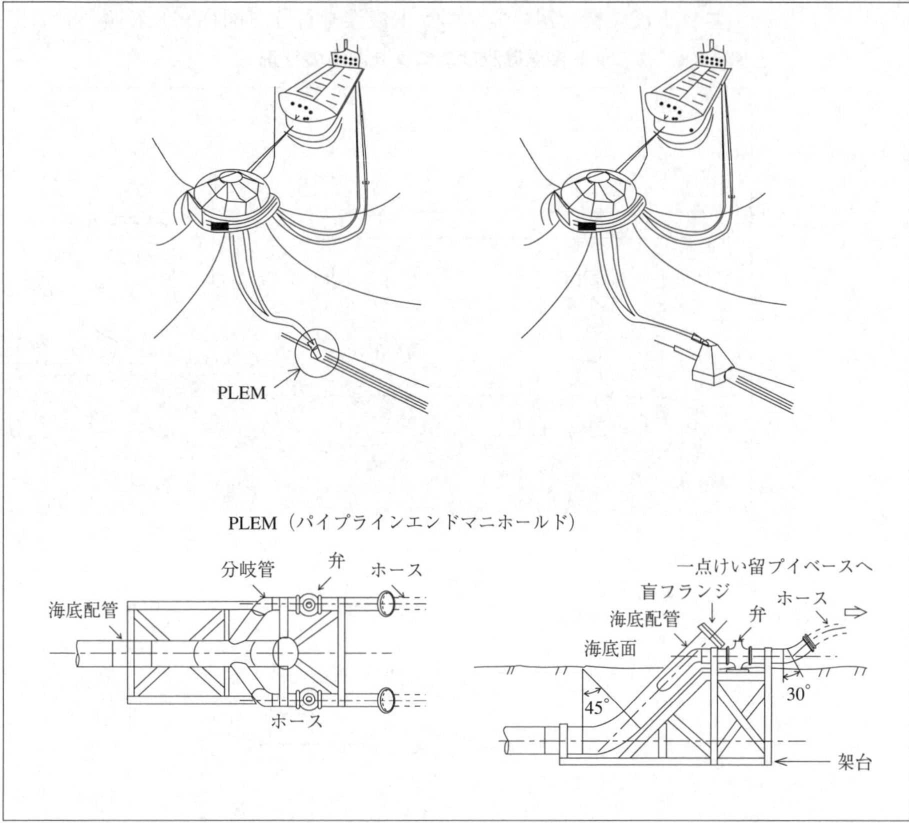

(5)　配管を海底に設置する場合最も重視することは、船舶の投錨による影響をなくすことである。投錨試験の方法には次のものが考えられるが、いずれの試験においても最大の船型の船舶に相当する試験でなければならない。

ア　実船による投錨試験（実船から投錨を行って、錨の貫入量を測定する方法）

イ　非実船による投錨試験（クレーン船等から投錨を行って、錨の貫入量を測定する方法）

ウ　陸上における模擬投錨試験（陸上に配管敷設予定の海底を再現し、模型錨の貫入量を測定する。）

(6)　「洗掘を防止するための措置」としては、配管を埋めもどしたのち、当該埋設場所に割栗を敷設する等の方法が考えられる（図18-7参照）。

図18-7　**洗掘防止措置例**

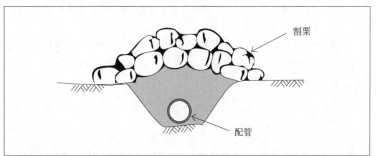

割栗

配管

(7)　海底面を掘さくし、配管を所定の土被りを有する海底面下まで沈めるために、ユニット浚渫機を用いてユニット浚渫を行う（図18－8参照）。

図18－8　**ユニット浚渫機及びユニット浚渫の状況**

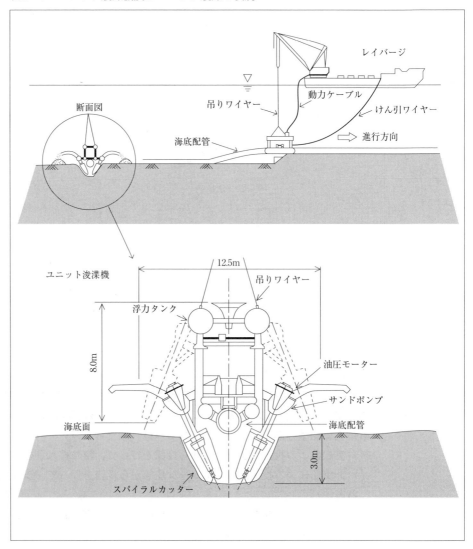

　　　　注　ユニット浚渫機は一種の水中掘さく機で、可変型の機械式スパイラルカッターを備えている。これをレイバージのクレーンに吊り、敷設完了した配管の上部に乗せて、カッターでその配管の直下を掘さくさせながら配管上を移動させる。配管はその掘さくされた溝中に自重により沈むが、当該作業を必要に応じて繰り返すことにより、配管を所定の深さまで下げることができる。

(8)　配管の埋めもどしはグラブ船により行う。この場合、在来海底面まで均等に埋めもどすことが必要であり、特に水深が大きい場所ではトレミー台船によることが望ましい（図18－9参照）。

図18-9　**トレミー台船による海底配管の埋めもどし**

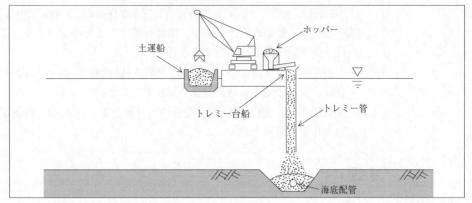

(9)　「配管が浮揚又は移動するおそれがある場合」とは、レイバージ（敷設船）による配管敷設の場合等、配管を中空状態で敷設する場合が該当する。この場合において、配管の水中重量をコントロールし、浮力や潮流力による浮揚及び移動を防止するためにコンクリートコーティングを施す（図18-10参照）。

　なお、コンクリートコーティングを施した配管は、レイバージ上で接合（芯出し、溶接、X線検査、接合部の防食被覆とコーティング等）することとなる（図18-11参照）。

図18-10　**コンクリートコーティング**

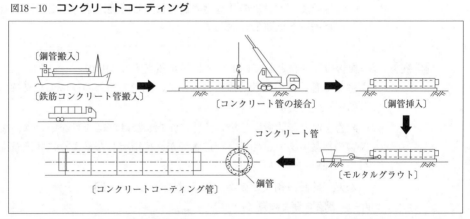

図18-11　**レイバージ上での配管接合**

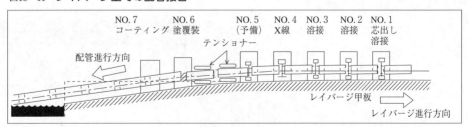

⑲ 海上設置

根拠条文　危規則

（海上設置）

第28条の18　配管を海上に設置する場合は、次の各号に掲げるところによらなけ

ればならない。

⑴　配管は、地震、風圧、波圧等に対し安全な構造の支持物により支持すること。

⑵　配管は、船舶の航行により、損傷を受けることのないよう海面との間に必要な空間を確保して設置すること。

⑶　船舶の衝突等によつて配管又はその支持物が損傷を受けるおそれのある場合は、告示で定める防護設備を設置すること。

⑷　配管は、他の工作物（当該配管の支持物を除く。）に対し当該配管の維持管理上必要な間隔を有すること。

危告示

（海上設置の配管又はその支持物に係る防護設備）

第36条　規則第28条の18第3号に規定する防護設備は、次の各号に適合するものとする。

⑴　船舶、波浪及び木材等の浮遊物による外力に対し配管及び配管の支持物の安全が確保されるよう、堅固で耐久力を有し、かつ、配管及び配管の支持物の構造に対し支障を与えない構造であること。

⑵　船舶及び木材等の浮遊物の衝突による防護設備の損傷を防ぐため必要な箇所に衝突予防措置が講じてあること。

留意事項 ⑴　配管の支持物としてはトラス橋等が該当する（図19-1参照）。ただし、海上部における配管延長が比較的短い場合には、配管を橋脚のみにより支持する場合もある（図19-2参照）。

⑵　配管を海上に設置する場合、特に注意しなければならないのは、配管及びその支持物の保護であり、船舶、浮遊物等が直接衝突しないように防護設備を設けなければならない。

なお、防護設備及び衝突予防措置については、**18** ⑶を参照。

図19-1　**配管の海上設置**（その1）

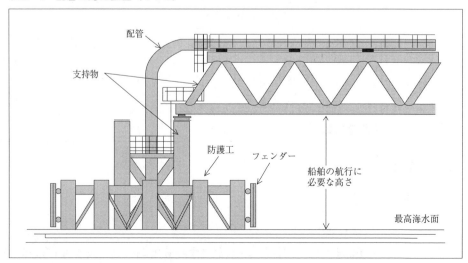

図19－2　**配管の海上設置**（その２）

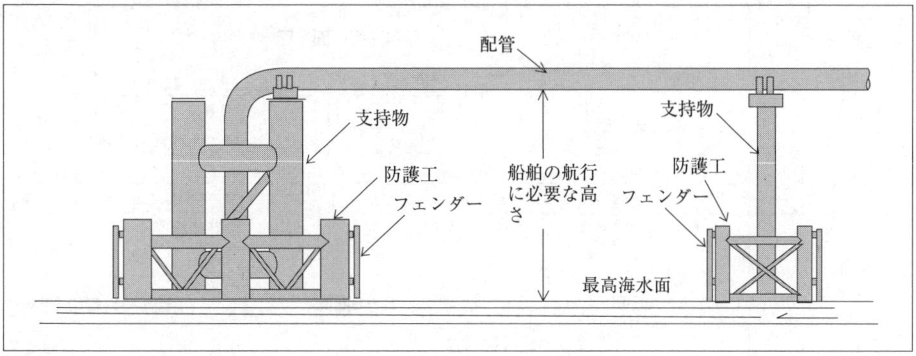

⓴ 道路横断設置

(根拠条文)　危規則

（道路横断設置）

第28条の19　道路を横断して配管を設置する場合は、道路下に埋設しなければならない。ただし、地形の状況その他特別の理由により道路の上空以外に適当な場所がなく、かつ、保安上適切な措置を講じた場合は、道路上を架空横断して設置することができる。

２　道路を横断して配管を埋設する場合は、配管をさや管その他の告示で定める構造物の中に設置しなければならない。ただし、支持条件の急変に対し適切な措置が講じられ、かつ、当該配管に係る工事の実施によつて交通に著しい支障が生じるおそれのない場合は、この限りでない。

３　道路上を架空横断して配管を設置する場合は、当該配管及び当該配管に係るその他の工作物並びにこれらの附属設備の地表面と接しない部分の最下部と路面との垂直距離は、５メートル以上としなければならない。

４　道路を横断して配管を設置する場合は、前３項の規定によるほか、第28条の13（第１号及び第２号を除く。）及び第28条の16（第１号を除く。）の規定を準用する。

(危告示)

（道路横断設置の場合のさや管その他の構造物）

第37条　規則第28条の19第２項（規則第28条の20において準用する場合を含む。）に規定するさや管その他の構造物は、堅固で耐久力を有し、かつ、道路及び配管の構造に対し支障を与えない構造のものとする。この場合において、保安上必要がある場合には両端を閉そくしたものとする。

(留意事項)　(1)　道路には、交通荷重の著しく大きな重要な道路から車両運行の少ない小道まで含まれるので、道路の条件に応じた配管横断部の設計、施工を考慮する必要がある（図20－1、図20－2参照）。

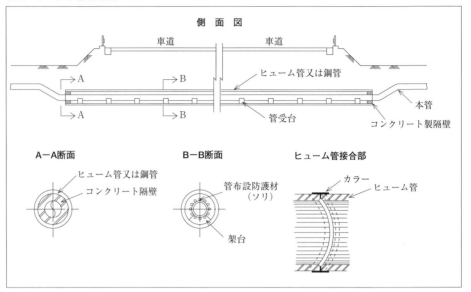

図20－1　**さや管横断部**

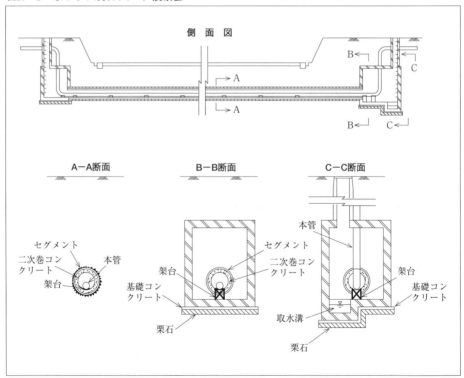

図20－2　**ボックスカルバート横断部**

(2)　危規則第28条の19第1項ただし書により道路上を架空横断して設置する場合には、配管をさや管に収容するとともに、その手前に衝突防護工を設ける。この場合において、衝突防護工は自動車が衝突した場合に当該自動車を停止せしめる構造のものとする（図20－3、図20－4参照）。

図20-3　**防護設備の例**（その1）

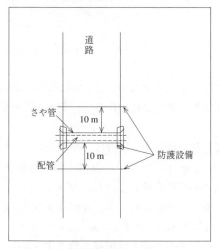

図20-4　**防護設備の例**（その2）

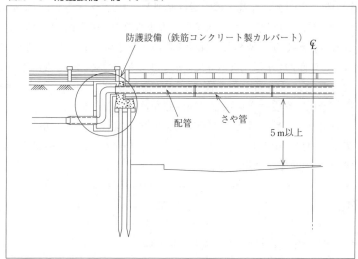

(3)　路面からの垂直距離を5mとしたのは、道路のオーバーレイによるかさ上げに対
する余裕及び違反積載車による衝突を極力防ぐために道路構造令に定められている
建築限界高さ4.5mに0.5mを加え、安全性を確保することとしたものである。

21 線路下横断埋設

根拠条文　危規則

（線路下横断埋設）
第28条の20　線路敷を横断して配管を埋設する場合は、第28条の14（第1号を除
く。）及び前条第2項の規定を準用する。

留意事項　　線路敷横断箇所は、列車荷重から配管を保護し、工事施工、保安上等のため保護
構造物内に敷設する。この場合において、保護構造物は列車荷重及び地盤条件に対し
て十分耐え得るものでなければならない（図20-1、図20-2参照）。

22 河川等横断設置

根拠条文　危規則

（河川等横断設置）

第28条の21　河川を横断して配管を設置する場合は、橋に設置しなければならない。ただし、橋に設置することが適当でない場合は、河川の下を横断して埋設することができる。

2　河川又は水路を横断して配管を埋設する場合は、原則としてさや管その他の告示で定める構造物の中に設置し、かつ、当該構造物の浮揚又は船舶の投錨による損傷を防止するための措置を講じなければならない。

3　第 1 項ただし書の場合にあつては配管の外面と計画河床高（計画河床高が最深河床高より高いときは、最深河床高。以下この項において同じ。）との距離は原則として4.0メートル以上、水路を横断して配管を埋設する場合にあつては配管の外面と計画河床高との距離は原則として2.5メートル以上、その他の小水路（第 1 条第 3 号に規定する水路以外の小水路で、用水路、側溝又はこれらに類するものを除く。）を横断して配管を埋設する場合にあつては配管の外面と計画河床高との距離は原則として1.2メートル以上とするほか、護岸その他河川管理施設の既設又は計画中の基礎工に支障を与えず、かつ、河床変動、洗掘、投錨等の影響を受けない深さに埋設しなければならない。

4　河川及び水路を横断して配管を設置する場合は、前 3 項の規定によるほか、第28条の12（第 2 号、第 3 号及び第 7 号を除く。）及び第28条の16（第 1 号を除く。）の規定を準用する。

危告示

（河川等横断設置の場合のさや管その他の構造物）

第38条　規則第28条の21第 2 項に規定するさや管その他の構造物は、堅固で耐久力を有し、かつ、河川又は水路及び配管の構造に対し支障を与えない構造のものとする。この場合において、保安上必要がある場合には両端を閉そくしたものとする。

2　前項のさや管その他の構造物が隧道形式である場合には、その内部を点検できる構造のものとする。

留意事項　(1) 配管を橋に添架する場合は、荷重によるたわみ、温度変化による伸縮、自動車の走行による振動等の影響をできるだけ少なくするように支持構造を設計する必要がある（図22 - 1 〜図22 - 3 参照）。

図22-1 **独立橋構造**（その1）

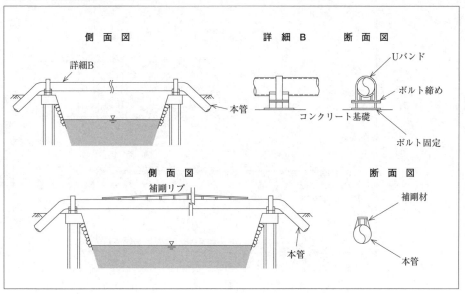

図22-2 **独立橋構造**（その2）

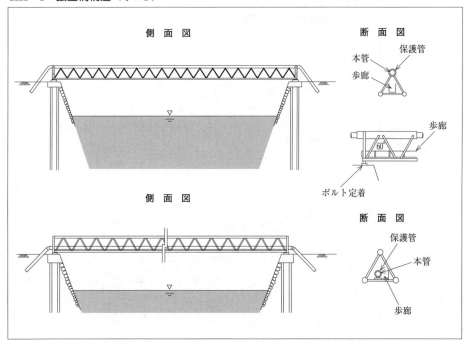

図22-3　**既設橋添架構造**

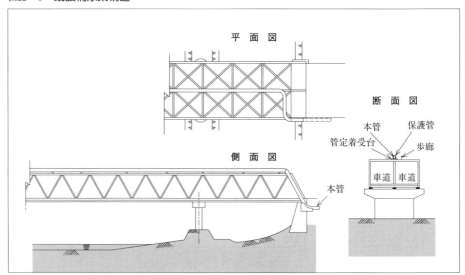

(2)　配管の添架位置は、自動車の転落による配管の損傷を防止するために、桁の内側
で、かつ、床板の下を原則とするが、適当な防護工を設ける場合はこの限りでない
（図22-4、図22-5参照）。

図22-4　**既存橋桁内添架構造**

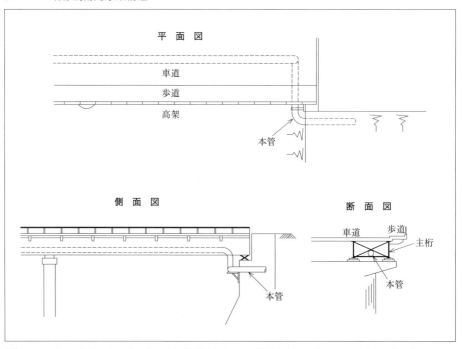

(3)　河川は、洪水、浚渫、砂利採取等によって流心変化、河床低下、橋脚の近傍の洗
掘等が生じるので、河川改修計画を考え合わせて、将来とも配管が河床上に露出し
ないよう安定した位置を選定する必要がある。また、配管の補修、清掃等のとき配
管が空になることがあるので浮力の検討を行い、必要に応じて付加荷重を与える必
要がある（図22-6参照）。

図22-5　**既存橋桁外添架構造**

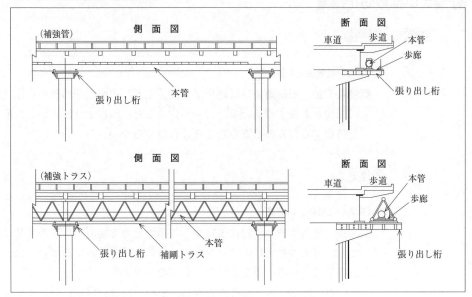

図22-6　**河川、水路、小水路横断部**

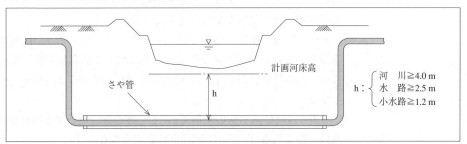

(4) 配管及び配管の支持物に木材等の浮遊物が衝突するおそれがある場合には、必要な箇所に流木防護杭等の防護設備を設けること（図22-7参照）。

図22-7

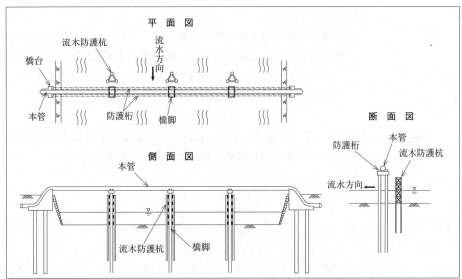

23 漏えい拡散防止措置

根拠条文　危規則

(漏えい拡散防止措置)
第28条の22　市街地並びに河川上、隧道上及び道路上その他の告示で定める場所
　　に配管を設置する場合は、告示で定めるところにより漏えいした危険物の拡散
　　を防止するための措置を講じなければならない。

危告示

(漏えい拡散防止措置等)
第39条　規則第28条の22に規定する告示で定める場所は、次の各号に掲げる場所
　　とし、同条の規定によりそれらの場所に配管を設置する場合には、それぞれ当
　　該各号に定める措置を講じなければならない。
　⑴　市街地　堅固で耐久力を有し、かつ、配管の構造に対し支障を与えない構
　　　造物の中に配管を設置すること。この場合において、当該構造物には、保安
　　　上必要な箇所に隔壁を設けるものとする。
　⑵　河川上又は水路上　堅固で耐久力を有し、かつ、橋及び配管の構造に対し
　　　支障を与えない構造のさや管又はこれに類する構造物の中に配管を設置する
　　　こと。この場合において、保安上必要がある場合には両端を閉そくしたもの
　　　とする。
　⑶　隧道(海底にあるものを除く。)上　第29条に規定する防護構造物(水密構
　　　造のものに限る。)の中に配管を設置すること。
　⑷　道路上又は線路敷上　堅固で耐久力を有し、かつ、道路又は線路及び配管
　　　の構造に対し支障を与えない構造物(水密構造のものに限る。)の中に配管を
　　　設置すること。この場合において、保安上必要がある場合には両端を閉そく
　　　したものとする。
　⑸　砂質土等の透水性地盤(海底を除く。)中　堅固で耐久力を有し、かつ、配
　　　管の構造に対し支障を与えない構造物(地下水位下に設ける場合は、水密構
　　　造のものに限る。)の中に配管を設置すること。この場合において、保安上必
　　　要がある場合には両端を閉そくしたものとする。

留意事項　「漏えい拡散防止措置」とは、配管を鋼鉄製さや管又は水密構造の鉄筋コンクリー
　　　ト製カルバート等の中に設置することが考えられる(図23-1〜図23-3参照)。

図23-1　**漏えい拡散防止措置**

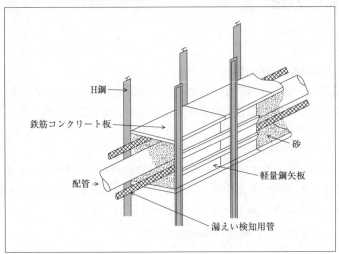

注　水密性はコンクリート中のセメントに対する水の割合（W／C）に
大きく影響され、土木学会の無筋及び鉄筋コンクリート標準仕様書
によれば水密コンクリートとはW／Cが55％以下とされている。

図23-2　**コルゲート・フリウムを用いた例**

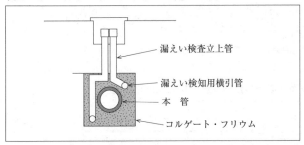

図23-3　**鋼鉄製さや管を用いた例**

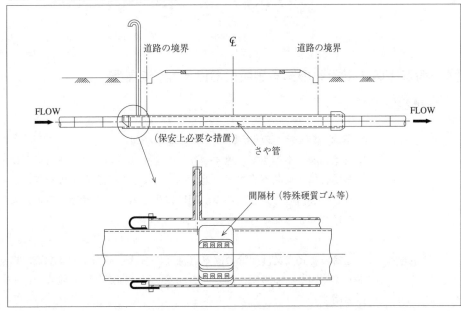

24 可燃性蒸気の滞留防止措置

根拠条文 危規則

（可燃性の蒸気の滞留防止措置）
第28条の23　配管を設置するために設ける隧道（人が立ち入る可能性のあるものに限る。）には、可燃性の蒸気が滞留しないよう必要な措置を講じなければならない。

留意事項　「可燃性の蒸気が滞留しないよう必要な措置」には、可燃性蒸気が滞留した場合、強制換気装置が自動的に作動する方法等があり、作動設定値としては可燃性蒸気の爆発下限界の25％の濃度が適当である（図24－1、24－2参照）。

図24－1　**風管を用いた可燃性蒸気滞留防止措置**

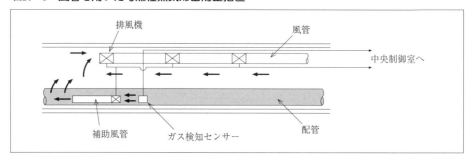

図24－2　**排気ダクトを用いた可燃性蒸気滞留防止措置**

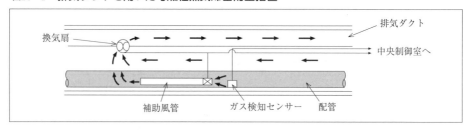

25 不等沈下等のおそれのある場所における配管の設置

根拠条文 危規則

（不等沈下等のおそれのある場所における配管の設置）
第28条の24　不等沈下、地すべり等の発生するおそれのある場所に配管を設置する場合は、当該不等沈下、地すべり等により配管が損傷を受けることのないよう必要な措置を講じ、かつ、配管に生じる応力を検知するための装置を設置しなければならない。

留意事項　(1)　地盤の変異点又は配管の固定点付近における不等沈下は配管に異常な応力を発生させる原因となるので、部分的な地盤改良、曲がり管の設置等により応力緩和の措置を講ずる。

(2) 不等沈下のおそれのある部分には、配管の沈下量を直接測定する沈下計及びベンチマーク並びに応力を検知するためのストレンゲージを設け、あらかじめ設定された限界値に達した場合は、掘り起こす等、応力開放の処置をとる（図25-1参照）。

図25-1　**沈下計**

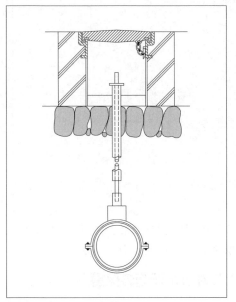

(3) 地すべりのおそれのある部分には変位を検知するための装置として、伸縮計を設ける（図25-2参照）。

図25-2　**伸縮計の設置**

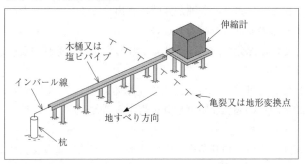

26 配管と橋との取付部

(根拠条文) 危規則

（配管と橋との取付部）

第28条の25　配管を橋に取り付ける場合は、当該配管に過大な応力が生じることのないよう必要な措置を講じなければならない。

(留意事項) (1) 橋りょうは一般に不沈下構造物であるが、橋台の裏込土砂中にある配管の支持物が沈下するので配管に曲がり管を用い適当な屈曲部を設け、又はさや管を用いて沈下等による応力を軽減する必要がある（図26-1参照）。

図26-1 **曲がり管による伸縮吸収措置**

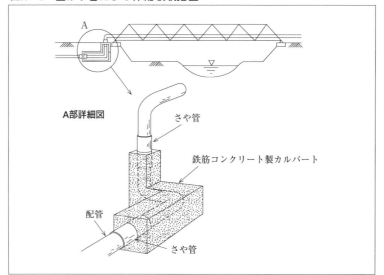

A部詳細図

さや管

鉄筋コンクリート製カルバート

配管

さや管

(2) 立上り部分は外部からの影響を防護するため、防護柵等を設ける。

(3) 橋桁の伸縮、たわみ、振動等についても十分に注意する。

27 掘さくにより周囲が露出することになった配管の保護

（根拠条文） 危規則

（掘さくにより周囲が露出することとなつた配管の保護）

第28条の26 掘さくにより、周囲が臨時に露出することとなつた配管は、次の各号に適合するものでなければならない。

(1) 露出している部分の両端は、地くずれの生ずるおそれがない地中に支持されていること。

(2) 露出している部分に過大な応力を生ずるおそれがある場合は、つり防護、受け防護その他の適切な防護措置を講ずること。

（留意事項） 露出した既設配管等は、つり防護、受け防護等の方法により支持するとともに、露出部の両端において、地くずれを生じないように土留等の措置を講じなければならない（図27-1、図27-2参照）。

図27-1 **つり防護及び受け防護の例**

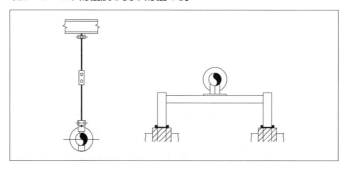

図27-2　露出した既設配管の臨時防護措置

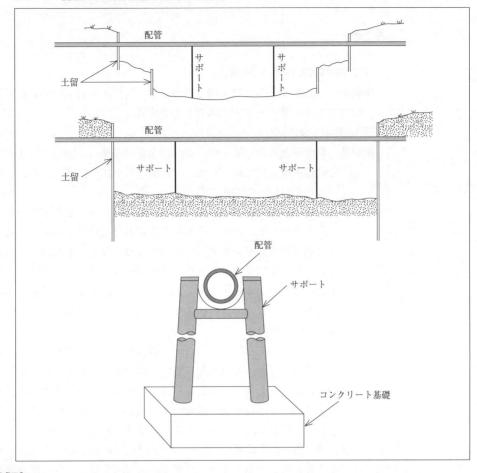

28 非破壊試験

（非破壊試験）

第28条の27　配管等の溶接部は、放射線透過試験（放射線透過試験を実施することが適当でない場合にあつては、告示で定める配管以外の配管については超音波探傷試験及び磁粉探傷試験又は浸透探傷試験を、告示で定める配管については磁粉探傷試験又は浸透探傷試験）を行い、これに合格するものでなければならない。この場合において、移送基地の構内の地上に設置される配管等の溶接部に限り、全溶接部の20パーセント以上の溶接部の抜取り試験によることができる。

2　配管等の溶接部のうち振動、衝撃、温度変化等によつて損傷の生じるおそれのあるものは、告示で定める配管以外の配管については放射線透過試験、超音波探傷試験及び磁粉探傷試験又は浸透探傷試験を、告示で定める配管については放射線透過試験及び磁粉探傷試験又は浸透探傷試験を行い、これに合格するものでなければならない。

　　3　前2項の試験の合格の基準は、告示で定める。

（超音波探傷試験を行わない配管）

第40条　規則第28条の27第1項及び第2項に規定する告示で定める配管は、配管の厚さが6ミリメートル未満のものとする。

（非破壊試験の合格基準）

第41条　規則第28条の27第1項の試験の合格の基準は、次のとおりとする。

　(1)　放射線透過試験にあつては、次に掲げるところに適合すること。

　　イ　割れがないものであること。

　　ロ　溶け込み不足がある場合には、一の溶け込み不足の長さが20ミリメートル以下であつて、かつ、一の溶接部における溶け込み不足の長さの合計が溶接部の長さ30センチメートル当たり25ミリメートル以下であること。ただし、目違いによるルート片側の溶け込み不足にあつては、一の溶け込み不足の長さが40ミリメートル以下であつて、かつ、一の溶接部における溶け込み不足の長さの合計が30センチメートル当たり70ミリメートル以下でなければならない。

　　ハ　融合不足がある場合には、一の融合不足の長さが20ミリメートル以下であつて、かつ、一の溶接部における融合不足の長さの合計が溶接部の長さ30センチメートル当たり25ミリメートル以下であること。ただし、一の溶接部における溶接層間の融合不足の長さの合計は、溶接部の長さ30センチメートル当たり30ミリメートル以下でなければならない。

　　ニ　溶け落ちがある場合には、一の溶け落ちの長さが6ミリメートル（溶接する母材の厚さが6ミリメートル未満の場合は、当該母材の厚さ）以下であつて、かつ、一の溶接部における溶け落ちの長さの合計が溶接部の長さ30センチメートル当たり12ミリメートル以下であること。

　　ホ　スラグ巻き込みがある場合には、次に掲げるところによること。

　　　(1)　細長いスラグ巻き込みは、一の長さ及び幅がそれぞれ20ミリメートル以下及び1.5ミリメートル以下であつて、かつ、一の溶接部における細長いスラグ巻き込みの長さの合計が溶接部の長さ30センチメートル当たり30ミリメートル以下であること。

　　　(2)　孤立したスラグ巻き込みは、一の幅が3ミリメートル以下であつて、かつ、一の溶接部における孤立したスラグ巻き込みの長さの合計及び孤立したスラグ巻き込みの個数がそれぞれ溶接部の長さ30センチメートル当たり12ミリメートル以下及び4個以下であること。

　　ヘ　ブローホール及びこれに類する丸みを帯びた部分（以下この条において「ブローホール等」という。）は、その長径が母材の厚さの2分の1を超えず、かつ、任意の箇所について一辺が10ミリメートルの正方形（母材の厚さが25ミリメートルを超えるものにあつては、一辺が10ミリメートル他の一辺が20ミリメートルの長方形）の部分（以下この条において「試験部分」

という。）において、次の表(1)に掲げるブローホール等（ブローホール等の長径が、母材の厚さが25ミリメートル以下のものにあつては0.5ミリメートル以下、母材の厚さが25ミリメートルを超えるものにあつては0.7ミリメートル以下のものを除く。）の長径に応じて定める点数（以下この条において「ブローホール点数」という。）の合計が、次の表(2)に掲げる母材の厚さに応じて定めるブローホール点数の合計以下であること。

(1)

ブローホール等の長径（単位　ミリメートル）	点　　　数
1.0以下	1
1.0を超え2.0以下	2
2.0を超え3.0以下	3
3.0を超え4.0以下	6
4.0を超え6.0以下	10
6.0を超え8.0以下	15
8.0を超える	25

(2)

母材の厚さ（単位　ミリメートル）	ブローホール点数の合計
10以下	6
10を超え25以下	12
25を超える	24

ト　虫状気孔がある場合には、一の虫状気孔の長さが3ミリメートル（溶接する母材の厚さが12ミリメートル未満である場合は、当該母材の厚さの4分の1）以下であつて、かつ、2以上の虫状気孔が存する場合で、相互の間隔が相隣接する虫状気孔のうちその長さが短くないものの長さ以下であるときは、当該虫状気孔の長さの合計の長さが6ミリメートル（母材の厚さが12ミリメートルを超えるものにあつては、母材の厚さの2分の1）以下であること。

チ　中空ビードがある場合には、一の中空ビードの長さが10ミリメートル以下であつて、かつ、一の溶接部における中空ビードの長さの合計が溶接部の長さ30センチメートル当たり50ミリメートル以下であること。ただし、長さが6ミリメートルを超える二の中空ビードの間隔は、50ミリメートル以上でなければならない。

リ　一の溶接部におけるロからチまでに掲げる欠陥の長さの合計は、当該溶接部の長さの8パーセント以下であつて、かつ、溶接部の長さ30センチメートル当たり50ミリメートル（ロのただし書に定める欠陥の長さを除く。）以下であること。

ヌ　ロからチまでに適合するものであつても、欠陥部分の透過写真の濃度が、溶接する母材部分の写真濃度に対し著しく高くないこと。

ル　アンダーカットがある場合には、次に掲げるところによること。

(1)　外面のアンダーカットは、その断面がV字形をしていないものであつて、一のアンダーカットの長さ及び深さがそれぞれ30ミリメートル以下

及び0.5ミリメートル以下で、かつ、一の溶接部におけるアンダーカット
の長さの合計が溶接部の長さの15パーセント以下であること。

　　(2)　内面のアンダーカットは、一のアンダーカットの長さが50ミリメート
ル以下であつて、かつ、一の溶接部におけるアンダーカットの長さの合
計が溶接部の長さの15パーセント以下であること。

　ヲ　内面ビードの透過写真の濃度が、溶接する母材部分の写真濃度に対し高
くなく、かつ、著しく低くないこと。

(2)　超音波探傷試験にあつては、次に掲げるところに適合すること。

　イ　割れがないものであること。

　ロ　次の表の上〔左〕欄に掲げる最大エコー高さの領域の区分（感度調整基
準線より6デシベル低いエコー高さ区分線を超え感度調整基準線以下の領
域をⅢとし、感度調整基準線を超える領域をⅣとする。以下この条におい
て同じ。）に応じて同表の下〔右〕欄に掲げる溶接する母材の厚さの区分に
応じた応答箇所の指示長さ（2以上の方向から探傷した場合であつて、同
一の応答箇所の指示長さが異なるときは最も長いものの指示長さとし、2
以上の応答箇所がほぼ同一の深さに存する場合で、相互の間隔が相隣接す
る応答箇所のうちその指示長さが短くないものの指示長さ以下であるとき
は、当該応答箇所の指示長さ及び当該間隔の合計の長さとする。以下この
条において同じ。）ごとに定められた数値を応答箇所の評価点とした場合に
おいて、一の応答箇所の評価点が同表に定められており、かつ、応答箇所
の最も密である溶接部の長さ30センチメートル当たり応答箇所の評価点の
合計が5以下であること。

最大エコー高さの領域の区分	応答箇所の指示長さ					
	溶接する母材の厚さ（母材の厚さが異なる場合は、薄い方の母材の厚さとする。以下この表及び次項第2号ロの表において同じ。）が6ミリメートル以上18ミリメートル以下のもの			溶接する母材の厚さが18ミリメートルを超えるもの		
	6ミリメートル以下	6ミリメートルを超え9ミリメートル以下	9ミリメートルを超え18ミリメートル以下	母材の厚さの3分の1以下	母材の厚さの3分の1を超え2分の1以下	母材の厚さの2分の1を超え母材の厚さ以下
Ⅲ	1	2	3	1	2	3
Ⅳ	2	3	／	2	3	／

(3)　磁粉探傷試験にあつては、次に掲げるところに適合すること。

　イ　表面に割れがないものであること。

　ロ　磁粉模様（疑似磁粉模様を除く。以下この条において同じ。）は、その長
さ（磁粉模様の長さがその幅の3倍未満のものは浸透探傷試験による指示
模様の長さとし、2以上の磁粉模様がほぼ同一線上に2ミリメートル以下
の間隔で存する場合（相隣接する磁粉模様のいずれかが長さ2ミリメート
ル以下のものであつて当該磁粉模様の長さ以上の間隔で存する場合を除
く。）は、当該磁粉模様の長さ及び当該間隔の合計の長さとする。以下この
条において同じ。）が4ミリメートル以下であること。

　ハ　磁粉模様が存する任意の箇所について25平方センチメートルの長方形

（一辺の長さは15センチメートルを限度とする。）の部分において、長さが1ミリメートルを超える磁粉模様の長さの合計が8ミリメートル以下であること。

(4) 浸透探傷試験にあつては、次に掲げるところに適合すること。

　イ　表面に割れがないものであること。

　ロ　指示模様（疑似指示模様を除く。以下この条において同じ。）は、その長さ（2以上の指示模様がほぼ同一線上に2ミリメートル以下の間隔で存する場合（相隣接する指示模様のいずれかが長さ2ミリメートル以下のものであつて当該指示模様の長さ以上の間隔で存する場合を除く。）は、当該指示模様の長さ及び当該間隔の合計の長さ。以下この条において同じ。）が4ミリメートル以下であること。

　ハ　指示模様が存する任意の箇所について25平方センチメートルの長方形（一辺の長さは15センチメートルを限度とする。）の部分において、長さが1ミリメートルを超える指示模様の長さの合計が8ミリメートル以下であること。

2　規則第28条の27第2項の試験の合格の基準は、次のとおりとする。

(1) 放射線透過試験にあつては、次に掲げるところに適合すること。

　イ　ブローホール等及びスラグ巻き込み等は、次に掲げるところによること。

　⑴　ブローホール等は、その長径が母材の厚さの2分の1を超えず、かつ、任意の箇所について試験部分において、ブローホール点数の合計が、次の表に掲げる母材の厚さに応じて定めるブローホール点数の合計以下であること。

母材の厚さ（単位　ミリメートル）	ブローホール点数の合計
10以下	3
10を超え25以下	6
25を超える	12

　⑵　細長いスラグ巻き込み及びこれに類するもの（以下この号において「スラグ巻き込み等」という。）は、その長さ（2以上のスラグ巻き込み等が存する場合で、相互の間隔が相隣接するスラグ巻き込み等のうちその長さが短くないものの長さ以下であるときは、当該スラグ巻き込み等の長さの合計の長さ。以下この号において同じ。）が、次の表に掲げる母材の厚さに応じて定める長さ以下であること。

母材の厚さ（単位　ミリメートル）	長　　　さ
12以下	4ミリメートル
12を超える	母材の厚さの3分の1

　⑶　ブローホール等及びスラグ巻き込み等が混在する場合は、⑴及び⑵に掲げるところによるほか、ブローホール点数の合計が最大となる試験部分において、ブローホール点数の合計が、次の表⒤に掲げる母材の厚さに応じて定めるブローホール点数の合計以下であり、又はスラグ巻き込み等の長さが次の表⒤に掲げる母材の厚さに応じて定める長さ以下であること。

(i)

母材の厚さ（単位　ミリメートル）	ブローホール点数の合計
10以下	1
10を超え25以下	2
25を超える	4

(ii)

母材の厚さ（単位　ミリメートル）	長　　　　さ
12以下	3ミリメートル
12を超える	母材の厚さの4分の1

ロ　イに適合するものであつても、欠陥部分の透過写真の濃度が、溶接する母材部分の写真濃度に対し著しく高くないこと。

ハ　内面ビードの透過写真の濃度が、溶接する母材部分の写真濃度に対し高くなく、かつ、著しく低くないこと。この場合において、透過写真の濃度は、不連続でないこと。

ニ　余盛りは、その高さが3ミリメートル以下であつて、かつ、その止端部において、角度が150度以上又は曲率半径が3ミリメートル以上であること。

ホ　アンダーカットがある場合には、次に掲げるところによること。

(1)　外面のアンダーカットは、その断面がV字形をしていないものであつて、一のアンダーカットの長さ及び深さがそれぞれ20ミリメートル以下及び0.5ミリメートル（溶接する母材の厚さの10パーセントが0.5ミリメートル未満である場合は、当該母材の厚さの10パーセント）以下で、かつ、一の溶接部におけるアンダーカットの長さの合計が溶接部の長さの10パーセント以下であること。

(2)　内面のアンダーカットは、一のアンダーカットの長さが20ミリメートル以下であつて、かつ、一の溶接部におけるアンダーカットの長さの合計が溶接部の長さの10パーセント以下であること。

(2)　超音波探傷試験にあつては、次に掲げるところに適合すること。

イ　割れがないものであること。

ロ　次の表の上〔左〕欄に掲げる最大エコー高さの領域の区分に応じて、同表の下〔右〕欄に掲げる溶接する母材の厚さの区分に応じた応答箇所の指示長さごとに定められた数値を応答箇所の評価点とした場合において、一の応答箇所の評価点が同表に定められており、かつ、応答箇所の最も密である溶接部の長さ30センチメートル当たり応答箇所の評価点の合計が4以下であること。

最大エコー高さの領域の区分	応答箇所の指示長さ			
	溶接する母材の厚さが6ミリメートル以上18ミリメートル以下のもの		溶接する母材の厚さが18ミリメートルを超えるもの	
	6ミリメートル以下	6ミリメートルを超え9ミリメートル以下	母材の厚さの3分の1以下	母材の厚さの3分の1を超え2分の1以下
Ⅲ	1	2	1	2
Ⅳ	2	／	2	／

　(3)　磁粉探傷試験にあつては、次に掲げるところに適合すること。

　　イ　表面に割れがないものであること。

　　ロ　磁粉模様は、任意の箇所について25平方センチメートルの長方形（一辺の長さは15センチメートルを限度とする。）の部分において、長さが1ミリメートルを超える磁粉模様の長さの合計が4ミリメートル以下であること。

　(4)　浸透探傷試験にあつては、次に掲げるところに適合すること。

　　イ　表面に割れがないものであること。

　　ロ　指示模様は、任意の箇所について25平方センチメートルの長方形（一辺の長さは15センチメートルを限度とする。）の部分において、長さが1ミリメートルを超える指示模様の長さの合計が4ミリメートル以下であること。

留意事項　(1)　配管等の溶接部に生じる割れ、アンダーカット等の欠陥は、応力集中の原因となることから、当該溶接部は配管の規模、設置状況に応じて、放射線透過試験等の非破壊試験を行い、これに合格しなければならない。

　　　なお、非破壊試験の原理等については「第2集　第2章　11 特定屋外貯蔵タンクの溶接部の試験」を参照。

(2)　溶接部欠陥には、次のようなものがある。

図28-1　**溶接部欠陥の種別**

ア　溶け込み不足：本来完全に溶け込まなければならない溶接部に溶け込まない部分があるもの

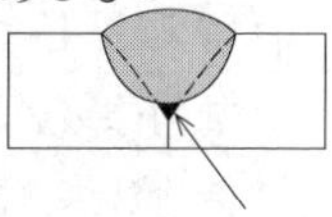

イ　融合不足：溶接境界面が十分に融け合っていないもの

ウ　溶け落ち：溶融金属が開先（接合する2部材の間に設ける溝でグルーブともいう。）の裏側に溶け落ちること。

エ　スラグ巻き込み：溶着金属中又は母材との融合部にスラグ（非金属物質）が残ること。
オ　ブローホール：溶接金属中にガスによってできた気孔
カ　アンダーカット：溶接の止端（部材の面と溶接の表面との交わる部分）に沿って母材が掘られて、溶着金属が満たされないで溝となって残っている部分

キ　ピット：ビードの表面に生じた小さなくぼみ穴
ク　オーバラップ：溶着金属が止端で母材に融合しないで重なった部分

表28-1　**非破壊試験の対象区分**

溶接部の種別	配管の厚さ	該　当　試　験
振動、衝撃、温度変化等によって損傷のおそれのある溶接部	6mm未満	MT or & RT PT
	6mm以上	MT or & UT & RT PT
上記以外の溶接部	6mm未満	RT ※不適当な場合 MT or PT
	6mm以上	RT ※不適当な場合 MT or & UT PT

磁粉探傷試験	MT
浸透探傷試験	PT
放射線透過試験	RT
超音波探傷試験	UT

㉙ 耐圧試験

根拠条文　危規則

（耐圧試験）

第28条の28　配管等は、告示で定める方法により当該配管等に係る最大常用圧力の1.5倍以上の圧力で試験を行つたとき漏えいその他の異常がないものでなければならない。ただし、告示で定める場合は、当該配管等について前条第2項に掲げる試験を行い、これに合格することをもつて代えることができる。

危告示

（耐圧試験の方法）

第42条　規則第28条の28本文に規定する耐圧試験の方法は、次の各号に掲げるとおりとする。

(1)　水を用いて行うこと。この場合において、試験中水が凍結するおそれがある場合には、凍結を防止する措置を講じなければならない。

(2)　配管等の内部の空気を排除して行うこと。この場合において、やむを得な

い事由により配管に空気抜き口を設けるときは、試験によつて当該部分が損傷を受けない構造のものとし、かつ、試験を行つた後当該部分の強度を減じないように空気抜き口を閉鎖し、補強しなければならない。

(3) 配管等内の第1号に定める液の温度と配管等の周囲の温度とがおおむね平衡状態となつてから開始し、試験時間は、24時間以上とすること。

(4) 試験中は、配管等の試験区間の両端において、配管等内の圧力及び温度を記録すること。この場合において、圧力を測定する装置は、試験を行う前及び行つた後に重量平衡式圧力検定器を用いて検定しなければならない。

(耐圧試験の特例)

第43条　規則第28条の28ただし書に規定する告示で定める場合は、耐圧試験を行う配管等の試験区間相互を接続する箇所又は空気抜き口の閉鎖箇所を溶接する場合とする。

留意事項 (1) 配管等の耐圧試験は、水以外の液体を用いることは認められていない。また、圧縮空気窒素ガス等の気体を用い、高圧力下で行うことも認められていない。

(2) 重量平衡式圧力検定器は、使用する圧力計が正確であるか否かを検査するもので、その原理は、図29-1において検定する圧力に見合った重量の錘をセットし、この重量が封入液体を介して、圧力計に伝波し圧力計が圧力指示することにより、この指示圧力が等しく錘重量に見合っているか否かを検定するものである。

圧力試験器の種類を表29-1に概観を図29-1に示す。

表29-1　**圧力試験器の種別**

分銅式圧力試験器：分銅と圧力計との圧力を釣り合わせて測定するもので、更に次のように分類される。
(A)　携帯用圧力試験器　　　　　測定範囲　0.2MPa ～ 5 MPa
(B)　卓上分銅式圧力試験器　　　測定範囲　0.2MPa ～ 20MPa
(C)　中圧分銅式圧力試験器　　　測定範囲　0.2MPa ～ 50MPa
(D)　超高圧分銅式圧力試験器　　測定範囲　50MPa ～200MPa

図29-1　**重量平衡式圧力検定器及び基本原理**

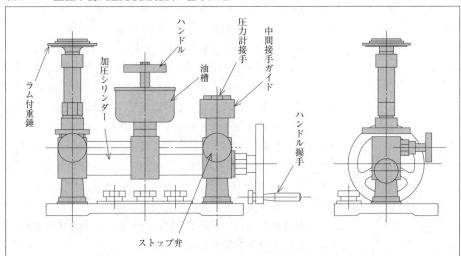

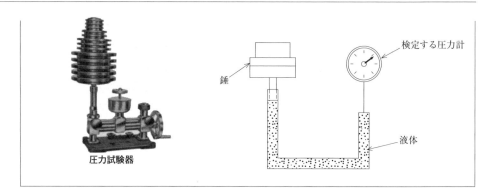

圧力試験器　　　　　　　　　　　　　検定する圧力計

錘

液体

🔟 運転状態の監視装置

（根拠条文）危規則

（運転状態の監視装置）

第28条の29　配管系（配管並びにその配管と一体となつて危険物の移送の用に供
されるポンプ、弁及びこれらの附属設備の総合体をいう。以下同じ。）には、ポ
ンプ及び弁の作動状況等当該配管系の運転状態を監視する装置を設けなければ
ならない。

2　配管系には、告示で定めるところにより圧力又は流量の異常な変動等の異常
な事態が発生した場合にその旨を警報する装置を設けなければならない。

危告示

（配管系の警報装置）

第44条　規則第28条の29第 2 項の規定により、配管系には、次の各号に掲げると
ころにより異常な事態が発生した場合にその旨を警報する装置（以下この条に
おいて「警報装置」という。）を設けなければならない。

⑴　警報装置の警報受信部は、当該警報装置が警報を発した場合に直ちに必要
な措置を講じることができる場所に設けること。

⑵　警報装置は、次に掲げる機能を有すること。

　イ　配管内の圧力が最大常用圧力の1.05倍（最大常用圧力の1.05倍が最大常
用圧力に0.2メガパスカルを加えた値以上となる場合は、最大常用圧力に
0.2メガパスカルを加えた圧力とする。）を超えたとき警報を発すること。

　ロ　規則第28条の32第 1 項第 2 号に規定する装置が30秒につき80リットル以
上の量を検知したとき警報を発すること。

　ハ　規則第28条の32第 1 項第 3 号に規定する装置がその圧力測定箇所（正常
な運転時における圧力値が最大常用圧力の 5 分の 1 以下となる圧力測定箇
所を除く。）において正常な運転時における圧力値より15パーセント以上の
圧力降下を検知したとき警報を発すること。

　ニ　規則第28条の33に規定する緊急しや断弁を閉鎖するための制御が不能と
なつたとき警報を発すること。

ホ　規則第28条の35に規定する感震装置又は強震計が40ガル以上の加速度の
地震動を検知したとき警報を発すること。

（留意事項）　配管の運転操作は、運転監視装置を設け、テレメーターにより各部の主要な運転状
況を制御室に伝送し、必要なパネル等を設けて監視する等、常時システム全般の運転
状態を監視できる中央集中制御方式による遠隔操作によらなければならない（図30－
1、図30－2参照）。

図30－1　**配管系の監視装置の概念図**

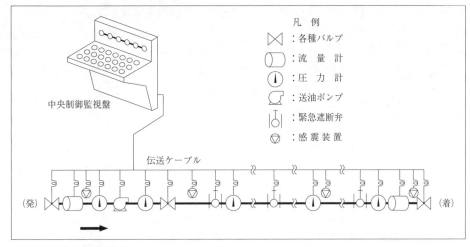

図30－2　**警報装置の機能**

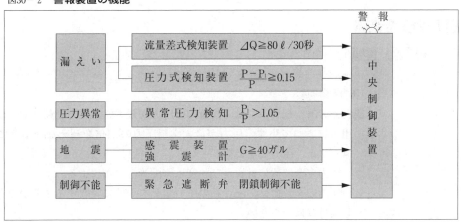

31 安全制御装置

（根拠条文）　危規則

（安全制御装置）

第28条の30　配管系には、次に掲げる制御機能を有する安全制御装置を設けなけ
ればならない。

（1）　次条に規定する圧力安全装置、第28条の32に規定する自動的に危険物の漏
えいを検知することができる装置、第28条の33に規定する緊急しや断弁、第

　　　　28条の35に規定する感震装置その他の保安のための設備等の制御回路が正常
　　　であることが確認されなければポンプが作動しない制御機能
　　(2)　保安上異常な事態が発生した場合に災害の発生を防止するため、ポンプ、
　　　緊急しや断弁等が自動又は手動により連動して速やかに停止又は閉鎖する制
　　　御機能

留意事項　(1)　制御装置は、危険物の漏えいを検知することができる装置等、保安のための設備
　　　の動作を関連させ、当該設備の動作に係る設定条件を満足するまでポンプの動作を
　　　阻止する、いわゆるインターロック回路を構成する。

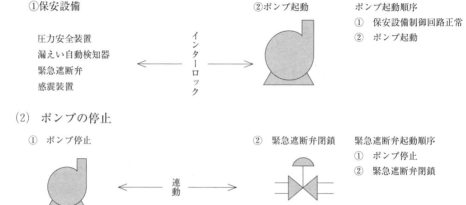

　　(2)　ポンプの停止

32 圧力安全装置

根拠条文　危規則

　　(圧力安全装置)
　　第28条の31　配管系には、配管内の圧力が最大常用圧力を超えず、かつ、油撃作
　　　用等によつて生ずる圧力が最大常用圧力の1.1倍を超えないように制御する装
　　　置（以下「圧力安全装置」という。）を設けなければならない。
　　2　圧力安全装置の材質及び強度は、配管等の例による。
　　3　圧力安全装置は、配管系の圧力変動を十分に吸収することができる容量を有
　　　しなければならない。

留意事項　(1)　圧力安全装置には、管内圧力を常用圧力以上に上昇せしめないように制御する装
　　　置（圧力制御装置）及び、油撃作用等による圧力が常用圧力の1.1倍を超えないよう
　　　に制御する装置（油撃圧力安全装置）が該当するものである。
　　(2)　圧力制御装置は、一般に圧力調整弁が用いられ、その下流側の圧力を制御する。
　　　しかし、ポンプと圧力調整弁との間のパイプラインについては、設計圧力をポンプ
　　　の出し得る最高圧力以上とするか、又は圧力過昇防止措置について考慮しなければ
　　　ならない。
　　(3)　油撃圧力安全装置は、圧力逃し装置又はラインの末端若しくは途中において圧力

の急激な上昇を検知した場合、ポンプを自動的に停止する装置等が用いられる。

(4) 異常圧力上昇と対策

　ア　サージング等

　　(ｱ)　サージング

　　　　ポンプを含めた管系の力学的不安定から起こるもので、ポンプ、その他の流体機械を運転している際に息をつく状態となって吐出し流量が変化する現象である。

　　　　その原因としては、次の３条件が満たされると起こるとされている。

　　　　　○ポンプ揚程曲線が右上りこう配である。

　　　　　○配管系中に水槽又は気相の部分がある。

　　　　　○吐出量を調整する弁の位置が水槽又は気相部の後方にある。

　　　　その防止方法としては、オイルハンマー防止のサージタンクの使用から(ｲ)及び設備の組合せから(ｳ)はそれぞれ避け難いので、ポンプの特性曲線が右下りになるボリュートポンプを選定することで避けることができる。

　　(ｲ)　キャビテーション

　　　　ポンプ内部において、吸込揚程が高い又は流速が局部的に速い場合、圧力が低下し発生するので、有効吸込ヘッドを大きくすることにより防止することができる。

　　(ｳ)　オイルハンマー及び液柱分離

　　　　運転中のポンプが停電等により停止したり、また、バルブを急閉鎖したりすると、流体速度が急激に変化し、圧力変化による衝撃（オイルハンマー）が起こる。

　　　　液柱分離は、管内に負圧（大気圧以下の圧力）が生じ、管内の液体の蒸気圧以下までに下がると液体が気化し、液柱が分離するに至る現象である。分離した液柱が再び結合すると激しいオイルハンマーが生ずる。

　　　　これらは、次のオペレーションによって防止することができる。

図32-1

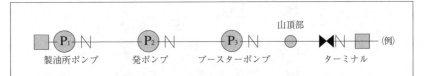

　　　起　動：製油所ポンプ⑫から起動し、発ポンプ⑫、ブースターポンプ⑫の順に起動し流量を増大する。
　　　停　止：製油所で流量を絞り、ブースターポンプ、発ポンプの順に流量を減らしながら停止し、製油所ポンプを停止する。
　　　　　　　なお、この場合、山頂での液柱分離を監視し、着ターミナルのバルブを調整する。
　　　停電時等の急停止：液柱分離を防止するため、着ターミナルの弁を絞りながら、下流側からポンプを停止する。ターミナルバルブの急閉鎖については、直ちに各ポンプを停止する。

　イ　オイルハンマー発生時の異常圧力逃し機構

　　　N_2ガス等のガス圧で常用圧力以上になったとき開くようにしたもので、流出した液はリリーフタンクに入れるものである。

図32-2

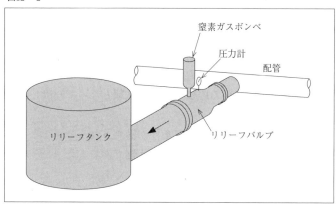

図32-3 **パイプライン用リリーフバルブ**

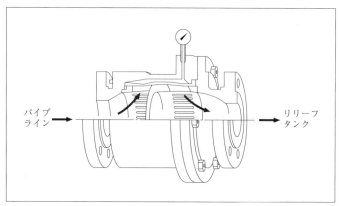

図32-4 **中間ターミナルの過圧保護装置**

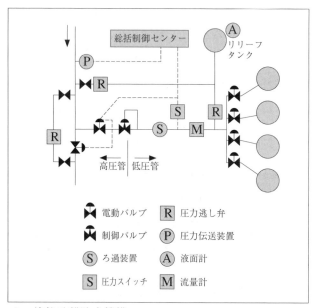

ウ 液柱分離防止機構

　　管内圧力が大気圧以下となったとき、空洞発生の予測される箇所にあらかじめ
設けた一方向リリーフタンクから液体を吸引させ、空洞を消滅させる。

図32－5

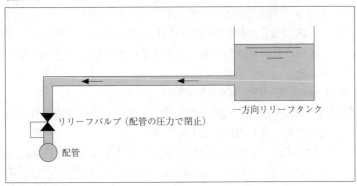

一方向リリーフタンク

リリーフバルブ（配管の圧力で閉止）

配管

33 漏えい検知装置等

根拠条文　危規則

（漏えい検知装置等）

第28条の32　配管系には、次の各号に掲げる漏えい検知装置及び漏えい検知口を設けなければならない。

(1)　可燃性の蒸気を発生する危険物を移送する配管系の点検箱には、可燃性の蒸気を検知することができる装置

(2)　配管系内の危険物の流量を測定することによつて自動的に危険物の漏えいを検知することができる装置又はこれと同等以上の性能を有する装置

(3)　配管系内の圧力を測定することによつて自動的に危険物の漏えいを検知することができる装置又はこれと同等以上の性能を有する装置

(4)　配管系内の圧力を一定に静止させ、かつ、当該圧力を測定することによつて危険物の漏えいを検知できる装置又はこれと同等以上の性能を有する装置

(5)　配管を地下に埋設する場合は、告示で定めるところにより設けられる検知口

2　前項に規定するもののほか、漏えい検知装置の設置に関し必要な事項は、告示で定める。

危告示

（漏えい検知口）

第45条　規則第28条の32第１項第５号の規定により、地下に埋設する配管には、次の各号に掲げるところにより漏えい検知口を設けなければならない。

(1)　検知口は、河川下等に設置する配管であつてさや管その他の構造物の中に設置するもの及び山林原野に設置するものにあつては保安上必要な箇所に、その他の配管にあつては配管の経路の約100メートルごとの箇所及び保安上必要な箇所に設けること。

(2)　検知口は、配管に沿つて設けられる漏えい検知用の管に接続されているものであること。ただし、配管に沿つて危険物の漏えいを検知することができ

る装置（危険物の漏えいを検知した場合に、直ちに必要な装置を講じることができる場所にその旨を警報することができるものに限る。）が設けられ、かつ、当該装置の検知測定部が検知口に設けられる場合は、この限りでない。

(3) 検知口は、危険物の漏えいを容易に検知することができる構造のものであること。

（漏えい検知装置の設置に関し必要な事項）

第46条　規則第28条の32第2項に規定する漏えい検知装置の設置に関し必要な事項は、次の各号に掲げるとおりとする。

(1) 配管系内の危険物の流量を測定することによつて自動的に危険物の漏えいを検知することができる装置は、30秒以下の時間ごとに流量差を測定することができるものであること。

(2) 配管系内の圧力を測定することによつて自動的に危険物の漏えいを検知することができる装置は、常時圧力の変動を測定することができるものとし、当該装置の圧力測定器は、10キロメートル以内の距離ごとの箇所に設置すること。

(3) 配管系内の圧力を一定に静止させ、かつ、当該圧力を測定することによつて危険物の漏えいを検知できる装置は、緊急しや断弁の前後の圧力差の変動を測定することができるものであること。

留意事項 (1) バルブピット等配管の点検箱における可燃性ガスの検知システムは、一般に漏えいガスを検知する検知部とその出力信号を増幅し、指示及び警報表示する指示警報部からなり、必要に応じて、総合的な警報表示部が付加される。

図33-1　**ガス検知警報システムの構成**

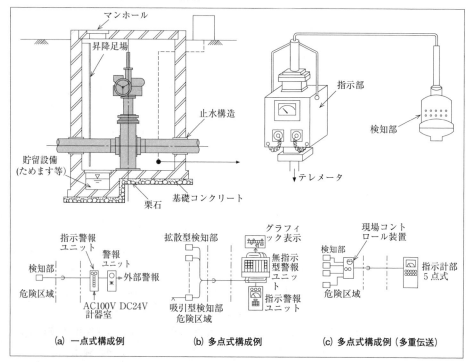

(2) ガス検知方法は接触燃焼式、半導体式等の方法があるが、適用場所、要求精度及び検知頻度を考慮して適当な方法を選定する。

(3) パイプライン運転中の常時検知法としては次のような方法があり、いずれも比較的多量の漏えいに対して有効である。

　① 流量差検知法：一定時間内のラインの入口と出口の流量積算値の差を測定することにより、漏えいの有無を確認する方法

図33-2　タービン式流量計

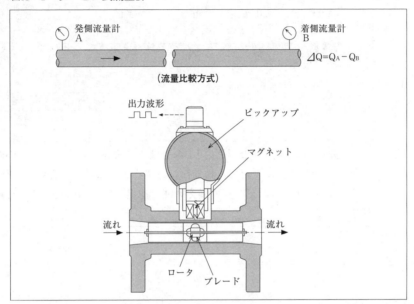

　② 運転時圧力検知法：ラインに沿って一定距離ごとに圧力計測装置を設置し、当該測定値を中央制御室に伝送し、漏えいによる圧力降下を確認する方法

　③ 負圧力波検知法：突発漏えいが発生した場合、急激な圧力降下が生じ、漏えい点を中心とした負圧力が1㎞／sの速度で左右に伝ぱする。この負圧力波の最前面波の大きさ及び圧力変化速度を各計測点において測定することにより、突発漏えいを検知する方法

図33-3　差圧検出装置（圧力波方式）

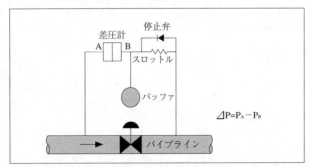

(4) パイプラインの運転を停止して検知する方法としては、静止圧力を測定することにより微小な漏えいを確認するラインパックテスト法があるが、そのうち消防法上の差圧法によるべきものであるとされている。

① 静止法：パイプラインを加圧状態にして、区間遮断弁を閉鎖し、ラインをいくつかの区間に分割し、当該区間内の圧力変化を直接測定する方法

② 差圧法：静止法と同様であるが、隣接二区間の圧力差の変化を差圧計を用いて測定する方法

図33-4　**ラインの圧力情報計器**

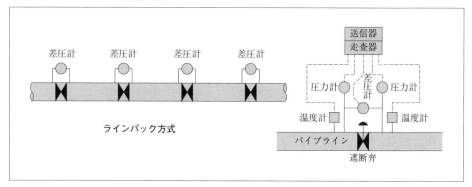

(5)「漏えい検知用管」は、検知口のみではこの検知口の中間に漏えいが発生した場合、漏えい油が地中に浸透し、検知口に達するまでに長時間を要し、その間に漏えい油が拡散するので、漏えい点で漏えい油を捕集して検知口まで導くためのものである。

図33-5

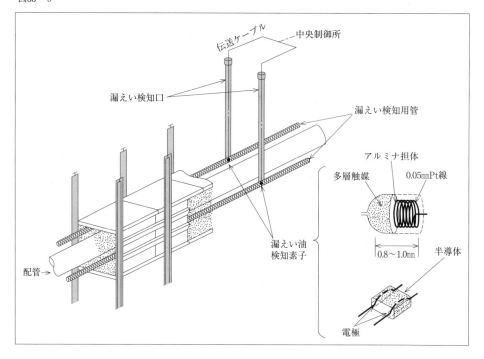

34 緊急遮断弁

(根拠条文) 危規則

（緊急しや断弁）

第28条の33　配管を第1条第5号ハに規定する地域に設置する場合にあつては

約1キロメートルの間隔で、主要な河川等を横断して設置する場合その他の告示で定める場合にあつては告示で定めるところにより当該配管に緊急しや断弁を設けなければならない。

2　緊急しや断弁は、次の各号に掲げる機能を有するものでなければならない。

(1)　遠隔操作及び現地操作によつて閉鎖する機能

(2)　前条に規定する自動的に危険物の漏えいを検知する装置によつて異常が検知された場合、第28条の35に規定する感震装置又は強震計によつて告示で定める加速度以下に設定した加速度以上の地震動が検知された場合及び緊急遮断弁を閉鎖するための制御が不能となつた場合に自動的に、かつ、速やかに閉鎖する機能

3　緊急しや断弁は、その開閉状態が当該緊急しや断弁の設置場所において容易に確認されるものでなければならない。

4　緊急しや断弁を地下に設ける場合は、当該緊急しや断弁を点検箱内に設置しなければならない。ただし、緊急しや断弁を道路以外の地下に設ける場合であつて、当該緊急しや断弁の点検を可能とする措置を講ずる場合は、この限りでない。

5　緊急しや断弁は、当該緊急しや断弁の管理を行う者及び当該管理を行う者が指定した者以外の者が手動によつて開閉することができないものでなければならない。

危告示

(緊急しや断弁の設置)

第47条　規則第28条の33第1項及び第28条の53第4項に規定する告示で定める場合は、次の各号に掲げる場合とする。

(1)　一級河川（河川法（昭和39年法律第167号）第9条第2項に規定する指定区間内の一級河川を除く。以下この条において同じ。）、河川の流水の状況を改善するため2以上の河川を連絡する河川工事の対象となる河川、下流近傍に利水上の重要な取水施設のある河川又は計画河幅が50メートル以上の河川であつて危険物の流入するおそれのある河川を横断して配管を設置する場合

(2)　海峡、湖沼等を横断して配管を設置する場合

(3)　山等の勾配のある地域に配管を設置する場合

(4)　鉄道又は道路の切り通し部を横断して配管を設置する場合

(5)　前各号に掲げる地域以外の地域（規則第1条第5号ハに規定する地域を除く。）に配管を設置する場合

2　規則第28条の33第1項の規定により、配管には、次の各号に掲げるところにより緊急しや断弁を設けなければならない。ただし、地形その他の状況により、当該各号に掲げるところによる必要がないと認められる場合は、これによらないことができる。

(1)　前項第1号及び第2号に掲げる場合にあつては、当該各号に掲げる地域を横断する箇所の危険物の流れの上流側及び下流側の箇所に設けること。ただ

し、計画河幅が50メートル以上の河川（一級河川、河川の流水の状況を改善するため2以上の河川を連絡する河川工事の対象となる河川及び下流近傍に利水上の重要な取水施設のある河川を除く。）を横断して配管を設置する場合であつて危険物の流れの下流側の箇所から上流側の箇所に危険物が逆流するおそれがないときは、当該河川を横断する箇所の危険物の流れの下流側の箇所には、緊急しや断弁を設けることを要しない。

(2) 前項第3号及び第4号に掲げる場合にあつては、保安上必要な箇所に設けること。

(3) 前項第5号に掲げる場合のうち、市街地に配管を設置する場合にあつては約4キロメートル、市街地以外の地域に配管を設置する場合にあつては約10キロメートルごとの箇所に設けること。

（加速度）

第48条 規則第28条の33第2項第2号に規定する加速度は、80ガルとする。

留意事項 (1) 80gal以上の地震動を検知した場合、急激な漏えいによる管内圧力が降下した場合、漏えい検知装置が漏えいを検知した場合、運転制御監視装置が作動不能になった場合等にポンプを自動的に停止し、緊急遮断弁を閉鎖しなければならない。この場合、ポンプの完全停止後に緊急遮断弁を閉鎖しなければならない。

(2) 「遠隔操作によって閉鎖する機能」とは中央制御室等において、「現地操作によって閉鎖する機能」とは緊急遮断弁の設置してある場所において、それぞれ緊急遮断弁を開閉できる機能をいう。

図34-1 **緊急遮断弁の例**　　　図34-2 **緊急遮断弁の機能**

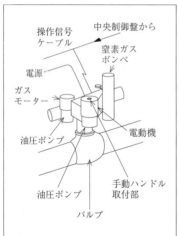

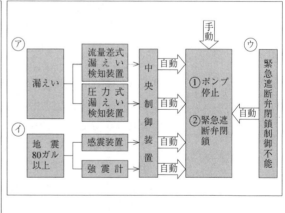

図34-3　**地下設置の例**

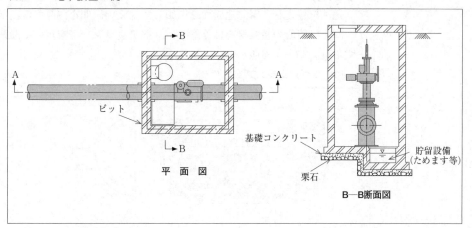

ピット

基礎コンクリート

栗石

平　面　図

貯留設備
（ためます等）

B—B断面図

図34-4　**地上設置の例**

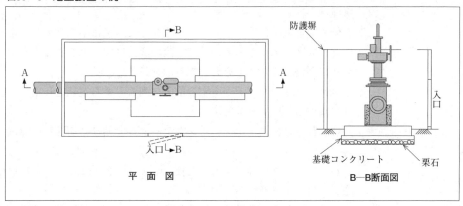

防護塀

入口

入口

基礎コンクリート

栗石

平　面　図

B—B断面図

35 危険物除去措置

根拠条文 危規則

（危険物除去措置）
第28条の34　配管には、告示で定めるところにより当該配管内の危険物を除去す
るための措置を講じなければならない。

危告示

（危険物を除去するための措置）
第49条　規則第28条の34の規定により、配管には、相隣接した2の緊急しや断弁
の区間の危険物を安全に水又は不燃性の気体に置換することができる措置を講
じなければならない。

留意事項　　配管系において漏えい事故が発生した場合は、一時的応急措置によって漏えいを止
め、ついで修理を行う。応急修理及び永久修理の作業手順は、おおむね次のとおりで
ある。

(1) 応急措置

　ア　送油を停止し、緊急遮断弁を閉鎖して漏えい区間を隔離する。

　イ　漏えい箇所の塗装材をはく離し、リペアクランプ等を用いて漏えい箇所を処置する（図35-1参照）。

図35-1　**リペアクランプ**

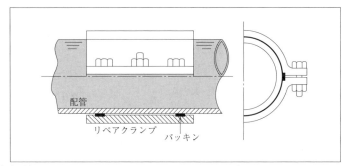

(2) 修理

　ア　低圧で運転を再開し、スフィアを介して水又は不燃性ガスを送る。

　イ　漏えい区間をはさんで、上、下流の隣接区間以上を満たす水量又はガス量を送り込んだ後、スフィアを介して石油を送る。

　ウ　水又はガスのバッチが所定の位置に到着したら運転を停止し、遮断弁閉鎖により隔離する（図35-2参照）。

　エ　切断部分の両側をボンディングケーブルで結び、切断後の静電気火花の発生を防ぐ。

　オ　パイプカッター等で切断した後、両側のパイプにスフィアを挿入し、水の流出、空気の流通を遮断する。

　カ　水分を拭き取り乾燥後、短管を挿入し、溶接、耐圧試験等を行う。

　キ　遮断弁を開き、運転を再開し、水のバッチはターミナルでタンクに受け入れる。

図35-2　**修理区間の水置換**

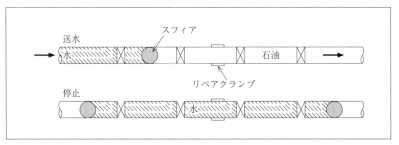

(3) 配管系において、漏えい事故が発生した場合は上記の処置にて危険物を水等に置換することができるが、配管途中の弁が故障して流体が流れなくなった場合、通常は運転を停止して配管を空にし、弁を修理するか取り替えるかしなければならない。しかし、次のような特殊な応急処置を行うことにより、配管内の危険物を安全に水等に置換することができる（ホットタッピング法）。

図35-3

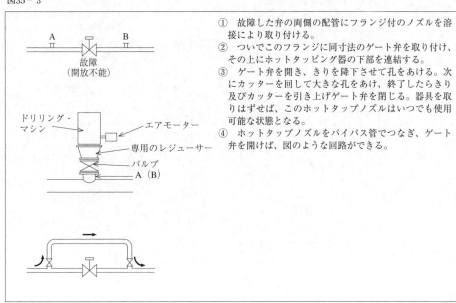

① 故障した弁の両側の配管にフランジ付のノズルを溶接により取り付ける。
② ついでこのフランジに同寸法のゲート弁を取り付け、その上にホットタッピング器の下部を連結する。
③ ゲート弁を開き、きりを降下させて孔をあける。次にカッターを回して大きな孔をあけ、終了したらきり及びカッターを引き上げゲート弁を閉じる。器具を取りはずせば、このホットタップノズルはいつでも使用可能な状態となる。
④ ホットタップノズルをバイパス管でつなぎ、ゲート弁を開けば、図のような回路ができる。

36 感震装置等

(根拠条文) 危規則

> (感震装置等)
> **第28条の35** 配管の経路には、告示で定めるところにより感震装置及び強震計を設けなければならない。

危告示

> (感震装置及び強震計)
> **第50条** 規則第28条の35の規定により、配管の経路には、次の各号に掲げるところにより感震装置及び強震計を設けなければならない。
> (1) 感震装置及び強震計は、配管の経路の25キロメートル以内の距離ごとの箇所及び保安上必要な箇所に設けること。
> (2) 強震計は、10ガルから1,000ガルまでの加速度を検知することができる性能を有すること。

(留意事項) (1) 感震装置は、設定値以上の地震動が生じた場合、感震装置の検出用接点が動作して、リレー回路を働かせ、警報又は制御用信号を発する地震計である。

図36-1 **感震器の構造**

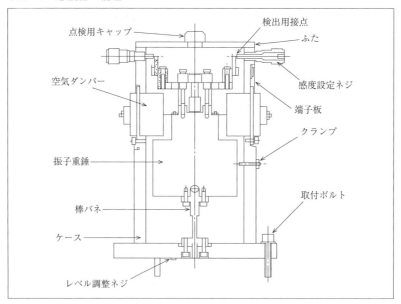

(2) 強震計は、設定値以上の地震動を生じた場合、前後、左右及び上下動三成分の加
速度を記録する装置で、地震動の解析に用いる。

図36-2 **強震計の構造**

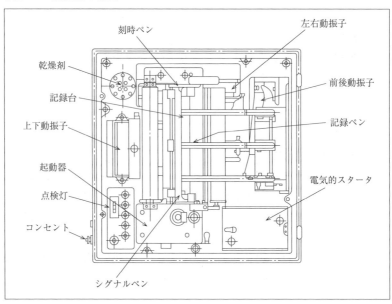

37 通報設備

根拠条文 危規則

（通報設備）

第28条の36 配管の経路には、次の各号に定める通報設備を設けなければならな
い。

　　(1)　緊急通報設備
　　(2)　消防機関に通報する設備
　2　緊急通報設備は、発信部を告示で定める場所に、受信部を緊急の通報を受信した場合に直ちに必要な措置を講ずることができる場所にそれぞれ設けなければならない。
　3　消防機関に通報する設備は、専用設備とし、かつ、緊急通報設備の受信部を設ける場所に設けなければならない。

危告示

（緊急通報設備の発信部を設ける場所）
　第51条　規則第28条の36第2項に規定する告示で定める場所は、山林原野以外の地域にあつては配管の経路の約2キロメートルごとの箇所、山林原野にあつては配管の経路の保安上必要な箇所とする。

留意事項　(1)　緊急通報設備は、危険物施設保安員、第三者等により配管又は附属設備に漏えいその他の異常が発見された場合、発見者より制御室に迅速に通報するためのものである。
　(2)　危告示第51条の「保安上必要な箇所」には、不等沈下等のおそれのある箇所、地盤の急変部等支持条件が急変する箇所等が該当する。
　(3)　設置箇所の例は、「■ 移送取扱所の定義」図1－1を参照。

38 警報設備

根拠条文　危規則

（警報設備）
　第28条の37　移送取扱所には、告示で定めるところにより警報設備を設けなければならない。

危告示

（警報設備）
　第52条　規則第28条の37の規定により、移送取扱所には、次の各号に掲げるところにより警報設備を設けなければならない。
　(1)　移送基地には非常ベル装置及び拡声装置を設けること。
　(2)　可燃性蒸気を発生する危険物の送り出しの用に供されるポンプ等のポンプ室には可燃性蒸気警報設備を、その他のポンプ等のポンプ室には自動火災報知設備（自動信号装置を備えた消火設備を含む。）を設けること。

留意事項　(1)　「可燃性蒸気を発生する危険物」とは、引火点が40℃未満のものとされている。
　(2)　ポンプ室に設ける可燃性蒸気警報設備の検知部は、ポンプ及び排気用ダクト吸込

部の周辺に設置するのが有効であり、その警報設定値は可燃性蒸気の爆発下限界の4分の1以下とされている。

39 巡回監視車等

(根拠条文) 危規則

> (巡回監視車等)
> **第28条の38**　配管の経路には、告示で定めるところにより巡回監視車及び資機材倉庫等を設けなければならない。

危告示

> (巡回監視車等)
> **第53条**　規則第28条の38の規定により、配管の経路には、次の各号に掲げるところにより巡回監視車、資機材倉庫及び資機材置場を設けなければならない。
> (1)　巡回監視車は、次に掲げるところによること。
> 　　イ　配管系の保安の確保上必要な箇所に設けること。
> 　　ロ　平面図、縦横断面図その他の配管等の設置の状況を示す図面、ガス検知器、専用通信機、携行照明器具、応急漏えい防止器具、拡声器、耐熱服、消火器、警戒ロープ、シャベル、ツルハシ、ポール、巻尺その他点検整備に必要な機材を備えること。
> (2)　資機材倉庫は、次に掲げるところによること。
> 　　イ　資機材倉庫は、移送基地及び配管の経路の50キロメートル以内ごとの防災上有効な箇所並びに主要な河川上、湖沼、海上及び海底を横断する箇所の近傍に設けること。
> 　　ロ　資機材倉庫には、次に掲げる資機材を備えること。
> 　　　(1)　3パーセントに希しやくして使用する泡消火薬剤400リットル以上、耐熱服5着以上、シャベル及びツルハシ各5丁以上その他消火活動に必要な資機材
> 　　　(2)　流出した危険物を処理するための資機材
> 　　　(3)　緊急対策のための資機材
> (3)　資機材置場は、次に掲げるところによること。
> 　　イ　資機材置場は、防災上有効な場所で、かつ、当該場所を中心として半径5キロメートルの円の範囲内に配管の経路を包含する場所に設けること。ただし、資機材倉庫が設置されている場所から5キロメートル以内には、設置することを要しない。
> 　　ロ　資機材置場には、前号ロ(1)に掲げる資機材(耐熱服を除く。)を備えること。

(留意事項) (1)　移送取扱所の配管は広範な部分に及ぶことから、災害が発生した場合の応急対策として、巡回監視車、資機材倉庫及び資機材置場をそれぞれ所定の距離ごとに所定の資機材等を備えて設置する。

表39-1

常　備　資　機　材　等	設　置　位　置
巡回監視車 1．配管等の設置状況を示す図面 　(1)　平面図 　(2)　縦横断面図 　(3)　その他 2．ガス検知器 3．専用通信機 4．携行照明器具 5．応急漏えい防止器具 6．拡声器 7．耐熱服 8．消火器 9．警戒ロープ 10．シャベル 11．ツルハシ 12．ポール 13．巻尺 14．点検整備に必要なその他の機材	配管系の保安の確保上必要な箇所
資機材倉庫 1．泡消火薬剤400L以上 　（3％に希釈して使用するもの） 2．耐 熱 服　5着以上 3．シャベル　5丁以上 4．ツルハシ　5丁以上 5．消火活動に必要なその他の資機材 6．流出した危険物を処理するための資機材 7．緊急対策のための資機材	○移送基地に設置 ○50km以内ごとに設置 ○主要な河川上、湖沼、海上及び海底を横断する箇所 （移送基地）
資機材置場 1．泡消火薬剤400L以上 　（3％に希釈して使用するもの） 2．シャベル　5丁以上 3．ツルハシ　5丁以上 4．消火活動に必要なその他の資機材	資機材置場を中心とする半径5kmの円で配管の経路を、包含できる位置

(2)　危告示第53条第2号イの「主要な河川」とは危告示第47条第1項第1号に定める河川とされている。

40 予備動力源

根拠条文　危規則

（予備動力源）
第28条の39　保安のための設備には、告示で定めるところにより予備動力源を設置しなければならない。

危告示

（予備動力源）
第54条　規則第28条の39の規定により、保安のための設備には、次の各号に掲げ

　　　　　るところにより予備動力源を設置しなければならない。
　　　⑴　常用電力源が故障した場合に自動的に予備動力源に切り替えられるよう設
　　　　　置すること。
　　　⑵　予備動力源の容量は、保安設備を有効に作動させることができるものであ
　　　　　ること。

（留意事項）　予備動力源は、常用電力源が故障等により遮断した場合、保安のための設備（運転
状態の監視装置、安全制御装置、通報設備等）の機能を確保するために設けるもので、
常用電力源の故障時に自動的に予備電力源に切り替えられるものである。

41 保安用接地等

（根拠条文）　危規則

　　　（保安用接地等）
　　　第28条の40　配管系には、必要に応じて保安用接地等を設けなければならない。

（留意事項）　液体を配管で輸送する場合に発生する静電気による災害を防止するために、配管等
を大地と電気的に接続する。
図41-1

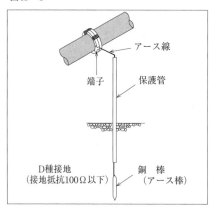

42 絶縁

（根拠条文）　危規則

　　　（絶縁）
　　　第28条の41　配管系は、保安上必要がある場合には、支持物その他の構造物から
　　　　絶縁しなければならない。
　　2　配管系には、保安上必要がある場合は、絶縁用継手をそう入しなければなら
　　　　ない。
　　3　避雷器の接地箇所に近接して配管を設置する場合は、絶縁のための必要な措
　　　　置を講じなければならない。

留意事項　(1)　電気防食措置を施工している地下埋設配管と緊急遮断弁等の点検箱との貫通部、保安接地を施工している地上配管と支持物は絶縁しなければならない。絶縁材としては繊維質絶縁材、合成樹脂、ゴム絶縁材、絶縁ワニス及びコンパウンド等がある。

(2)　電気防食措置を施工している地下埋設配管の地上への立上り部分、地下埋設配管の電気防食措置の方式の異なる部分等には、絶縁用継手を用いる（図42－1参照）。

図42－1

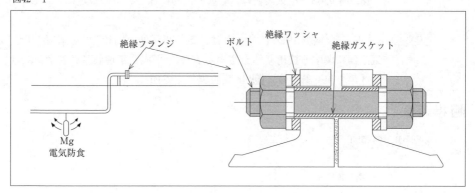

(3)　避雷器の接地箇所付近を流れる雷の大電流が、付近の移送基地等に影響しないように当該設置箇所付近の配管は大地と絶縁する。

図42－2

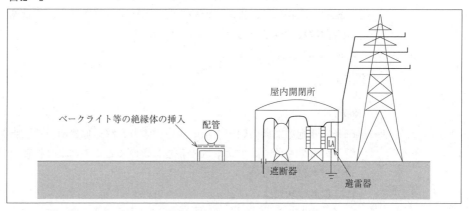

43 避雷設備

根拠条文　危規則

（避雷設備）

第28条の42　移送取扱所（危険物を移送する配管等の部分を除く。）には、第13条の2の3に定める避雷設備を設けなければならない。ただし、周囲の状況によつて安全上支障がない場合においては、この限りでない。

留意事項　避雷設備は、移送基地に設置されるポンプ、ピグ取扱装置等を包含できるように設ける。なお、避雷設備の技術基準は「第1集　第2章　**22** 避雷設備」を参照。

44 電気設備

(根拠条文)　危規則

> （電気設備）
> **第28条の43**　電気設備は、電気工作物に係る法令の規定によらなければならない。

(留意事項)　「電気工作物に係る法令」とは、電気事業法（昭和39年法律第170号）に基づく「電気設備に関する技術基準を定める省令」（平成9年通商産業省令第52号）であり、詳細は「第1集　第2章　20 電気設備」を参照。

45 標識等

(根拠条文)　危規則

> （標識等）
> **第28条の44**　移送取扱所（危険物を移送する配管等の部分を除く。）には、告示で定めるところにより、見やすい箇所に移送取扱所である旨を表示した標識及び防火に関し必要な事項を掲示した掲示板を設けなければならない。
> 2　配管の経路には、告示で定めるところにより位置標識、注意標示及び注意標識を設けなければならない。

危告示

> （標識等）
> **第55条**　規則第28条の44第1項の規定により、移送取扱所（危険物を移送する配管等の部分を除く。）には、次の各号に掲げるところにより標識及び掲示板を設けなければならない。
> (1)　標識は次によること。
> 　　イ　幅0.3メートル以上、長さ0.6メートル以上の板であること。
> 　　ロ　色は、地を白色、文字を黒色とすること。
> (2)　掲示板は次によること。
> 　　イ　幅0.3メートル以上、長さ0.6メートル以上の板であること。
> 　　ロ　取り扱う危険物の類、品名及び取扱最大数量、指定数量の倍数並びに危険物保安監督者氏名又は職名を表示すること。
> 　　ハ　ロの掲示板の色は、地を白色、文字を黒色とすること。
> 　　ニ　ロの掲示板のほか、取り扱う危険物に応じ、次に掲げる注意事項を表示した掲示板を設けること。
> 　　　(1)　第1類の危険物のうちアルカリ金属の過酸化物若しくはこれを含有するもの又は令第10条第1項第10号の禁水性物品にあつては「禁水」
> 　　　(2)　第2類の危険物（引火性固体を除く。）にあつては「火気注意」
> 　　　(3)　第2類の危険物のうち引火性固体、令第25条第1項第3号の自然発火

性物品、第4類の危険物又は第5類の危険物にあつては「火気厳禁」

ホ　ニの掲示板の色は、「禁水」を表示するものにあつては地を青色、文字を白色とし、「火気注意」又は「火気厳禁」を表示するものにあつては地を赤色、文字を白色とすること。

（位置標識等）

第56条　規則第28条の44第2項の規定により、配管の経路には、次の各号に掲げるところにより位置標識、注意標示及び注意標識を設けなければならない。

(1) 位置標識は、次に掲げるところにより地下埋設の配管の経路に設けること。

イ　配管の経路の約100メートルごとの箇所及び水平曲管部その他保安上必要な箇所に設けること。

ロ　危険物を移送する配管が埋設されている旨並びに起点からの距離、埋設位置、埋設位置における配管の軸方向、移送者名及び埋設の年を表示すること。

(2) 注意標示は、次に掲げるところにより地下埋設の配管の経路に設けること。ただし、防護工、防護構造物又はさや管その他の構造物により防護された配管にあつては、この限りでない。

イ　配管の直上に埋設すること。

ロ　注意標示と配管の頂部との距離は、0.3メートル以下としないこと。

ハ　材質は、耐久性を有する合成樹脂とすること。

ニ　幅は、配管の外径以上であること。

ホ　色は、黄色であること。

ヘ　危険物を移送する配管が埋設されている旨を表示すること。

(3) 注意標識は、次に掲げるところにより地上設置の配管の経路に設けること。

イ　公衆が近づきやすい場所その他の配管の保安上必要な場所で、かつ、当該配管の直近に設けること。

ロ　様式は次のとおりとすること。

備考
1　金属製の板とすること。
2　地を白色（逆正三角形内は、黄色）、文字及び逆正三角形のわくを黒色とすること。
3　地の色の材料は、反射塗料その他反射性を有するものとすること。
4　逆正三角形の頂点の丸み半径は、10ミリメートルとすること。
5　様式中、移送品名には、危険物の化学名又は通称名を記載すること。

(留意事項)（1）標識及び掲示板は移送基地付近に設ける。

　なお、様式等については図45−1のとおりである。

図45−1　**標識及び掲示板例**

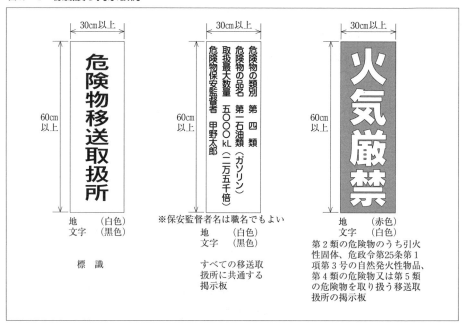

（2）位置標識及び注意標示は、地下埋設の配管の経路において当該配管の埋設位置を明確にすることにより、当該配管の保守管理、他工事による当該配管の損傷防止を図るために設けるものである。

　なお、位置標識の例については図45−2、図45−3のとおりである。

図45−2　**位置標識の例**（その1）

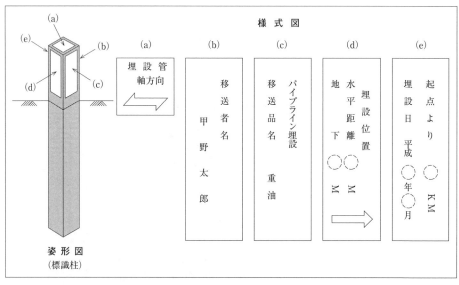

図45- 3　**位置標識の例**（その 2）

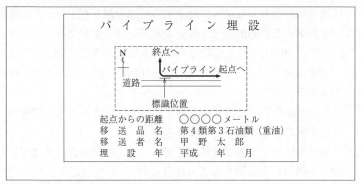

図45- 4　**注意標示の例**

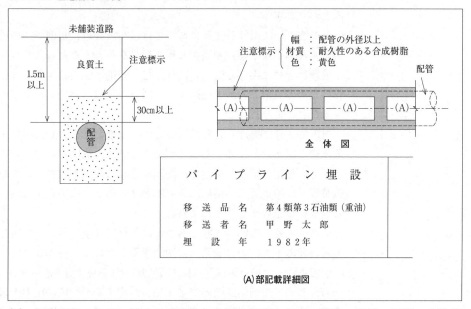

(3)　危告示第56条第 1 号イの「保安上必要な箇所」とは、道路、鉄道、河川、水路等
　　の横断部の両側及びバルブピットの設置箇所とされている。

46 保安設備の作動試験

根拠条文　危規則

（保安設備の作動試験）

第28条の45　保安のための設備であつて告示で定めるものは、告示で定める方法
　　により試験を行つたとき正常に作動するものでなければならない。

危告示

（保安設備の作動試験等）

第57条　規則第28条の45に規定する保安のための設備は、次の各号に掲げるもの
　　とする。

　(1)　第44条に規定する警報装置

　(2)　規則第28条の30第1号に規定する制御機能を有する安全制御装置

　(3)　規則第28条の30第2号に規定する制御機能を有する安全制御装置

　(4)　配管内の圧力が最大常用圧力を超えないように制御する装置

　(5)　油撃作用等によつて生ずる圧力が最大常用圧力の1.1倍を超えないように制御する装置

　(6)　規則第28条の32に規定する漏えい検知装置であつて、自動的に危険物の漏えいを検知することができるもの

　(7)　第54条に規定する予備動力源であつて、常用電力源が故障した場合に自動的に予備動力源に切り替えられるもの

2　規則第28条の45に規定する保安のための設備の試験の方法は、次の各号に掲げるとおりとする。

　(1)　前項第1号に掲げる装置にあつては、当該装置に規則第28条の29第2項に規定する異常な事態に相当する模ぎ信号を与えることにより行うこと。

　(2)　前項第2号に掲げる装置にあつては、規則第28条の30第1号に規定する保安のための設備等の制御回路をしや断した状態においてポンプの起動操作をすることにより行うこと。

　(3)　前項第3号に掲げる装置にあつては、規則第28条の32に規定する自動的に危険物の漏えいを検知することができる装置に危険物の漏えいに相当する模ぎ信号を与え、緊急しや断弁を閉鎖するための制御回路をしや断し、及び感震装置又は強震計に規則第28条の33第2項第2号に規定する地震動に相当する模ぎ信号を与えることにより行うこと。

　(4)　前項第4号に掲げる装置にあつては、移送状態において当該装置に係る圧力制御弁の下流側の弁を徐々に閉鎖することにより行うこと。

　(5)　前項第5号に掲げる装置(以下「油撃圧力安全装置」という。)にあつては、あらかじめ、規則第28条の31第1項に規定する配管内の圧力が最大常用圧力を超えないように制御する装置の作動圧力を最大常用圧力の1.1倍を超える圧力に調整し、移送状態において油撃圧力安全装置に係る圧力逃し弁の下流側の弁を徐々に閉鎖することにより行うこと。ただし、ポンプの出し得る最高圧力が最大常用圧力の1.1倍より低い圧力で運転する配管に設ける油撃圧力安全装置にあつては、静圧により行うものとする。

　(6)　前項第6号に規定する装置にあつては、移送により行うか、又は移送に相当する模ぎ信号を与えることにより行うこと。

　(7)　前項第7号に規定する装置にあつては、常用電力源をしや断することにより行うこと。

留意事項　保安設備の作動試験は、保安設備の性能、機能を確認するため実施するもので、完成検査、保安検査時に行うほか、移送開始前の始業点検、日常点検、定期点検等の際にも行うことが望ましい。

表46－1

保 安 設 備	試 験 の 方 法
警報装置 　配管内圧力警報装置 　漏えい（流量測定）警報装置 　　　〃　（圧力測定）　〃 　緊急遮断弁機能不良　〃 　地震警報装置	異常事態に相当する模擬信号を与え作動を確認する。
安全制御機能 　保安設備とポンプとのインター 　ロック	制御回路を遮断して、ポンプの起動操作をする。
安全制御機能 　ポンプと緊急遮断弁等が連動し 　て停止、閉鎖	○ 漏えい検知装置に模擬信号を与え、 ○ 緊急遮断弁を閉鎖するための制御回路を遮断し、 ○ 感震装置等に地震動相当の模擬信号を与え作動を 　確認する。
圧力安全制御装置（圧力制御弁）	圧力制御弁の下流側の弁を徐々に閉鎖し、作動を確認
油撃圧力安全装置	圧力制御弁の機能を停止させ、移送状態において、 圧力逃し弁の下流側の弁を徐々に閉鎖し、作動を確認
漏えい自動検知装置 　流量測定方式 　　圧力　　〃	移送により行うか、又は移送に相当する模擬信号を 与える。
予備動力源	常用電力源を遮断し、自動的に予備動力源に切り替 えられて有効に作動することを確認

47 船舶より又は船舶へ移送する場合の配管系の保安設備等

(根拠条文) 危規則

> **（船舶より又は船舶へ移送する場合の配管系の保安設備等）**
>
> **第28条の46**　船舶より又は船舶へ移送する場合の配管系の保安設備等について、
> 　第28条の29から前条までの規定により難いものについては、告示でこれらの規
> 　定の特例を定めることができる。

(留意事項)　船舶より又は船舶へ移送する場合の配管系の保安設備等に係る基準の特例について
は、現在のところ定められていない。

48 ポンプ等

(根拠条文) 危規則

> **（ポンプ等）**
>
> **第28条の47**　ポンプ及びその附属設備（以下「ポンプ等」という。）を設置する場
> 　合は、次の各号に掲げるところによらなければならない。
> （1）　ポンプは、告示で定める基準に適合するもの又はこれと同等以上の機械的
> 　　性質を有するものを使用すること。

(2)　ポンプ等（ポンプをポンプ室内に設置する場合は、当該ポンプ室。次号において同じ。）は、その周囲に告示で定める幅の空地を有すること。

(3)　ポンプ等は、住宅、学校、病院、鉄道その他の告示で定める施設に対し告示で定める距離を有すること。ただし、保安上必要な措置を講じた場合は、この限りでない。

(4)　ポンプは、堅固な基礎の上に固定して設置すること。

(5)　ポンプをポンプ室内に設置する場合は、当該ポンプ室の構造は、告示で定める基準に適合するものであること。

(6)　ポンプ等を屋外に設置する場合は、告示で定める方法により設置すること。

危告示

（ポンプの基準）

第58条　規則第28条の47第1号に規定するポンプの基準は、次のとおりとする。

(1)　日本産業規格 B 8322「両吸込渦巻ポンプ」に定めるもの又はこれと同等以上の機械的性質を有する渦巻ポンプ、歯車ポンプ若しくはねじポンプであつて危険物の移送の用に供するためのものであること。

(2)　ポンプのケーシングは、鋼製とすること。

(3)　ポンプの軸封部には、メカニカルシールを使用すること。

(4)　50キロワットを超えるポンプにあつては、軸封部の危険物の漏えい、軸受けの温度過昇、ケーシングの温度過昇、過大な振動等の異常な状態を検知し、かつ、速やかに必要な措置を講じることができる安全装置を有すること。

(5)　日本産業規格 B 8306「油用遠心ポンプ—油を用いる試験方法」又は日本産業規格 B 8312「歯車ポンプ及びねじポンプ—試験方法」に定める試験に合格するものであること。

（ポンプ等の空地）

第59条　規則第28条の47第2号に規定するポンプ等（ポンプをポンプ室内に設置する場合は、当該ポンプ室。次号において同じ。）の周囲に設ける空地の幅は、次の表の上〔左〕欄に掲げるポンプ等に係る最大常用圧力に応じて、それぞれ同表の下〔右〕欄に掲げる値とする。ただし、ポンプをポンプ室（第61条に規定する基準に適合するものであつて、壁、柱及びはりを耐火構造（建築基準法（昭和25年法律第201号）第2条第7号に規定する耐火構造をいう。以下同じ。）とし、かつ、屋根を軽量な不燃材料（建築基準法第2条第9号に規定する不燃材料をいう。以下同じ。）でふいたものに限る。）内に設置する場合は、次の表に掲げる空地の幅を3分の1まで減ずることができる。

ポンプ等に係る最大常用圧力（単位　MPa）	空地の幅（単位　m）
1 未満	3 以上
1 以上 3 未満	5 以上
3 以上	15 以上

（ポンプ等の保安距離等）

第60条　規則第28条の47第3号に規定する施設及び当該施設に対し移送用ポンプ

等が有しなければならない距離については、第32条の規定を準用する。

（ポンプ室の構造の基準）

第61条 規則第28条の47第5号に規定するポンプ室の構造の基準は、次の各号に掲げるとおりとする。

(1) 不燃材料で造ること。この場合において、屋根は軽量な不燃材料を用いるものとする。

(2) 窓又は出入口を設ける場合は、防火設備（令第9条第1項第7号に規定する防火設備をいう。）とすること。

(3) 窓又は出入口にガラスを用いる場合は、網入ガラスとすること。

(4) 床は、危険物が浸透しない構造とし、かつ、その周囲に高さ0.2メートル以上の囲いを設けること。

(5) 漏れた危険物が外部に流出しないように床に適当な傾斜を付け、かつ、貯留設備を設けること。

(6) 可燃性の蒸気が滞留するおそれのあるポンプ室には、その蒸気を屋外の高所に排出する設備を設けること。

(7) ポンプ室には、危険物を取り扱うために必要な採光、照明及び換気の設備を設けること。

（ポンプ等の屋外設置の方法）

第62条 規則第28条の47第6号に規定するポンプ等の設置の方法は、次の各号に掲げるとおりとする。

(1) ポンプ等の直下の地盤面は、危険物が浸透しない構造とし、かつ、その周囲に高さ0.15メートル以上の囲いを設けること。

(2) 漏れた危険物が外部に流出しないように排水溝及び貯留設備を設けること。

（留意事項） (1) ポンプの種類

表48－1

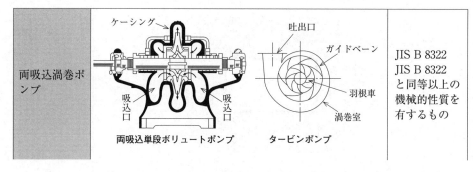

両吸込渦巻ポンプ	両吸込単段ボリュートポンプ ／ タービンポンプ	JIS B 8322 JIS B 8322と同等以上の機械的性質を有するもの

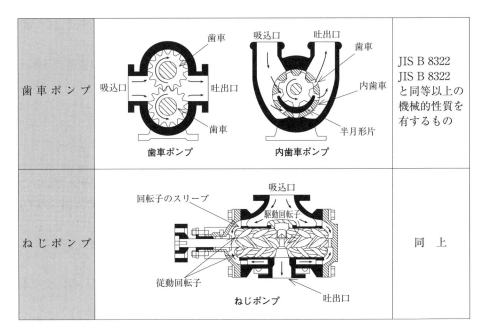

			JIS B 8322

歯車ポンプ — JIS B 8322 と同等以上の機械的性質を有するもの

ねじポンプ — 同　上

(2) 保有空地等

表48 - 2

ポンプに係る最大常用圧力	空　地　の　幅	
	ポンプ室（危告示第61条に適合するもの）内設置	そ　の　他
1 MPa未満	1 m以上	3 m以上
1 MPa以上 3 MPa未満	5／3 m以上	5 m以上
3 MPa以上	5 m以上	15m以上

図48 - 1

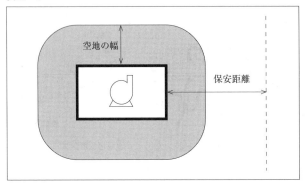

(3) ポンプ室

図48-2　**ポンプ室の構造例**

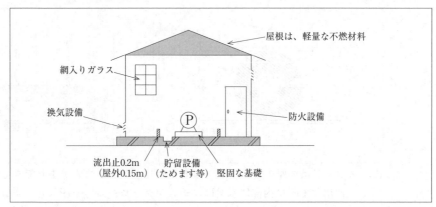

(4)　危告示第58条第5号の「試験」は工場試験とし、ポンプ附属の安全装置の作動試験も実施する必要があるとされている。

(5)　危規則第28条の47第3号ただし書の「保安上必要な措置」は、**17**(3)を参照する。

49 ピグ取扱装置

根拠条文　危規則

> （ピグ取扱い装置）
> **第28条の48**　ピグ取扱い装置の設置に関し必要な事項は、告示で定める。

危告示

> （ピグ取扱い装置の設置）
> **第63条**　規則第28条の48に規定するピグ取扱い装置は、次の各号に掲げるところにより設けなければならない。
> (1)　ピグ取扱い装置は、配管の強度と同等以上の強度を有すること。
> (2)　ピグ取扱い装置は、当該装置の内部圧力を安全に放出でき、かつ、内部圧力が放出された後でなければ、ピグの挿入又は取出しができないよう措置すること。
> (3)　ピグ取扱い装置は、配管に異常な応力を発生させないように取り付けること。
> (4)　ピグ取扱い装置を設置する床は、危険物が浸透しない構造とし、かつ、漏れた危険物が外部に流出しないように排水溝及び貯留設備を設けること。
> (5)　ピグ取扱い装置の周囲には、3メートル以上の幅の空地を保有すること。ただし、ピグ取扱い装置を第59条ただし書に規定するポンプ室内に設ける場合は、この限りでない。

留意事項　(1)　ピグ取扱装置は、多油種輸送における油の混合を抑制するピグ、配管を清掃するピグ、危険物の除去措置用に使用するピグ等のピグを送受するもので、ピグには球

　　　形ピグ（スフィア）、傘型ピグ、砲弾型ピグ等がある。

図49-1　**スフィア断面**

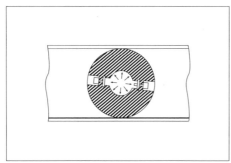

図49-2　**傘型ピグ**

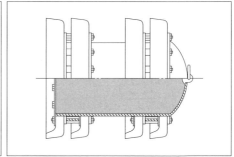

⑵　スフィアは肉厚のネオプレンゴム、ポリウレタンゴム等よりできている中空の球
　で、使用する際は内部に水又はエチレングリコール等を圧入し、空気を排するとと
　もに管内径より1〜4％大きく膨らませる。

図49-3　**チェックバルブタイプのピグランチャー**

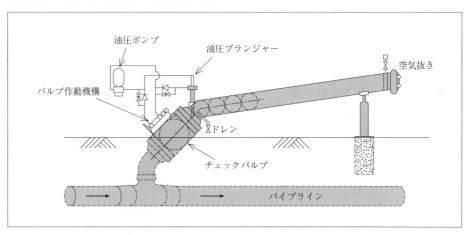

図49-4

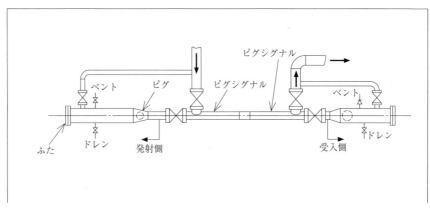

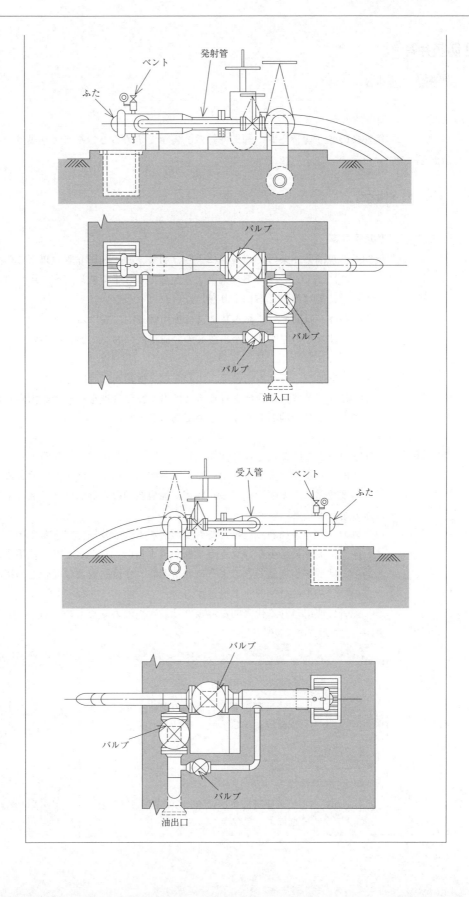

50 切替弁等

(根拠条文) 危規則

（切替え弁等）

第28条の49 切替え弁、制御弁等は、告示で定めるところにより設けなければならない。

危告示

（切替え弁等）

第64条 規則第28条の49の規定により、切替え弁、制御弁等（以下この条において「弁」という。）は、第17条第4号から第8号までの規定を準用するほか、次の各号に掲げるところにより設けなければならない。

(1) 弁は、原則として移送基地又は専用敷地内に設けること。

(2) 弁は、その開閉状態が当該弁の設置場所において容易に確認できるものであること。

(3) 弁を地下に設ける場合は、当該弁を点検箱内に設けること。

(4) 弁は、当該弁の管理を行う者又は当該弁の管理を行う者が指定した者以外の者が手動で開閉できないものであること。

(留意事項) (1) 配管用バルブに要求される性能として、次のことが考えられる。

ア 弁前後の差圧の大小にかかわらず完全閉鎖（バルブタイト）できること。

イ 温度変化による配管の膨張、収縮、地盤変動による曲げモーメント等の外力に十分耐えること。

ウ 外力、内力が加わった場合でも変形がなく、十分操作できること。

エ 圧力損失が最も少ないフルボア形が望ましい。また、ピグを使用する配管系にあってはピグが通過できるように弁全開時の弁流路内及び配管との接続部分に段差のないスルーコンジット形とする。

配管に使用される代表的なバルブは、次表のようなものである。

表50-1 **バルブの代表例**

名　称	形式及び目的	略　図
仕切弁	流量制御並びに流体の遮断を弁板の上下動によって行う。	
ちょう形弁	流量制御並びに流体の遮断を弁板の旋回によって行う。	

ボール弁	流量制御並びに流体の遮断を球の旋回によって行う。	
リ リ リ ー フ弁		
逆 止 弁	弁板が自動的に開閉して逆流を防止する。	
リリーフ弁	制限圧力を超過した場合、他の管路に流体を逃がして圧力の異常上昇を防止する。	

(2) 切替弁、制御弁とは配管に設けられる弁をいい、緊急遮断弁は除くものとされている。

51 危険物の受入れ口及び払出し口

（危険物の受入れ口及び払出し口）
第28条の50　危険物を受け入れ、又は払い出す口の設置に関し必要な事項は、告示で定める。

危告示

（危険物の受入れ口及び払出し口の設置に関し必要な事項）
第65条　規則第28条の50に規定する危険物の受入れ口及び払出口（以下「受入れ口等」という。）は、次の各号に掲げるところにより設けなければならない。
(1) 危険物の受入れ口等は、火災の予防上支障のない場所に設けること。
(2) 危険物の受入れ口等は、危険物を受け入れ、又は払い出すホース又は管と結合することができ、かつ、危険物が漏れないものであること。
(3) 危険物の受入れ口又は払出し口には、危険物の受入れ口又は払出口である旨及び防火に関し必要な事項を掲示した掲示板を設けること。
(4) 危険物の受入れ口等には、当該受入れ口等を閉鎖できる弁を設けること。

留意事項　危険物の受入れ口及び払出し口については「第2集　第2章　18 注入口」を参照。なお、火災予防上支障のない場所は、危険物の性質、周囲の状況等を考慮して判断する。

52 移送基地の保安措置

危規則

> **（移送基地の保安措置）**
> **第28条の51**　移送基地には、構内に公衆がみだりに入らないようにさく、へい等
> を設けなければならない。ただし、周囲の状況により公衆が立入るおそれがな
> い場合は、この限りでない。
> 2　移送基地には、告示で定めるところにより当該移送基地の構外への危険物の
> 流出を防止するための措置を講じなければならない。ただし、保安上支障がな
> いと認められる場合は、この限りでない。

危告示

> **（移送基地の危険物流出防止措置）**
> **第66条**　規則第28条の51第2項の規定により、移送基地には、次の各号に掲げる
> ところにより危険物の流出を防止するための措置を講じなければならない。
> (1)　危険物を取り扱う施設（地下に設置するものを除く。）は、移送基地の敷地
> の境界線から当該配管に係る最大常用圧力に応じて、次の表に掲げる距離
> （工業専用地域に設置するものにあつては、当該距離の3分の1の距離）以
> 上離すこと。
>
> | 配管に係る最大常用圧力（単位　MPa） | 距離（単位　m） |
> |---|---|
> | 0.3未満 | 5 |
> | 0.3以上1未満 | 9 |
> | 1以上 | 15 |
>
> (2)　第4類の危険物（水に溶けないものに限る。）を取り扱う施設から漏れた危
> 険物が移送基地の構外へ流出しないように油分離装置を設けること。
> (3)　移送基地の敷地の境界部分を土盛り等の方法により0.5メートル以上高く
> すること。

留意事項　「保安上支障がないと認められる場合」とは、危告示第66条第1号に係るものにあっ
ては流出防止上有効な塀等を設けた場合とし、同条第3号に係るものにあっては移送
基地より周囲の地盤が、0.5m以上高い場合等が該当するとされている。

図52-1　**移送基地の例**

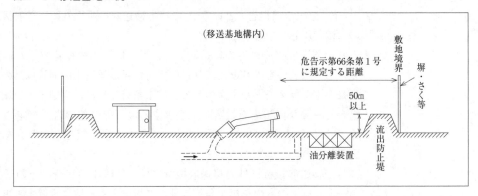

53 移送取扱所の基準の特例を認める移送取扱所の指定

根拠条文　危規則

（移送取扱所の基準の特例を認める移送取扱所の指定）

第28条の52　令第18条の2第2項に規定する総務省令で定める移送取扱所は、危険物を移送するための配管の延長（当該配管の起点又は終点が2以上ある場合には任意の起点から任意の終点までの当該配管の延長のうち最大のもの。以下同じ。）が15キロメートルを超えるもの又は危険物を移送するための配管に係る最大常用圧力が0.95メガパスカル以上であつて、かつ、危険物を移送するための配管の延長が7キロメートル以上のもの（以下「特定移送取扱所」という。）以外の移送取扱所とする。

留意事項　特定移送取扱所以外の移送取扱所は次のように区分できる。

（1）低圧小口径管（配管に係る最大常用圧力が1MPa未満で、かつ、内径が100mm以下の配管）であるもの。

（2）配管に係る最大常用圧力が1MPa未満のもの。

（3）その他

54 移送取扱所の基準の特例

根拠条文　危規則

（移送取扱所の基準の特例）

第28条の53　第28条の29第1項、第28条の30第1号、第28条の32第1項第2号及び第3号並びに第28条の35の規定は、特定移送取扱所以外の移送取扱所には適用しないものとする。

2　第28条の31第1項の規定は、油撃作用等によつて配管に生ずる応力が主荷重に対する許容応力度を超えない配管系で特定移送取扱所以外の移送取扱所に係るものには適用しないものとする。

3　第28条の32第1項第5号の規定は、危険物を移送するための配管に係る最大

常用圧力が１メガパスカル未満で、かつ、内径が100ミリメートル以下の配管（以下「低圧小口径管」という。）で特定移送取扱所以外の移送取扱所に係るものには適用しないものとする。

4 特定移送取扱所以外の移送取扱所に係る低圧小口径管でその延長が４キロメートル未満のもの及び当該移送取扱所に係る低圧小口径管以外の配管でその延長が１キロメートル未満のものを第１条第５号ハに規定する地域に設置する場合（主要な河川等を横断して設置する場合その他の告示で定める場合を除く。）には第28条の33第１項の規定にかかわらず、緊急しや断弁を設けることを要しない。

5 特定移送取扱所以外の移送取扱所に係る低圧小口径管でその延長が４キロメートル以上のものを第１条第５号ハに規定する地域に設置する場合にあつては、第28条の33第１項の規定にかかわらず、約４キロメートルの間隔で当該配管に緊急しや断弁を設けることができる。

6 告示で定める場所に設置する緊急しや断弁で特定移送取扱所以外の移送取扱所に係るものは、第28条の33第２項第１号の規定にかかわらず、現地操作によつて閉鎖する機能を有するものとすることができる。

7 第28条の33第２項第２号の規定は、緊急遮断弁を閉鎖するための制御が不能となつた場合に自動的に、かつ、速やかに閉鎖する機能に係る部分を除き、特定移送取扱所以外の移送取扱所に係る緊急遮断弁には適用しないものとする。

8 消防機関に通報する設備で特定移送取扱所以外の移送取扱所に係るものは、第28条の36第３項の規定にかかわらず、専用設備にしないことができる。

9 前８項に定めるもののほか、特定移送取扱所以外の移送取扱所の基準の特例に関し必要な事項は、告示で定める。

危告示

（緊急しや断弁の特例）

第67条 規則第28条の53第６項に規定する告示で定める場所は、第47条第１項第１号から第４号までに掲げる場所以外の場所とする。

（移送取扱所の基準の特例）

第68条 特定移送取扱所以外の移送取扱所に係る配管の材料の規格は、第５条第１号に掲げるもののほか、日本産業規格 G 3452「配管用炭素鋼鋼管」（水圧試験を行つた配管で、かつ、配管に係る最大常用圧力が１メガパスカル未満の圧力の配管に使用する場合に限る。）及び日本産業規格 G 3457「配管用アーク溶接炭素鋼鋼管」（配管に係る最大常用圧力が１メガパスカル未満の圧力の配管に使用する場合に限る。）とする。

2 特定移送取扱所以外の移送取扱所に係る配管でその材料が日本産業規格 G 3452「配管用炭素鋼鋼管」であるものの最小厚さの基準は、第６条の規定にかかわらず、第７条に定める方法による破損試験を行つたときにおいて破損しないものに足る値とする。

3 特定移送取扱所以外の移送取扱所の配管で最大常用圧力が１メガパスカル未

満のものから他の施設に対する水平距離は、第32条の規定にかかわらず、同条
各号に掲げる施設に対し、当該各号に定める水平距離からそれぞれ15メートル
を減じた距離とすることができる。

4　第44条第2号ロ、ハ及びホの規定は、特定移送取扱所以外の移送取扱所には
適用しないものとする。

5　第47条第1項第5号及び第2項第3号の規定は、市街地に設ける配管で延長
が4キロメートル未満のもの（特定移送取扱所以外の移送取扱所に係るものに
限る。）及び市街地以外の地域に設ける配管で延長が10キロメートル未満のもの
（特定移送取扱所以外の移送取扱所に係るものに限る。）には適用しない。

6　第51条の規定のうち山林原野以外の地域に係る部分は、特定移送取扱所以外
の移送取扱所に係る配管で配管の延長が2キロメートル未満のものには適用し
ない。

7　特定移送取扱所以外の移送取扱所に係る配管の経路には、第53条の規定にか
かわらず、巡回監視車を設けないことができる。

8　特定移送取扱所以外の移送取扱所に係る資機材倉庫のうち移送基地に設ける
ものは、第53条第2号イの規定にかかわらず、移送基地のうち危険物の受入れ
をする部分又は危険物の払出しをする部分のいずれかに設けることができる。

9　特定移送取扱所以外の移送取扱所に係る配管の経路が半径5キロメートルの
円の範囲内にとどまるものには、第53条及び前項の規定にかかわらず、資機材
倉庫を設置することを要しない。

(留意事項)　特定移送取扱所以外の移送取扱所の基準の特例を次表に示す。

表54-1　**特定移送取扱所以外の移送取扱所の基準の特例**

| 項　目 | 危　規　則 | | | 危告示 | | 特定移送取扱所以外の移送取扱所 | | | 基準の特例の内容 |
	条	項	号	条	項(号)	※低圧小口径管	最大常用圧力1MPa未満	左以外のもの	
1 配管の材料	28の4			5	(1)	○	○		危告示第5条第1号の外に使用できるもの①「配管用炭素鋼鋼管」JIS G 3452（水圧試験を行ったもの）②「配管用アーク溶接炭素鋼鋼管」JIS G 3457
2 配管の最小厚さ	28の5	2	5	6		○	○		「配管用炭素鋼鋼管」を使用する場合は、危告示第7条の試験で破損しないこと。
3 地上設置の水平距離	28の16		2	32		○	○		危告示第32条に規定する距離から15mを減じた距離とすることができる。
4 運転状態の監視装置	28の29	1				○	○	○	※

項目	令	項	告示条	号				備考
5 警報装置	28の29	2	44	(2)	○	○	○	危告示第44条第2号ロ（流量差検知）、ハ（圧力差検知）及びホ（地震検知）の警報装置は設けなくてよい。
6 安全制御装置	28の30	1			○	○	○	※
7 圧力安全装置	28の31	1			○	○	○	油撃作用等によって配管に生ずる応力が主荷重に対する許容応力度を超えない配管系では適用しない。
8 漏えい検知装置等 ①流量差 ②圧力差 ③検知口	28の32	1	2		○	○	○	※
			3		○	○	○	※
			5		○			※
9 緊急遮断弁の設置	28の33	1			○			延長4km未満で、危規則第1条第5号ハに規定する市街地に設置する場合（主要な河川等の横断その他の告示で定めるものを除く。）は、設置を要しない。
						○	○	延長1km未満で、危規則第1条第5号ハに規定する市街地に設置する場合（主要な河川等の横断、その他の告示で定めるものを除く。）は、設置を要しない。
					○			延長4km以上で、危規則第1条第5号ハに規定する市街地に設置する場合は、約4km間隔で設けることができる。
			47	1(5) 2(3)	○	○	○	①延長4km未満で市街地（危規則第1条第5号イ及びロ）に設ける場合は、適用しない。②延長10km未満で市街地以外の地域に設ける場合は、適用しない。
10 緊急遮断弁の機能	28の33	1			○	○	○	危告示第47条第1項第1号から第4号以外の場所に設置する場合は、現地操作で閉鎖する機能のみでよい。
		2						緊急遮断弁を閉鎖する

		2			○	○	○	ための制御が不能になった場合に自動的かつ速やかに閉鎖する機能を有していれば足りる。
11 感震装置等	28の35				○	○	○	※
12 緊急通報設備の発信部	28の36	2	51		○	○	○	山林原野以外の地域に係る部分の延長が2km未満の場合は、適用しない。
13 消防機関に通報する設備	28の36	3			○	○	○	専用設備としなくともよい。
14 巡回監視車	28の38		53	(1)	○	○	○	設置を要しない。
15 資機材倉庫	28の38		53	(2)	○	○	○	①移送基地のうち、受入れをする部分又は払出しをする部分のいずれか一方に設ければ足りる。②配管の経路が半径5kmの円の範囲内にとどまるものは、設置を要しない。

注1　○印は、特定移送取扱所以外の移送取扱所のうち、基準の特例を認められるもの

注2　※印は、無条件で適用されないもの

11訂 図解 **危険物施設基準の早わかり③**

平成 7 年 9 月30日	初 版 発 行		
平成 9 年 3 月15日	2 訂 版 発 行		
平成11年 1 月20日	3 訂 版 発 行		
平成13年11月25日	4 訂 版 発 行		
平成16年10月 1 日	5 訂 版 発 行		
平成22年 6 月30日	6 訂 版 発 行		
平成26年 4 月20日	7 訂 版 発 行		
平成28年 8 月10日	8 訂 版 発 行		
平成29年10月15日	9 訂 版 発 行		
令和 2 年10月15日	10 訂 版 発 行		
令和 6 年 8 月15日	11 訂 版 発 行	（令和 6 年 6 月 1 日現在）	

監　修／東京消防庁

編　著／危険物行政研究会

発行者／星沢　卓也

発行所／東京法令出版株式会社

112－0002	東京都文京区小石川 5 丁目17番 3 号	03 (5803) 3304
534－0024	大阪市都島区東野田町 1 丁目17番12号	06 (6355) 5226
062－0902	札幌市豊平区豊平 2 条 5 丁目 1 番27号	011 (822) 8811
980－0012	仙台市青葉区錦町 1 丁目 1 番10号	022 (216) 5871
460－0003	名古屋市中区錦 1 丁目 6 番34号	052 (218) 5552
730－0005	広島市中区西白島町11番 9 号	082 (212) 0888
810－0011	福岡市中央区高砂 2 丁目13番22号	092 (533) 1588
380－8688	長 野 市 南 千 歳 町 1005 番 地	

〔営業〕TEL 026 (224) 5411　FAX 026 (224) 5419
〔編集〕TEL 026 (224) 5412　FAX 026 (224) 5439
https://www.tokyo-horei.co.jp/

ISBN978-4-8090-2555-6